# 短歌表現辞典
## 草樹花編
〈新版〉

飯塚書店

# はじめに

短歌に詠われた植物は『万葉集』より現代短歌まで数限りなくあります。樹木、草花、作物などは四季の移ろいを鮮やかに映して、日本人に愛され、親しまれ続けてきました。

最近は自然環境が著しく変化して、周辺より植物の緑が喪失し、季節感も失われつつあります。いま、草・樹・花を詠うことは、とりも直さず自然を讃え、自然を守ることにほかなりません。

本書は、植物六四五種の項目をあげ、それぞれの特徴を詳細に説明し、草・樹・花をテーマとした短歌表現の実際を現代歌人の秀歌三〇四〇首を引例して示しました。

さわやかな緑、妙なる草花に接した、純粋な感動を表現する手法を学びとって頂きたい。

例歌は項目に適する作品を引用させていただきました。改めて多謝いたします。なお、初めての試み故、不備の点も多いことと思います。読者の御教示により、より完全なものに改めてゆきます。

飯塚書店　編　集　部

# 凡　例

## 見出し語

1　見出し語は植物名を、平がなと片かなにより、現代かなづかいを用いて表記した。
2　〔　〕内には見出し語に相当する漢字を入れて、歴史的かなづかいによる振りがなを付けた。

## 配　列

1　見出し語はアイウエオ順（五十音順）に従って配列し、清音・濁音・半濁音の順にした。
2　小文字で表わした促音・拗音は音順に入れ、長音は無視してある。

## 用字用語

1　説明文は漢字まじり、平がな口語文とし、仮名づかいは現代かなづかいに従った。
2　植物名は平がなと漢字を用い、一部片かなを用いた。古名、別名は歴史的かなづかいによる振りがなを付けた。
3　引用歌はすべて原文どおりとした。

# 短歌表現辞典　草樹花編〈新版〉

## アイリス

アヤメ科植物に属し、花壇や切花に用いられる。ダッチアイリス（オランダアヤメ）は剣状の葉間から春に花茎をのばして白、青、濃青、紫の花を五月ごろ開花する。ドイツアヤメは花の色が豊富で赤、白、黄、青、紫系の複雑な色彩をもち、混色、しぼり、網目状と変化に富む花を五月に開く。アイリスの名は花色の多彩なことから虹を、また葉の形から刃を表わすという。

洗はれし画面にひとつアイリスの花咲きいでて紫くらし　造酒　広秋

心の中どんなに叫んでも届かない名前の数だけアイリスは咲けり　田中　章義

## あおきのみ〔青木《あをき》の実《み》〕

関東以西、四国、九州の林中や日陰に実《み》生《しよう》でよく生育するミズキ科の常緑低木。庭木として目かくしなどに植えられ、斑《ふい》入り葉、白実の変種もある。秋から冬にかけ、だ円形の実が赤く熟れて美しい。冬にはヒヨドリが訪れたり、雪の積もるころ雪だるまとともに作る雪兎の眼に用いられる。

青木の実毎年落ちて生《お》ひけらしここの谿間の多くの青木　木下　利玄

青木の実山椒魚の北限に雪降る頃かいよいよ赤し　馬場あき子

## あおぎり〔青桐《あをぎり》・梧桐《あをぎり》〕

アオギリ科の落葉高木。樹皮が緑色で大きな長柄のある青葉が初夏に生《お》ひ茂るため、庭木や街路樹として植えられ、涼しい木かげをつくる。六、七月淡黄色の小さい花を多数開く。実は舟形にさけて種子は十月に熟す。漢名梧桐《ごどう》。沖ななもの「波羅蜜」は迷いの此岸から悟りの彼岸に渡ること。仏となるための修行。

青桐の花房垂れてあしたより蜂のうなりの窓にちかしも　四賀　光子

梧桐は幹さへ青しさやさやに色映りあふ端葉《みつ》のうごき　土田　耕平

あをぎりのぶっきらぼうの四、五本が春の光をすべらせている　加藤　克巳

西窓を覆ふ青桐の大き葉のゆらげばこぼれくる日のひかり　飛松　実

青桐の芽のほぐれむとする梢仰げり暗くなる前の庭

樋口　賢治

あおぎりの枯れ実拾えり波羅蜜のここまでくるもひとかたならず　　沖　ななも

## あおさ〔石蓴《あをさ》〕

緑藻類アオサ科アオノリ属。沿岸、内湾、河口などの岩に付く緑色の海草。アオノリの代用となる。

かなしみはひと生《よ》をかけて守りゆかむ石蓴《あおさ》はゆらぐ遠き日の磯　　近藤とし子

暗緑の低き礁《いくり》は透きとほる石蓴《あをさ》をまとふ近づき見れば　　佐瀬　本雄

## あおだも〔青《あを》だも〕

モクセイ科の落葉高木。山地にはえ、樹皮は緑白色。枝を切って水に漬けると水が青色に変わる。初夏、枝先に白色小花を円錐状に密生する。トネリコの一種。

アヲダモの花の小枝を持ち帰るひとりゆきたる夫が山より　　染谷　雪江

## あかざ〔藜《あかざ》〕

山野や平地の人家付近にもはえるアカザ科の一年草。茎はいちじるしく枝分かれし、高さ1メートルに達して直立する。また、周囲が3センチの太いものは、つえにもなる。若葉には紅紫色の粉が密についており、食べられる。宮柊二の「山西省」は中国の地名。作者は昭和十四年から十八年まで一兵士として応召した。

うす赤き藜のやはら若芽つめり老母上《おいははうへ》は食《を》し給ふとて　　生方たつゑ

つやつやと日に輝ける紅のあかざがありてこころなぎなん　　佐藤佐太郎

いま不意に山西省のかの藜茎《くき》ありありと見ゆるは何《な》故《ぜ》か　　宮　柊二

狭まりて残る空地《くうち》に枯るるもの食ひし藜のうつくしき茎　　千代　国一

訥としてロゴスは在りき秋風に触れて藜の葉がもみぢする　　安永　蕗子

## アカシア

日本ではハリエンジュ（針槐）別名ニセアカシアを俗にアカシアといっている。北米原産で一八七八年ころ渡来。庭木や街路樹に植えられ、高さ15メートルにもなるマメ科の落葉高木。だ円形の小さな葉を羽状につけ、初夏に白色の蝶形花をフジの花房のように多数開く。芳香が強いので多くのこん虫が訪れる。北原白秋の「雨もがな」は雨があればなあ、と願望を表わす。

ほのぼのと人をたづねてゆく朝はあかしやの木にふる雨もがな　北原　白秋

あかしやの垂り花　白く散り敷けば、思ひ深めて道をくだりぬ　釈　迢空

アカシヤの垂り葉の先ゆ滴りて浅間嶺の闇ひたひたと来る　葛原　妙子

あかしやは花の咲く日も静かにてすでに散りくるさむき地のうへ　芥子沢新之介

生きらるるいのちなりしを死なせしぞ針槐《アカシア》の白き花もぎて嗅ぐ　吉野　鉦二

あかしやの花ふりこぼす朝風に眩しく未遂の悪も宥《ゆる》さむ　中城ふみ子

寒くなる空合にしてアカシアは屋根の廂に枝擦れて揺る　林　安一

アカシヤの花かげに入りかぐはしき花冷に遭ふ五月あずみ野　高野　公彦

## あかのまま〔赤《あか》の飯《まま》〕

山野や路傍にはえるタデ科の一年草。茎は柔らかく赤みがかり、高さ30センチ。葉は黄緑。夏から秋に紅紫色の小花が穂状に密生してつく。犬蓼《いぬたで》。あかのまんま。あかまんま。高さ1メートル以上になり、紅を帯びた白色の花が咲くのは大犬蓼。若山牧水の「こちたし」は非常に多い。

赤飯《あかまま》の花と子等いふ犬蓼《いぬたで》の花はこちたし家のめぐりに　若山　牧水

犬蓼の紅《べに》の房花摘みてをる幼子に我は摘み添へやりぬ　若山喜志子

わが刈りし朝の秣《まぐさ》に露ながら一鎌ほどのあかまんまの花　結城哀草果

赤まんま赤穂垂れたり庭ながら野の風情《ふぜい》にてものおもはしむ　宮　柊二

犬蓼の茂るひとむら親しかり黄のブルドーザ並ぶ現場に　扇畑　利枝

アパートのわが子ら花を摘み遊ぶ裏の空地《あきち》の犬蓼の花　武川　忠一

良妻であること何で悪かろか日向の赤まま扱《しご》きて歩む　河野　裕子

## アガパンサス

アフリカ原産のユリ科の宿根草。花壇、鉢植、切花にされる。長さ

30～40センチの葉間から、六、七月にユリ形六弁の小花を茎頂に五～十個散状・横向きに開く。淡紫青色の涼しげな色彩で、和名を紫君子蘭《むらさきくんしらん》という。

梅雨ぐもる庭の一隅茎たちてアガパンサスが簡潔に咲く　岡野千佳代

## アカンサス

50～80センチに生育するキツネのゴマ科の宿根草。葉がアザミに似ているのでハアザミといわれる。夏、花穂が伸びて白に赤みがかった唇形花《しんけいか》を多数つける。寒気に強く花壇に植えられる。アカンサスはギリシア語で刺《とげ》のこと。この葉はギリシア建築、特にコリント式建築の柱頭に装飾モチーフとして用いられている。

アカンサスの葉はたくましく広がりて忙《せわ》しきわれに冬は来らむ　柴生田稔

文字深く刻みし君の歌碑の前一もと立てりアカンサスの花　扇畑忠雄

ギリシャより大隅先生もちきたるアカンサスの孫も花終りたり　中野菊夫

庭隅にアカンサスの花茎伸び立ちてまた一年の過ぎしを思ふ　吉村睦人

—あきのきりんそう

アカンサス少しめくれる青葉もて世紀末なる壁被ふかな　星河安友子

## あきくさ〔秋草《あきくさ》〕

秋の野などに茂ったいろいろな草花や雑草をさしていう。秋の七草も含まれるが、そろそろ末枯れの色を見せる草花や、繁茂した雑草などを多くいう。

今朝のあさの露ひやびやと秋草やすべて幽《かそ》けき寂滅《ほろび》の光　伊藤左千夫

いたつきの癒ゆる日知らにさ庭べに秋草花の種を蒔かしむ　正岡子規

みたさるる日はとはになき思慕かとも秋草枯るる野に歩み出づ　大西民子

秋草の直立《すぐた》つ中にひとり立ち悲しすぎれば笑いたくなる　道浦母都子

## あきのきりんそう〔秋《あき》の麒麟草《きりんさう》〕

山野や日当たりのよい平地にはえるキク科の多年草。茎は分枝し、高さ30～80センチ。秋、黄色い花が円錐の穂に咲く。泡立《あわだち》草。茎が分枝せず、高さ約3メートルにもなる背高《せいたか》泡立草は北米原産で、明治に渡来。昭和三十年頃より土手や荒地に群落を作り、秋、茎の上部が多数分枝して黄色の頭花を密につける。

トタン塀に囲われひしと咲き満てるアキノキリン草だれの花束　高安　国世

休耕の田に咲きさかる泡立草すでに見馴れて人怪しまず　長沢　一作

戦《いくさ》の日に砲をつくりし廃屋をめぐりて泡立草ゆれやまず　島本　正斉

駅前にせいたかあきのきりんさう黄のたくましく街は衰ふ　林　安一

セイタカ草あふるるほどに咲くあたり暗き家族がむかし住みゐき　時田　則雄

からからに枯れ果ててなほ立ちてゐる泡立草の茎にある意志　大崎　瀬都

## あけびのはな〔通草《あけび》の花《はな》〕

本州、四国、九州の山野にはえるアケビ科の落葉低木。茎はつる性で、葉は柄が長い。春、新葉とともに淡紫色の雌花と雄花が房のようにかたまって咲く。

屈《かが》まりて脳の切片《せっぺん》を染《そ》めながら通草のはなをおもふなりけり　斎藤　茂吉

むらさきの通草の花の散る谷に山鳩のこゑ二つきこゆる　宮　柊二

母の瞳《め》のかなしき夕べ紫のあけびの花は空にゆれゐる　岡野　弘彦

山路ゆけばうすむらさきの通草咲き縄文の人歩みくるかな　山中智恵子

ひしめきて通草の花は濡れそぼち雨ぞらを艶麗に彩らむとす　大滝　貞一

権土《ごんど》池から源助橋への道すぢに通草の花の咲くやぶもある　河野　裕子

## あけびのみ〔通草《あけび》の実《み》〕

長さ7センチ位の長卵形で、果皮は淡紫色。秋に熟すと黒褐色となって縦に裂ける。黒色の種子があるが、白い果肉は強い甘味がある。

あけびの実山神のごと口ひらき山ゆくわれはことばつつしむ　斎藤　史

今日山に取りしあけびの紫をさびしき家に持ちて帰りぬ　岡山たづ子

ぶらさがるあけびの熟《う》れ実食《は》みをれば八百万神咲《ゑ》ら

ぐしづけさ　前　登志夫

月山に太るあけびらしんしんと霧吐く口をもちてしづまる　馬場あき子

現実をそのまま見よといふばかりいずれも口をあけたるアケビ　水野　昌雄

不機嫌な肥満児のやうなあけびの実しぐるる街に売られてをりぬ　藤井　幸子

## あさ〔麻《あさ》〕

クワ科の一年草。茎の高さは1〜3メートル。葉には長柄があり、六〜七枚からなる掌状複葉で、五ないし九裂する。夏に浅黄色の美しい花を開く。のち球形の実をつけ、成熟後開裂し、白色の毛状繊維をつける。これが綿花。茎の皮からは繊維をとり、残りの茎を「おがら」といってお盆の迎え火、送り火などに用いる。

麻にいつ花咲くものぞ茂り葉の青きがままの夏のしののめ　若山　牧水

麻畑の青みどろなす光と影　まぼろしならず征きし人見ゆ　宮　英子

ざわめける麻の葉擦れに動悸して軍靴ならずや　晩夏白日　宮　英子

麻の葉のゆらぐを見れば潔癖に過ぎし心と母をいふべし　川口　常孝

身をかくす言葉もて棲む貧寒のめぐり疎らに麻が生ひ立つ　安永　蕗子

葉が映す小さきかげを　背にもち　父はひたすら麻刈りつづく　中井　昌一

## あさがお〔朝顔《あさがほ》〕

鉢物、垣根などにからませて鑑賞するヒルガオ科のつる性一年草。茎は長く伸びて左巻きに登る。花の色は白、紫、紅、紺、あい、ねずみ、赤など。初夏より秋まで早朝開花し午前中にしぼむ。大輪種、花型の変化した変り咲き、葉型の変化したもの、斑《ふ》入《い》り葉などがある。

貧しさに妻を帰して朝顔の垣根結《ゆ》ひ居り竹と縄もて　北原　白秋

われも世に生きゆくすべはありぬべし朝顔の花しろき一輪　土岐　善麿

瑠璃色の朝顔の花開きたるはしばらく暑さのつづきたるのち　長沢　美津

暑に堪へて過せと届くむらさきの入谷鬼子母神市の朝顔　斎藤　史

青白色《セルリーアン》　青白色《セルリーアン》　とぞ朝顔はをとめ子のごと空にのぼりぬ　葛原　妙子

風吹けばただにひらひらと翻る朝顔の花白き花ばかり　葛原　繁

窓ちかく朝顔の苗うゑてまつ病みてゆけざる海のいろの花　上田三四二

通り雨たちまちすぎてあさがほの紺のほとりに髪洗ひをり　辺見じゅん

むらさきの朝顔ひらき鳩の出るシルクハットの白き残れり　佐佐木幸綱

朝顔のつぼみは襞をたたみをるげに凛々と明日を待つ花　佐藤　通雅

遺伝子を切り貼ることも日常の一部となりて朝顔の紺　永田　和宏

以心伝心呼びかけられぬ朝顔の瑠璃色のこゑくれなゐの声　宮里　信輝

## あざみ〔薊《あざみ》〕

キク科の多年草。高さ60センチから2メートル。葉は大形で鋸歯《きょし》または羽状に裂け、鋭い刺針がある。紅紫色の頭状花を多くは秋に開花するが、野あざみは春から夏に開花し、鬼あざみは初夏から秋に濃紫色の頭花をうなだれて開く。

あまた湧く心抑へて過ぐる日に春の薊は尖がりつつ伸ぶ　安永　蕗子

ここを過ぎれば人間の街、野あざみのうるはしき棘ひとみにしるす　塚本　邦雄

朝靄のうするる裏山に紅紫色《こうし》に咲ける薊は丈《たけ》高く見ゆ　国見　純生

リフトより垂らすわが肢すれすれに茎たちそよぐ薊の花は　畑　和子

山の薊すこやけくして葉の鋭し痛みしばらくすがすがしかり　石本　隆一

人知れず咲くゆゑうれしむらさきの色冴え冴えと薊花群《はなむら》　来嶋　靖生

暴風のかなたなるアザミ紅《こう》たもち眠るがごとし深き思ひに　川野　里子

## アザレア

中国産のシナサツキを母系とし欧州で品種改良された西洋ツツジ。温室で鉢作りされる。高さは30センチほど、八重咲きが多く花色も多い。馬場あき子の「いううつの眼」は「憂鬱の

眼」

アザレアは彩《いろ》鮮麗に盛りあがり愁ひなく咲く五月の日々を　礒　幾造

みつみつとひしめきやまぬアザレアの春のいううつの眼《め》は青みそむ　馬場あき子

## あし〔葦《あし》・葭《あし》〕

川原や沼地などの湿った土地にはえるイネ科の多年草。長い地下茎があり、高さ1～3メートル。枝はなく、竹に似た長さ50センチ位の葉をもつ。春、芽を出し、秋、穂を出して薄紫色の小形の花を開く。葭《よし》。

葦の花の薄くれなゐの一叢を分けゆく官能のわづかに甘き　須永義夫

盛衰のなかなる衰《すゐ》のうつくしく岸に枯れゆくくれなゐぞ葭《よし》　安永蕗子

沼川や泥洲の葦はその花の片靡きつつ女神のごとし　玉城　徹

折れ葦の鴨の入り江に陽はさしてゆきかえらぬものに春くる　馬場あき子

癒えぬ傷あるには触れで枯葦をわけ来て擦《す》れしいたみ問ひくる　蒔田さくら子

青葦のそよぐを擁《だ》かな少年の世捨人たりし日につづく今　春日井　建

## アジアンタム

ウラボシ科のシダ属。明治中期に渡来したブラジル原産の観葉シダ。葉は三角形で三～四回羽状複葉、葉柄は黒色で光沢がある。高さ20～50センチ。鉢植、切花用。

アジアンタム細き根元に湿る闇君を誘いてのぞいていたり　梅内美華子

## あしかび〔葦芽《あしかび》〕

葦の若芽。早春、泥土から頭をもたげる青い芽は鋭く、角《つの》のように見える。葦の芽。葦角《づの》。角《つの》ぐむ葦。

ふるさとの出津《でづ》の広野《ひろの》の葭穎《あしかび》の茅並《ほこな》め萌ゆる春立ちにけり　吉植庄亮

永き日の春の田沼の葦芽は眼ざとき童《こ》ろが摘みて行きたり　木俣　修

月明にとがる葦芽見返れば身めぐりに人すくなくなりぬ　松川洋子

## あじさい〔紫陽花《あぢさゐ》〕

庭木や鉢植、また切花に用いるユキノシタ科の落葉低木。ガクアジサイを園芸用に改良したもの。幹は根元から群生し、高さ1～2メートル。葉は、だ円形で光沢がある。花は梅雨のころ球状の散房花序を作り、白色から青紫、淡紅に色が変化し、雨の中で映える。西洋アジサイは淡紫、紫、淡紅などで色彩が変化しない。

しみじみと新葉の上に見えそめてつぼみはいまだ青きあぢさゐ　　四賀　光子

美しき球の透視をゆめむべくあぢさゐの花あまた咲きたり　　葛原　妙子

あじさゐの藍のつゆけき花ありぬぬばたまの夜あかねさす昼　　佐藤佐太郎

あぢさゐの藍のきざして木下闇やまひ八月《やつき》をほの明りせり　　斎藤　史

夕暮るる庭のひと隅女人《にょにん》佇つごと明るむは紫陽花の咲く　　儀　幾造

戸口戸口あぢさゐ満てりふさふさと貧の序列を陽《ひ》に消さむため　　浜田　到

うつつなき母の笑まひに似てゆるる紺青ふかきあぢさゐの花　　岡野　弘彦

あぢさゐの蒼き花球膨れつつ日ごとの雨はわがうちに降る　　尾崎左永子

身の丈を越す紫陽花ぞ頬に触れ冷たき貌のごとき花叢　　蒔田さくら子

蒸し暑き梅雨の晴れ間を欝然とあぢさゐは瑠璃の頭たれたり　　杜沢光一郎

あぢさゐの闇にうるみてゆくしばしわがたましひも濡るるといはむ　　成瀬　有

廃駅をくさあぢさゐの花占めてただ歳月はまぶしかりけり　　小池　光

白あぢさゐ雨にほのかに明るみて時間《とき》の流れの小さき淵見ゆ　　栗木　京子

あぢさゐの片熟れをする球《たま》の花こころざしいまだ言ふべからざり　　坂井　修一

## あしたば〔明日葉《あしたば》〕

伊豆七島、関東の太平洋岸の海岸にはえるセリ科の一年草。高さ1～2メートル。よく枝を分け、葉は厚いが柔らかく、茎葉を切ると黄色の汁が出る。若葉は食べられ、今日摘むと明日すぐ葉が出るので、明日葉という。秋、散形花序をつけ、黄色の小花を開く。

きのふけふ明日葉食みてその緑濃きことつんと身に澄む卯月　　今野　寿美

明日葉の青く茎立つ地のうへに仕事疲れのまなこを癒やす　　内田　紀満

## あしび〔馬酔木《あしび》〕

本州、四国、九州の低山にはえ、庭木にも植えられるツツジ科の低木。高さ2メートル前後。樹皮は赤色、葉は常緑で細長く、小さい鋸歯があり、表面につやがある。春、白色または薄紅色のスズランのような小花が房状に垂れて咲くが、果実になると上を向く。葉は有毒で煎《せん》じた汁は駆虫剤になる。あせび。花馬酔木。

来る道は　馬酔木花咲く日の曇り―。大倭《ヤマト》し遠き海鳴りの音　　釈　迢空

沙の上にあしびの長き花房の影あるのみにゆふべしづけし　　岡部　文夫

ゆたかなる馬酔木の花に来て立てり慰まざりし週末の午後　　扇畑　忠雄

数花《かずばな》の白き馬酔木は灯映《ひうつ》りにみどり含《ふふ》みて房に垂りつつ　　宮　柊二

池の辺の馬酔木にそそぐ青ひかり物音もなく仏陀の歩む　　大野　誠夫

掌《たなごころ》さし伸べてわれはなのふさの一つの重り馬酔木より受く　　玉城　徹

しとどなる雨を吸ひたる紅あしび仄かにふくれ春となりたり　　稲葉　京子

蜜を吸ひつがひさへづり目白ゐる馬酔木は厨の窓の正面　　石川不二子

## あすなろ〔翌檜《あすなろ》〕

本州から九州の山地にはえる日本特産のヒノキ科常緑高木。高さ30メートルに達し、葉はうろこ状で大きい。五月頃開花する。実はほぼ球形で、角《つの》が出る。ひのきに似ているので「あすはひのきになろう」という意からこの名が付いたという。庭木にも植えられる。ひばともいう。実が球形で角《つの》のほとんどないのを、ひのきあすなろといい、北海道南部から本州中部に分布する。

雨そそぎちれる桜の花びらは檜葉《ひば》につきてぞ白くたまれる　　岡　麓

檜葉垣をみつむるのみのあけくれに蓑虫みたりかれ動くゆゑ　　坪野　哲久

半世紀あとにわれあらずきみもなし花のあたりにかすむ翌檜　　塚本　邦雄

夏草の萎《しな》えしなえて帰り来しまた翌檜の列に遇える

アスパラガス―
かも　佐佐木幸綱

## アスパラガス

ユリ科の多年草。若芽を食用とするもの（マツバウドともいう）と、葉を観賞するものと二種類ある。食用のものは原産地欧州で紀元前から栽培されている。芽が出る前に土寄せして光を当てず白い状態をかん詰用にするのがホワイトアスパラガス。出芽後に光を当て緑化させた若芽がグリーンアスパラガス。観賞用のものは多く観葉植物として温室栽培され、切葉にもする。葉に見えるものは枝の変形で仮葉といわれ、密に分枝する。初夏、淡黄色の小花を開き、赤色の小さな球形の実を結ぶ。

けふひと日アスパラガスの苗植ゑて心そよぐといふ思ひあり　板宮　清治

曇り日のひとはけの雨ほやほやとアスパラガスの一群けむる　御供　平佶

広口のコップに挿せば窓のへにグリーンアスパラは伸び上がりたり　高橋　則子

こそばゆき嘘つくごとし緑濃きアスパラガスのさきつぽ食《は》めば　今野　寿美

恋人の好むホワイトアスパラが皿に香って指に似ている　松平　盟子

カニサラダのアスパラガスをよけていることも今夜の発見である　俵　万智

アスパラに日向ぼっこをさせながら吸い込んでいる十二月の空　岸本　由紀

## あっけしそう〔厚岸草《あつけしさう》〕

北海道、四国の一部の塩水をかぶる砂地や塩水を含む湿地にはえる。茎は直立して多数の枝を対生する。高さ15～20センチ、濃緑の多肉質の円柱形で関節がある。秋にサンゴのように紅紫色に変わる。北海道厚岸湾の牡蠣島《かきじま》で発見された。「身すがら」は身体全部。

とどろきて生くるならねど羨しくも厚岸草《アツケシソウ》の身すがらの紅《こう》　玉井　清弘

## アッツザクラ

鉢植やロックガーデンで観賞されるヒガンバナ科の球根植物。白色で大輪のものをアッツザクラという。同種のギンバイサクラ、ロドヒポクシスは淡紅色の花を開く。葉は長さ6～7センチ、線形で白毛があり、先がとがり、根生する。五、六月頃高さ7センチの茎の先に花を開く。

アッツ島とは関係がない。

きのふけふ雨の荒るるに庭先にアッツザクラの白そよぐかな　野村　清

## あつもりそう〔敦盛草《あつもりさう》〕

本州以北の山中の草地にはえるラン科の多年草。茎は直立して高さ25〜40センチ。葉は長だ円形で縦にしわがあり、三〜五枚つける。初夏、茎頂に淡紅色の花を一個つける。唇弁は袋状のため平敦盛の負った母衣《ほろ》に見立てその名がある。まれに白花もある。

連子窓よりみちびかれきし初夏の日は敦盛草の茶花に及ぶ　羽生田俊子

## アネモネ

地中海沿岸原産のキンポウゲ科の秋植え球根植物。花壇、鉢植にして四、五月に開花、六月頃迄楽しめる。草たけは20〜40センチ。花色は赤、紫、青、白などの濃淡色。一重、八重、半八重咲きがある。アネモネはギリシア語の風の意。新約聖書にでてくる野の花はアネモネだといわれる。

あねもねの薄むらさきの花びらに軽くたゞよふ夕づく日かな　金子　薫園

突撃直前の吾が意識にふと浮びしはアネモネの紅《あか》きひとひらなりき　渡辺　直己

昨日《きぞ》賜ひしアネモネの束夜深きに息づくさまに輝きてみゆ　中野　菊夫

アネモネの美しくして妻と居るを光りなき夜々の内部とす　浜田　到

アネモネの花のうしろは暗き海こころの海を夫は描きしか　長森　光代

アネモネはギリシヤ語の風三月の風のまにまにたはやすく散る　後藤　直二

不満あるたびに吾妻の買ひ溜むるアネモネの花軒端に並ぶ　林　安一

みぞれ降る一月の地に拮抗のちからを込めてアネモネ若葉　久我田鶴子

ふれてゆく風の記憶をおのずから包みて閉ずる夜のアネモネ　井上　節子

## アマリリス

南米原産のヒガンバナ科の多年草。観賞用に花壇、鉢植にして楽しむ。球根から群生する扁平な葉は長さ40センチ。花茎を葉の間から出し、五〜七月ごろ色が赤、紅、白などのラッパ形大輪の花を三、四個横向きに開いて美しい。

あまりりす息もふかげに燃ゆるときふと唇《くちびる》はさしあてしかな　北原　白秋

紅《くれなゐ》の花アマリリス咲き残る地《つち》もせつなしたたかひやみぬ　木俣　修

アマリリスの莟全き白さ持ち夜に移行して咲く気配なる　相野谷森次

ウインドに春の濡れ雪ふりかかり幻のごとアマリリス匂ふ　加藤　克巳

アマリリスの花茎のびてゆく力静かにおのれを立てよと言へり　稲葉　京子

頭《づ》のなかの球根がふと明かくなり孵化するごとく咲くアマリリス　日高　尭子

## あやめ〔菖蒲《あやめ》〕

日本、朝鮮、中国東北、シベリアに自生するアヤメ科の多年草。また観賞用に庭に植えられる。葉は剣状。五、六月高さ30～60センチの花茎に紫色の花びらが垂れ、基部には黄みを帯びた細脈模様がはいる。白、紅紫の色もある。花あやめ。

花瓶《はながめ》のおきどころなしあやめさして簞笥《たんす》の上は高すぎにけり　三ケ島葭子

村のはずれの古沼ほとりにあやめ咲く卯月たそがれかなしみはわく　加藤　克巳

目薬のつめたき雫したたれば心に開く菖蒲《あやめ》むらさき　岡部桂一郎

無き筈の乳房いたむとかなしめる夜々もあやめはふくらみやまず　中城ふみ子

うつしみの洗顔の水むらさきのあやめ咲きゐる方へ流れよ　雨宮　雅子

しづかなる時の雫と思ふまで紫紺一茎　花菖蒲咲く　高比良みどり

二千年のちの異国の人恋うて菖蒲あられもない姿して　谷岡　亜紀

## アラセイトウ

地中海沿岸原産のアブラナ科一年草。ストックともいい、冬の切花として暖地や温室で栽培される。茎の高さ30～75センチ。茎葉は灰白色を帯びる。色が赤紫、淡紅、白、淡黄などの花を数個房状につけ、芳香があり美しい。

きれいでしょう、ねえ見て見てと吾に咲くアラセイトウの花嫌いなり　岡部桂一郎

あらせいとう光なき陽を映しつつ咲きつぐあした子

は離れゆく　　馬渕美奈子

## あららぎのみ〔あららぎの実《み》〕

深山に自生するイチイ科の常緑高木の実。いちい（一位《いちゐ》）、おんこの実ともいう。三、四月頃に雌株に咲いた花が九月頃6ミリほどの肉質の仮種皮となり、紅熟すると甘くて食べられる。中には緑色の種子が入っているがこれは有毒。

あららぎのくれなゐの実を食むときはちちはは恋し信濃路にして　　斎藤　茂吉

とろとろとくれなゐ甘き一位の実この秋食まずその樹に行かず　　斎藤　史

あららぎの紅実《あけみ》を口に含みゐて思ふは歌の来し方行《ゆく》方《へ》　　千代　国一

霧の中の峠を越えて紅のあららぎの実を食めばかなしき　　田井　安曇

## あれちのぎく〔荒地《あれち》野菊《のぎく》〕

道ばた、荒れ地にはえるキク科の一、二年草で南米原産。茎の高さ30～50センチで側枝がのび、春、白色頭花を房状に開く。野路《のぢ》菊。別に高さ1メートル以上になり、夏から秋に花が咲くのはブラジル原産のオオアレチノギク。

わが庭に冬越ゆる草何々ぞ荒地野菊は最もたくまし　　土屋　文明

のぢ菊の一むら白き吾があたり立ち行き妻は草むらに入る　　近藤　芳美

野づかさは荒地野菊の花ざかり童《わらべ》となりて夢と駆け来よ　　築地　正子

世に生くる申しひらきも白花の荒地野菊と共に吹かるる　　安永　蕗子

荒地野菊見ればしみじみ独り身の命に期する思い湧くなり　　馬場あき子

## アロエ

観賞用に栽培される南アフリカ原産のユリ科の常緑多年草。ロカイともいう。肉質が厚く縁にとげのある剣状の葉は、煮つめて汁を健胃剤とする。黄赤色の筒形の花が咲く。

わが齢傾きにつつこの冬もアロエは朱き花を掲ぐる　　礒　幾造

ゆくりなく咲けるアロエの花を見つ冬の日差に静かなる朱《あけ》　　由谷　一郎

よいとまけとはなんですとたづね来し葉書のうへに

滴るアロエ　岡井　隆

きみたびしアロエはまこと美味なれば花咲くことは思はずありけり　馬場あき子

アロエの葉きみを複製することを思いつくほどの水滴だから　加藤　治郎

## あんず〔杏《あんず》〕

古く中国より渡来したバラ科の落葉小高木。長野県に多い。早春、スモモよりやや大きな紅紫色の花を枝いっぱいにつけて咲く。果実は梅に似て少し大きく、七月に黄熟する。杏子《あんず》。アプリコット。

疎開せる子を訪ねきて道端に杏食ひ合ふ泣かむおもひに　吉野　秀雄

ひと隅にあんずの大樹《おほき》うゑたれば庭芝にまるく蔭できにけり　土岐　善麿

はとばまであんずの花が散つて来て船といふ船は白く塗られぬ　斎藤　史

疾風に杏にほへりここすなはちわが山河《やまかは》のくらきふところ　塚本　邦雄

祭終るゆふべ路上にもとめたる杏稚木《わかぎ》をだきてかへれり　高嶋　健一

ママ、ママとアプリコットの味によぶ人の形は厭くることなし　星河安友子

少年のわが身熱《しんねつ》をかなしむにあんずの花は夜も咲《ひら》きをり　高野　公彦

恋嬬《こひづま》のごとくおもへる数日の過ぎてひらきしあんずの花唇　伊藤　一彦

枇杷もあんずも雨の三日を黄に熟れて人それぞれのつたなさのよう　三枝　昂之

さみどりに杏実ればさにつらふ少女子《をとめご》童子せつにまばたく　今野　寿美

## アンスリウム

熱帯アメリカ原産のサトイモ科に属する多年性。明治中期に渡来し大紅団扇《おおべにうちわ》の名がある。葉は鮮緑色の長だ円形心臓形。長柄の頂につく仏炎包は広心臓形で、光沢のある鮮朱紅色。肉穂花序は円柱形で黄色を帯びる。花のように美しい仏炎包が喜ばれ、観葉植物として栽培される。

ジャスミンのアーチ潜れば一叢《ひとむら》のアンスリウム生ひて朱きその包　礒　幾造

## いぐさ〔藺草《ゐぐさ》〕

湿地に自生し、水田にも栽培されるイグサ科の多年草。根は地

中をはい、茎は細長く高さ1メートルほど、中に白色の髄がある。八、九月頃、茎の先端に緑茶色の花穂をつける。茎は畳表、花むしろに、髄は灯心にする。藺《ゐ》。灯心草《とうしんさう》。

ふさふさと芽立つ藺草の田の遠《をち》に一つ塔《たふ》見ゆ斑鳩《いかるが》の塔　　植松　寿樹

暗きいろの波うつみれば尺にたらぬ藺草の苗の田ごとになびく　　顕田島一二郎

**いたどり**〔虎杖《いたどり》〕　山野にはえるタデ科の多年草。茎は中空で、直立するが上方部が傾く。高さ1.5メートル位。卵形の葉を互生する。夏、白色の小さい花が円錐状に集まって咲く。春早く生じる紅褐色の若芽は食べられる。花色が紅のものは紅虎杖《べにいたどり》、明月草《めいげつさう》という。新津澄子の「谷地だも」は本州北部より北の湿地にはえるモクセイ科の落葉高木。

よぢのぼる岩山肌にさ霧降りあゆみにふるる虎杖の花　　藤沢　古実

うづくまる牛五六頭虎杖の白き花いつ来ても心ひらく北国の道　　吉田　正俊

ここ過ぎてやがて飛騨路と思ふにぞ虎杖の紅き茎のさびしさ　　木俣　修

虎杖のふとく萌ゆるはこころよし石狩川の曇る川岸　　佐藤佐太郎

虎杖のたけゆく道を通ひつつ流離のごとし職場移るは　　大西　民子

谷地だもの茂りはすべて秋さびて線路には靡く大虎《おほいた》杖《どり》の花穂　　新津　澄子

虎杖のにほひを口に感じゐつ雪のなか不意にあくがれながら　　石川不二子

**いたやかえで**〔板屋楓《いたやかへで》〕　カエデ科の落葉高木。板で屋根をふいたように葉がよく茂り、雨がもれないことからこの名がある。高さ20メートル位で、葉は浅く掌状に裂け、秋に黄褐色になって散る。花は淡黄色で四、五月咲き、実は二個の羽をもち十月に成熟する。

朝霧の斜面半ばで失速せるいたやかえでの種《たね》のどたん場　　沖　ななも

**いちげそう**〔一華草《いちげさう》〕　山地や水気のある林中、小川の辺りにはえるキンポウゲ科の多年草。早春、15〜20センチの花茎を出し、頂に短い柄のある三出葉を三個と、白色、または一部淡紫色を帯びる梅に似た花を一個つける。東一華《あずまいちげ》はこの種類。また、本州中部以北の高山の草地にはえる白山一華《はくさんいちげ》は夏、20〜40センチの花茎の頂に総包葉をつけ、その中心から小さい柄を数本のばし、白い花を一つずつつける。

谷を行き明るきに心あそびたりあづま一華を一握りほど　松村　英一

にんじんは明日《あす》蒔《ま》けばよし帰らむよ東一華の花も閉ざしぬ　土屋　文明

夜半覚めて恋ひしく浮かぶは人にあらず尾根みちに白き白山《はくさん》一花　関　とも

いづれよりわが移ししかるりいちげ花咲きをりて青の静けさ　黒田　淑子

雪渓は生命《いのち》隠して輝けりとければひらく白山《はくさん》一花　俵　万智

氷河期より四国《しこく》一花は残るといふほのかなり君がふるさとの白　米川千嘉子

## いちご〔苺《いちご》〕

促成栽培、抑制栽培などでクリスマスのころから赤くて大粒の酸味や甘味のある多くの品種が食べられる。南米原産のバラ科の多年草の果実で江戸末期に渡来、明治に米国産のダナーが入り、盛んに栽培されるようになった。

苺たべて子のいき殊《こと》に甘く匂ふ夕明り時を母に寄り添ひ　五島美代子

爽やかなる春の終りや歯に残る苺の種の舌にほの酸き　頴田島一二郎

瞳ひとつの妻が苺をみつめている　籠にあふれる真赤な苺　佐々木妙二

冬の苺匙に圧《お》しをり別離よりつづきて永きわが孤りの喪《も》　尾崎左永子

忘れねばしたたるやうに杳《とほ》き名のいちごいちびこ梨はありのみ　今野　寿美

むせかえる苺畑のうすあかり集団殺戮《ジェノサイド》にも段階がある　加藤　治郎

このいのちの数億年を思ふときいちごの味の唾液湧き来る　西田　政史

はつなつの苺の肉に染まりたるリルケの本のふちの目印　梅内美華子

## いちじく〔無花果《いちじく》〕

西アジア原産で、江戸時代に中国から渡来したクワ科の小高木。人家に栽培され、大きい葉は三～五掌状に裂け、切れば白乳液が出る。初夏、淡紅白色の小花を葉のわきから袋のような花托を出してつけるが外から見えない。果実は花托の肥厚したもので倒卵形をしており、秋に熟すと暗紫色に変わり、甘くて美味。

無花果の二つなれりとみまもればその上にまたちひさくいくつも　　岡　麓

無花果は熟れて匂へどよろこびのこゑあげん高志汝《たかしなれ》はすでになし　　木俣　修

生きてゐてあゝよかつたと朝露にしつとり濡れたる無花果を食む　　香川　進

いちじくに青実ふくらみ朝の間の雨のしづくのかがやきてあり　　玉城　徹

ここだくの実をもぎられしいちじくの乳いづる木を夜ふけておもふ　　高野　公彦

無花果の紫くらき実を食むは心ひもじき若さにも似る　　三枝　昂之

このゆふべ仰ぐ水辺の無花果のくれないの実を啜らばいかに　　阿木津　英



## いちはつ〔鳶尾《いちはつ》・一八《いちはつ》〕

中国原産のアヤメ科の多年草。茎は高さ30～60センチ。剣状でやや短広の葉が下方に一列に並んでつく。五月に花茎を出し、花は濃淡の青紫色で白い脈や斑点があり、下半部内面に、とさか状の突起がある。

いちはつの花咲きいでて我目には今年ばかりの春ゆかんとす　　正岡　子規

和々《のどのど》によどめる水は草ごもる一八の花をあきらかにうつす　　尾山篤二郎

池の辺のいちはつの花ひらかんといましほのゆれ開かんとして　　加藤　克巳

いちはつの花の姿ともろともに子規は野球を好みたまいき　　大滝　和子

## いちやくそう〔一薬草《いちやくさう》〕

山野の林にはえるイチヤクソウ科の常緑多年草。葉は卵形で根ぎわに集まり、六、七月、花茎に数個の白花が下向きにつく。

八月の山のひかりにつゆ白し一薬さうも花ををはり

ぬ　松村 英一

## いちょう〔銀杏《いちやう》・公孫樹《いちやう》〕

古く中国より渡来したイチョウ科の落葉高木。街路樹、庭木、盆栽にする。葉は扇形で切れ込みがあり、秋に黄葉する。春の新葉も美しい。

公孫樹並木わか葉あかるし二時間の講義をへてゆるらに歩む　佐佐木信綱

金色《こんじき》のちひさき鳥のかたちして銀杏散るなり夕日の岡に　与謝野晶子

いちやうの冬木《ふゆき》樹形うつくしく整ひてこの構内に過ぎし幾十年　柴生田 稔

水皺《みしわ》かすかに池の面にあり銀杏樹《じゆ》のいまか崩れむ欝《うつ》金《こん》を盛る　葛原 妙子

わたりくる永き光にかがやきて黄につもりをり銀杏落葉は　佐藤佐太郎

静かなる成りゆきにして散りはてし銀杏裸木ゆるぎなき冬　岡山たづ子

たえまなく散ると肩に乗るといちやうの黄葉は強《こは》きものにありける　森岡 貞香

芽ぶきゆくいちやうの老樹そばだちていま盛んなる樹液あげゐん　長沢 一作

しぐれ過ぎし公孫樹は黄金《きん》の音楽となりて立ちをりあかとき都市に　高野 公彦

存続の願い叶わず今日ついに大きな公孫樹が伐り倒されぬ　大塚 善子

理科ドームへ銀杏並木は色づけり輪郭あはき光をなして　栗木 京子

光りつつ神のことばの満ちて散る銀杏の樹下あたたかきかな　さいとうなおこ

## いちょうの実〔銀杏《いちやう》の実《み》〕

雌雄異株のいちょうは春、緑黄色の花をそれぞれ咲かせ、晩秋に葉が黄色くなって散るころ、黄色の種子を結び、熟すと落ちる。外種皮は多肉で悪臭があり、さわるとかぶれる。内種皮は白色菱形でかたく、その中の薄緑色の果肉は風味があり、食用とする。銀杏《ぎんなん》。

高々と空晴れながら寺の庭に銀杏実《み》おちぬ黄なる銀杏の実　結城哀草果

カーテンをひけば幸《さいはひ》のあるごとく銀杏《ぎんなん》を焼くにほひのこもる　山下 陸奥

散らばりしぎんなんを見し　かちかちとわれは犬歯の鳴るをしづめし　　葛原　妙子

車来《こ》ぬ都内の坂に銀杏の実人拾ひをりたのしくあらむ　　窪田章一郎

むらぎもに酒を沁ませてこの秋の山の実りの銀杏煎って　　佐佐木幸綱

**いとすぎ〔糸杉《いとすぎ》〕**　ヒノキ科の常緑高木。樹冠は円錐形または狭円柱形。葉は鱗片状で卵形をなし、十字形に対生する。コノテガシワの一種。南欧、中央アジアの各地にはえ、イタリアンサイプレスともいう。庭に植えられる。ゴッホの絵で知られる。

糸杉はみどり噴き上げ空に向きすくと立ち居り　道は一すぢ　　桜井ゆう子

**いぬふぐり〔犬《いぬ》ふぐり〕**　路傍、野原にはえるゴマノハエグサ科の二年草。早春びっしりと萌え、葉と同じ長さの花柄を出し、るり色で紫色の線のある小花を綴る。実の形が犬のふぐり（陰嚢）に似ているのでその名がある。現在、明治初期に渡来したオオイヌフグリが多く、花柄が葉よりも長い。

霜の来て亡ぶ堤の草の間に早くも瑠璃なす犬ふぐりの花　　須永　義夫

冬を咲くイヌフグリあり息づきのはずみて登る安房の山坂　　田谷　鋭

犬のふぐりの細かき花にかこまれて小屋から一歩も出られない　　山崎　方代

窓の下ゆく母子にておおいぬのふぐりを空色小花と言いぬ　　金井　秋彦

昨日まで雪かむりゐし大寒の犬のふぐりが咲きはじめたり　　石川不二子

去年《こぞ》の嵐に倒れたる木の切株をかこみて青し犬ふぐりの花　　花山多佳子

**いぬほおずき〔犬《いぬ》ほほづき〕**　路傍、畑、荒地にはえるナス科の一年草。高さ60～90センチの茎は枝をよく分けて広がり、葉は卵形で互生。夏から秋に白い小花が咲き、丸い実は果肉が多く、黒熟する。

あらくさに交る小花の犬ほほづき結ぶ青実のいたく小さき　　須永　義夫

**いね〔稲《いね》〕**　熱帯アジア原産の日本人が主食とする重要なイネ科の一年生作物。田や畑に栽培するが、現在日本では水田で多く作られる。種子を苗代《なわしろ》にまいて苗を仕立て、六月ころ田植えをした苗が分けつして高さ1～1.5メートルに成長、夏に円錐花序を出して緑色の花を穂状に開く。秋に黄金色に熟した稲は刈り入れられる。現在は田植から収穫まで機械力に頼るが、それまではすべて人力により手塩にかけて育てられた。

山くだり来れば早稲田は稲の花香ぐはしかりき西日さしつつ　佐藤佐太郎

嵐ともつかぬ未来へ育ちゆく苗代の稲今朝二寸ほど　簗地　正子

谷間《たにあひ》に稲を育てる神のためながき夕ぐれの藍《あゐ》を捧げむ　岡井　隆

青年のごとき強さに夏の稲立ちており根元ふかくかげりて　石井　利明

余呉川と磯野山とのあひにある小山田は稲を扱き捨てしまま　小西久二郎

田に残る稲の切株いつせいに青芽顕ちつつ冬の雷過ぐ　佐藤　通雅

**いねのほ〔稲《いね》の穂《ほ》〕**　稲の穂には百個内外の小花がつき、開花後30～40日位で種子が完熟し、ふさふさした黄金色の穂は垂れ下がる。稲穂《いなほ》・垂穂《たりほ》ともいう。稲刈り後、刈田や道ばたに落ちている稲穂を落穂といい、一粒でも大切にするため拾って歩く。落穂《おちぼ》拾ひ。長沢一作の「粃《しひな》」は種子の中に実がなく、皮ばかりの、からの穂のこと。

眼にとめて吾れも寂しき日暮れがた刈田のうへに穂をひらふ見ゆ　中村　憲吉

秋の田の垂穂《たりほ》わけわけわけをとめごが蝗《いなご》捕《と》るかも垂穂わけわけ　結城哀草果

尋常に遂げゆくものを哀しめど加賀の稲田の垂り穂をさなし　安永　蕗子

凶作の惨を見よとぞ粃《しひな》の穂秋田の友の手紙より出づ　長沢　一作

**いのこずち〔牛膝《ゐのこづち》〕**　山野、路傍にはえるヒユ科の多年草。茎の高さ60センチ位。だ円形の葉を対生し、八、九月に茎の先などに穂状に細長く緑色の小花が咲く。あと、棘《とげ》のある実《み》がなり、衣服につきやすい。

ゐのこづち払ひあへざり幼子と日なた頒ちし記憶に野あり　　雨宮　雅子

## いもがら〔芋茎《いもがら》〕

八《や》つ頭《がしら》の長い茎を干したもの。煮つけたり、汁の実にして食べる。現在ほとんど食べないが、かつて家庭の惣菜として重宝がられた。食通は今でも農家に作ってもらうという。芋茎《ずゐき》。

芋がらを壁に吊せば秋の日のかげり又さしこまやかに射す　　長塚　節

あしたより芋茎《ずゐき》漬けゐる厨辺に今年初めて蟬のこゑ聞く　　岡野千佳代

## いらくさ〔刺草《いらくさ》・蕁麻《いらくさ》〕

山野の湿地にはえるイラクサ科の多年草。高さ80センチ。葉と茎にこまかい刺毛があり、蟻酸《ぎさん》を含み、触れると痛い。

潮満つと波打つ磯の蕁草のしげきがなかにさける浜木綿　　長塚　節

蕁麻に触れし痺れの残りゐて脅やかされむまた沼の夢に　　大西　民子

たぶんゆめのレプリカだから水滴のいっぱいついた刺草《いらくさ》を抱く　　加藤　治郎

## ういきょう〔茴香《ういきやう》〕

欧州原産のセリ科の多年草。全草に芳香があり、茎の高さ約2メートル。夏、枝先にかさ状をなして多数の黄白色の小花が咲く。実は香辛料とする、香油もとる。長野県に多く栽培される。

茴香の花の静みにほのゆるる宵のかをりや星に沁むらん　　島木　赤彦

わが世さびし身丈《みたけ》おなじき茴香も薄黄に花の咲きそめにけり　　北原　白秋

五十余年前の薬草園思はるるわけて茴香の黄の花むらの　　田谷　鋭

滅びたる村落といへ家跡に薄黄に咲けり茴香の花　　扇畑　利枝

茴香のみどりの如く柔きもの忘れてながき月日過ぎゐし　　石川不二子

茴香の黄花そよげり暑き日の果てし虚空に立つ風ありて　　長峰美和子

## うきくさ〔浮草《うきくさ》〕

水田、池沼の水面に浮かぶウキクサ科の多年生水草。表面が緑色、裏面が紫色の倒卵形で平たい葉のような形をし、裏面に十本位の細長い根が垂れる。夏、まれに裏面に白色の小花が咲く。

葛飾の真間の手児奈《てこな》が跡どころその水の辺《べ》のうきぐさの花　北原　白秋

暑き日の昼すぎにして永遠にうごかざる水にうきくさの青　前川佐美雄

## うぐいすかぐら〔鶯神楽《うぐひすかぐら》〕

山野にはえ、庭木にもするスイカズラ科の落葉低木。春、葉が出ると同時に淡紅色の漏斗状の花が咲く。葉の縁は若いとき暗紅紫色を帯びる。初夏、果実は赤熟して食べられる。

ウグヒスカグラの堅き蕾もほぐれたり春待つ思ひうながす如く　吉田　正俊

待つものと待ちがたきもの木にもあり暖冬を芽ぶく鶯神楽　後藤　直二

## うこん〔鬱金《うこん》〕

熱帯アジア原産で日本の九州最南部、屋久島に栽培されるショウガ科の多年草。高さ50センチ、根茎は肥大、長い柄のある長円形の葉を群生。夏から秋にかけて淡い黄白色の花が咲く。根茎は黄色で薬用、香辛料とし、カレー粉の中や、たくわん漬の着色にする。

見の遠く鬱金ばたけの日のひかり街道すぢに祭過ぎにし　玉城　徹

## うすゆきそう〔薄雪草《うすゆきさう》〕

北海道、本州の山地にはえるキク科の多年草。高さ25～55センチ。根から出た葉は花時に無くなり、茎葉は多数で裏面に灰白色の綿毛がある。夏から秋、茎頂に包葉がまばらにつき、その中心に多数の頭状花が集まって咲く。ミヤマウスユキソウは本州北部の高山にはえ、エーデルワイスに似ている。ハヤチネウスユキソウは早池峰山に、ヒメウスユキソウは木曽駒ケ岳に特産する。葛原妙子の「ひゆうくりつど幾何学」は非ユークリッド幾何学のこと。ユークリッド幾何学の平行線の公理を否定し、平行線を広義に解釈する。

高嶺うすゆき草の花微《かすか》なる雲の中にまぶた合せて一夜安かりき　松村　英一

ゆきゆくにウスユキソウのなかまたちエーデルワイス咲く月は過ぐ　穎田島一二郎

うす雪草薄雪かうむるさまに咲きひゆうくりつど幾何学をわれはおもへり　葛原　妙子

**うつぼぐさ〔靭草《うつぼぐさ》〕**　日当たりのよい草地にはえるシソ科の多年草。高さ20～30センチ、葉は対生して長卵形で柄がある。六、七月、茎の頂に筒形の花穂をつけ、濃紫色の唇形花を密につける。夏になると花穂は枯れて黒くなる。

水無月田《みなづきだ》の畔《くろ》より畔を紫の色とならするうつぼ草の花　窪田　空穂

紫の小さな筒花むらがりて槍の穂立つる野のうつぼ草　窪田　空穂

路ばたの草とる人がとりのこし小砂利の中のうつぼ草の花　植松　寿樹

**うど〔独活《うど》〕**　山野にはえるウコギ科の多年草。高さ1.5メートルになり、若い芽や茎を食用とするため、野菜として古くから栽培された。白い花は夏開く。香気と風味があり賞味される。

独活の芽のかなしき紅《あけ》がふふみたるこまごまし土はいまだ払はず　北原　白秋

春寒き水に放つにはららぎてしろたへの独活あなすがすがし　岡部　文夫

このあたり夜の畠にかすみたつごとくひろがるうどの花びら　吉野　昌夫

雪止みし厨は月の光《かげ》となり解脱とげたる一束の独活　富小路禎子

定年にあといくばくの歩を運び独活芽をひとつ泥つけて掘る　大滝　貞一

—うのはな

**うのはな〔卯《う》の花《はな》〕**　山野にはえるユキノシタ科の落葉低木。庭木、生垣、畑地の境木とする。高さ1.5メートル内外。枝が多く、対生する葉は皮針形ないし卵形で先が長くとがり、下面に星状毛が密生する。五、六月に白色五弁の花を穂状花序に開く。八重咲きもある。空木《うつぎ》。花うつぎ。塚本邦雄の「舁《か》かれて」は、かつがれて。

卯の花は白さえざえと老眼に充ちてあるなり核の世紀に　山田　あき

卯の花のにほふ垣根をしかと見き舁《か》かれて門を出づる柩が　塚本　邦雄

行き行きて行くところなき寂しさか卯花垣《うのはなかき》の夕のしろたへ　上田三四二

まばゆしとわがふり仰ぐ白き花うつぎ日を浴び花咲き満てる　来嶋　靖生

ぱらぱらと雨通りすぎ卯の花は水路にそひてほのあかりせり　松坂　弘

平穏を蔑して今に何をうつなつかしきかな卯の花ざかり　大島　史洋

**うばゆり**〔**姥百合**《うばゆり》〕　北海道から本州中部の林中にはえるユリ科の多年草。茎は太く、下半部に15〜25センチの狭卵心形で上面に光沢のある葉を数枚つける。夏、茎頂に横向きに半開した長さ7〜10センチの緑白色の花を数個つける。姥百合の名は花時に葉（歯）が無いことが多いため。

わき流るる山下水《やましたみづ》のとこしへに一時《ひととき》うつるうばゆりの花　土屋　文明

姥百合のあやしく青き筒花に来て立つしばし涼しかりけり　五味　保義

いつか見し羽黒の奥の姥百合のまつさをさをの春の屹立　馬場あき子

面白のこの世と思《も》へと書きやれば木下隠《このしたがく》りにうば百合咲けり　辺見じゅん

**うまごやし**〔**苜蓿**《うまごやし》〕　江戸時代に渡来した欧州原産のマメ科の二年草。牧草、肥料にするが野性化している。葉は小さな三つ葉で、春に黄色い蝶形花が開く。これとは別種の白花が咲くクローバ（和名・白詰草《しろつめくさ》・詰草《つめくさ》）をさしていうこともある。

うまごやし牧場への道に敷かれある砂利のひまにも花さかせゐる　長沢　美津

右左口《うばぐち》の峠の道のうまごやし道を埋めて咲いておるらん　山崎　方代

石あらき島の網干場ひろげ乾す網の間に苜蓿《うまごやし》萌ゆ　由谷　一郎

**うめ**〔**梅**《うめ》〕　中国原産のバラ科の落葉低木。庭木、盆栽、切花にして観賞する。一重・八重咲き、大輪、枝垂《しだ》れ、臥竜《がりゅう》など品種改良されている。初春、葉に先だって高い香りを放つ花は万葉以来愛されている。古名梅《むめ》。

枕べに友なき時は鉢植の梅に向ひてひとり伏しをり

春寒のこころを充たすひかりとも白梅りりとわれに咲くめり　山田　あき

この町に移りてうれし梅あまた幹古りてなほ花鮮かに　小暮　政次

ひとときに咲く白き梅玄関を出でて声なき花に驚く　佐藤佐太郎

梅の花ぎつしり咲きし園《その》ゆくと泪ぐましも日本人われ　宮　柊二

いづこにも貧しき路がよこたはり神の遊びのごとく白梅　玉城　徹

白梅の時間《とき》はしづかにゆつくりと昔は今を引き寄せてをり　馬場あき子

目ざめゆく梅、はじめての純白の花咲かせたり驚きのごとく　佐佐木幸綱

卒業へのカウントダウンをしはじめし二月末なれば梅にはつぼみ　田中　章義

## うめのみ〔梅《うめ》の実《み》〕

五月から六月に梅の実は葉陰に育つ。青梅《あをうめ》。実梅《みうめ》。

にひ緑垂るるにこもる青梅の玉いとけなく未だちひさし　斎藤　茂吉

青梅を持つ手うしろにまはしつつわれを見あげしをさなごあはれ　中島　哀浪

せまりくる青葉の照《てり》のすがすがしき麻のくりやに梅をし洗ふ　若山喜志子

ならざりし恋にも似るとまだ青き梅の落実《おちみ》を園より拾ふ　宮　柊二

若夏《わかなつ》の青梅選むこずゑには脳《なづき》も透きて歌ふ鳥あり　山中智恵子

卓上の笊に盛られてつぶらなる青梅は青き光を充たす　水野　昌雄

手握りてびらうどに似る青梅のかたき弾力を指がよろこぶ　石川不二子

青梅のひとつひとつをきよめいてわが指ふいに死者とふれあう　玉井　清弘

生まれしは遊びせんため梅の実はほたり、とう、とう熟れきりて落つ　今野　寿美

## うめばちそう〔梅鉢草《うめばちさう》〕

北半球の低山から高山の湿地の日当たりのよい場所にはえる。ユキノシタ科の多年草。高山に

は初夏、低山には晩夏、高さ10～30センチの花茎を出し、一枚の葉と一個の花をつける。花は梅鉢の紋に似る白色の清純な五弁。植松寿樹の「おのがじし」は各自それぞれ。

草山の日は暖かしおのがじし弁当ひらく梅鉢草の上　植松　寿樹

もじぢせる萱の茂みにあなあはれ梅鉢草一輪咲き残りたり　小市巳世司

## うめもどき〔梅擬《うめもどき》〕

山地にはえるモチノキ科の落葉低木。赤い実を観賞するため庭木、盆栽、生花とする。六月に淡紫色の小花が葉腋に群がって咲き、実は小球形で十一月ころ赤熟し、落葉後も枝にいつまでも残って、美しい。平福百穂の「ここだく」はたくさん。

裏やぶにここだく赤きうめもどき手《た》ぐりて引けば実をこぼしたり　平福　百穂

凛然と一木《ひとき》の紅き梅もどき氷雨《ひさめ》の中に響きつつあり　宮　柊二

## うらしまそう〔浦島草《うらしまさう》〕

北海道南部から四国の湿った山林などにはえるサトイモ科の多年草。葉面は鳥足状に分かれる。四、五月紫黒色の仏炎包がでて中に肉穂花序をつけ、むち状の長い付属体を直立し、中ほどから垂れる。これを浦島太郎が釣糸を垂れているのに見立てた。

父征きし故郷の浜に糸たれて咲く花浦島草と呼ばれき　東　淳子

## うり〔瓜《うり》〕

ウリ科ウリ属植物の果実をさす。キュウリ、マクワウリ、メロンなど。ここでは真桑瓜《まくはうり》を取り上げる。インド、中央アジア原産といわれるウリ科の一年草で、古くから栽培されている。茎はつる性で巻きひげがあり、葉はハート形の浅い切れ込みがある。黄色い花が咲き、果実は球形か長円形。夏に淡緑色、黄緑色、白色などに熟し、甘く芳香がある。天笠瓜《てんじくうり》。河野裕子の「熟瓜《ほぞち》」は完熟の真桑瓜。

瓜むくと幼き時ゆせしがごと竪《たた》さに割《さ》かば尚《なほ》うまからむ　長塚　節

朝の市にいくつも大き瓜出でてごろりごろりと真蓙にころぶす　森岡　貞香

枯草をいやさや敷きて雌蕊のもと日に日《け》にふとる天笠の瓜　五島美代子

わが知るは君が片ぺん今君は熟瓜《ほぞち》けだるく肘つきて食ふ　河野　裕子

## うるし〔漆《うるし》〕

中国原産のウルシ科の落葉高木。樹皮は暗灰白で、夏に表皮に傷をつけて漆を採取するため栽培される。漆掻きという。枝先に互生する葉は先のとがっている卵形。晩秋、表面が真紅に裏面が黄色に燃えるように紅葉する。果実から蠟をとる。

崖のつちほろろ散る日の秋晴れに漆紅葉のさびしくも燃ゆ　若山　牧水

たらたらと漆の木より漆垂《た》りものいふは憂《う》き夏さりにけり　斎藤　茂吉

うるしもみぢに気触《きぶ》れし胸よ終にわが生みて深まる日のなきままに　角宮　悦子

## えごのき〔えごの木《き》〕

山野にはえる高さ3メートルほどのエゴノキ科の落葉高木。初夏、小枝の先に白色花を房状に多数つづり下垂して開く。苣《ちしや》の木。しゃぼんの木。ろくろ木。

えごの木は若葉ごもりに花つけて段《きだ》おもしろししろき鈴花《すずばな》　北原　白秋

道の隈《くま》えごの木の花ちりしきて白きは清《すが》し露のしげきに　扇畑　忠雄

武蔵野の名残りわずかとなりながら水のほとりにえごの木の咲く　水野　昌雄

白花なべて土にもどせるやさしさを見せつつえごは夏の木となる　青井　史

白星を作り零《ふ》らしてえごの木は一生一処《いつしやういつしよ》たのしむごとし　高野　公彦

野に会はむひとりひとりの寂しさのほのかに白きえごの木の花　武下奈々子

## えにしだ〔金雀枝《えにしだ》〕

欧州中南部原産のマメ科の半常緑（時に落葉）性低木。庭木や切花用のほか、砂防用にも植えられる。高さ1～3メートル。細い緑色の枝が垂れぎみに多数でて、六月に黄色い蝶形花を開き、あと莢実を結ぶ。

金雀枝の黄の花あかり枝に消え莢実ぶあつく闇なすものを　額田島一二郎

捨てかねる人をも身をもえにしだの茂み地に伏しなほ花咲くに　斎藤　史

金雀枝の花咲き門は黄を灯す生命ゆるされ帰り来し

日に　前田　透

雨降れば濡るる山河の片隅と思ふ窪みにえにしだの花　安永　蕗子

黄のいろのまぶしきばかり花みちしえにしだは葉の色の莢の実となる　上田三四二

みづからのおもみに垂るる金雀枝の黄の繚乱を見とどけて雨　小嶋　七郎

**えのき〔榎《えのき》〕**　山野にはえ、高さ20メートルにもなるので一里塚などに植えられた。春に淡い黄色の細かい花を開き、実は小さくて、秋には、だいだい色に熟して食べられる。

山かげのわれの小畠に間なく散る榎の花を妻に教ふる　太田　青丘

**えのころぐさ〔狗尾草《ゑのころぐさ》〕**　路傍、野原にごく普通に見られるイネ科の一年草。高さ30～50センチで葉は細長い。八月から十一月、たくさんの剛毛のある円柱状の緑色の花穂をつける。ねこじゃらし。ゑのこぐさ。築地正子の「なぐはしき」は名高い。

猫じやらしの淡《うす》き黄の穂の相寄りてひかりのなかに皆顫《ふる》ひつつ　宮　柊二

蓬蓬とゑのころ草の穂の蘭けてものの香もなし空地《くうち》を蔽ふ　千代　国一

穂を垂るるゑのころぐさもなぐはしき草となりたり壺に挿されて　築地　正子

来む世にはゑのころぐさとわがならむ抜かれぬやうに踏まれぬやうに　大西　民子

一輪を花瓶に挿せばゆらゆらとえのころ草の揺るる涼しさ　井上　只生

おのがじし狗尾草はその高き穂をあきかぜの手にゆだねけり　阿木津　英

**えびすぐさ〔恵比須草《えびすぐさ》〕**　北米原産のマメ科の一年草。高さ1メートル内外。葉は偶数羽状複葉。夏、葉のわきに黄色い花が咲き、のち細長い豆果を結ぶ。種子は、はぶ茶として飲む。

恵比須草細き莢実に冬光のさし入るならむ点粒響《な》れり　春日真木子

**えびね〔海老根《えびね》〕**　山地の林中にはえるラン科の多年草。長さ25センチ内外の長だ円形の葉は節のある根茎につく。春、40センチ内外の柄の上に、緑色に褐色を帯びた花を開く。唇《しん》形は白か淡紅色で三裂。観賞用に類品が栽培されている。

みちのくの山に掘りたるえびねとぞ花弁をかしき猿の面なす　大屋　正吉

庭隅にはびこる蕗を刈りゆけばえびね蘭の花ひそかに咲けり　佐藤　志満

昼休のデパートに観るえびね展わが庭に咲くとはいたく異なる　白井　洋三

白花のさやさやとありしえびね蘭花茎《はなぐき》を抜き春を逝かしむ　上田三四二

えびね蘭かげにひそけし亡きひとにたぐへて白き花にかがめば　上田三四二

## エリカ

切花や鉢植、ロックガーデンに植えられるツツジ科の一属の常緑低木。日本では多くジャノメエリカが作られており、暖地で冬から春に開花する。高さ60センチ位。針状の葉で、花は小さい筒状か鐘状の紅色、白色。

雪なかを橇《そり》に箱のせ花売れり小花《こばな》エリカの一束あはれ　結城哀草果

自らの衰へを知り日々歩む路傍エリカの花残り咲く　由谷　一郎

## えんじゅ〔槐《ゑんじゅ》〕

中国原産のマメ科の落葉高木。街路樹、庭木として植えられ高さ25メートルに達する。葉は互生し、四、五対の裏の白い小葉からなる羽状複葉。初夏に、緑の小枝の先に淡黄色の蝶形花を円錐花序に開く。豆果は肉質で、じゅず状にくびれて垂れ下がり、中は粘る。ゑにす。

この庭の槐わか葉のにひみどりにほへる蔭にわれ立ちにけり　古泉　千樫

ゑにすの木花はこぼれて梅雨あけの夕雲遠くあからみにけり　松村　英一

わがめぐりいくつかの生死《しやうじ》過ぎゆきて槐花こぼすふたたびの秋　尾崎左永子

苦しみを背に負ふものは仰げとぞ空に枝を張るゑんじゅ　鬼の木　永井　陽子

子は青の我はみどりの寝袋にもぐりこみゆく槐の家居　佐伯　裕子

## えんどう〔豌豆《ゑんどう》〕

西アジア、南欧原産のマメ科の野菜で冷涼な気候を好む。

茎は1メートルに達し巻きひげとなる。四月頃に白色、紫色の蝶形花を開く。さやが柔らかく実の未熟なものを莢豌豆という。さやがかたくて実を成熟させるのを豌豆といい、グリンピースの原料とする。

来む夏はわが手につくり花を見む莢豌豆の莢のたべごろ　岡　麓

発展橋にかからん道の両側に畑つくりしてゑんどうの花　醍醐志万子

新墓《にひはか》の母に会ふべく山裾のゑんどうの白き花見つつ行く　高野　公彦

## えんめいそう〔延命草《えんめいさう》〕

山野にはえるシソ科の多年草。茎は高さ1メートル内外。葉は対生し、卵形で6〜15センチ。縁にあらい鋸歯がある。秋、淡紫色か白色の小さな唇形花を円錐状に多数開く。根は気付け薬、乾燥した草は健胃剤となる。ひきおこし。

かたくりの傍へに白き星形の小花をかかぐ延命草は　御供　平佶

## えんれいそう〔延齢草《えんれいさう》〕

山中の林にはえるユリ科の多年草。茎は太く高さ20〜40センチ。根茎から直立して先端に三枚の葉を輪生する。五月ごろ茎頂から一本の花茎がのび紫色の花を一つつける。夏に紫黒色の実を結ぶ。

三枚のみどり葉伸べし中央に延齢草のむらさきの花　竹中　皆二

延齢草の花恋ひ来しは幾度か今日逢ふは広葉の上のつぶら実　新津　澄子

## おいらんそう〔花魁草《おいらんさう》〕

北米原産のハナシノブ科の耐寒性の宿根草。高さ60〜120センチ。夏、茎の上部に円錐状に、淡紅・白・鮭肉色などの花かんざしのような花を多数開く。草夾竹桃。宿根フロックス。

夏草の深草のみだれはてしなしおいらん花は重たげに咲く　今井　邦子

出入りする庭に顧みてあはれみし去年に似たり花魁草は　佐藤佐太郎

道ばたのおいらん草の種採るとしばしとどめつわが車椅子　宮　柊二

家あとにおいらん草は咲き出でぬ仏間のありしところとおもひぬ　穴沢　芳江

**おうしょくき〔黄蜀葵《わうしょくき》〕** 中国原産のアオイ科の一年草。高さ1～2メートル。長柄のある葉は掌状複葉で五から九裂し細毛がある。夏、黄色い五弁の大きな花を横向きに開く。トロロアオイ。

黄蜀葵の花を愛《かな》しむひとのため咲かせて妙《たへ》なる朝ごとの花　山田　あき

秋の日のただよひやすきゆふべかな月呼ぶごとき黄蜀葵あり　生方たつゑ

風の打つとろろあふひの浅々し昼飯ののち花を拾ふよ　森岡　貞香

トロロアオイの花群れてをり惑星の裏よりきたる光のごとく　木村　博夫

杉山の裾の平らにつくる畑とろろあふひの黄の花高し　黒田　淑子

とろとろとろろあおいの花ゆるる暑のくるまえの空をなでつつ　永田　和宏

**おうち〔楝《あふち》〕** 四国、九州の暖かい沿岸地に自生し、また庭木、街路樹にも植えられるセンダン科の落葉高木。高さ6メートル位。五、六月に若枝の葉腋から花茎を出し、淡紫色五弁の小花を円錐状に多数開く、だ円形の実は十月から十二月に黄熟する。栴檀《せんだん》。「栴檀は二葉より芳し」のセンダンは香木白檀《びやくだん》のことで別種。

きさらぎのひるの日ざしのしづかにて栴檀の実は黄に照りにけり　古泉　千樫

くらくなり楝の花をあふぎ見る一人父住む家に帰りて　小暮　政次

大木となりたるセンダン年毎に花つけ薫り家つつみくる　中野　菊夫

根気よく電話が人を呼んでいるこの白昼を楝《おうち》散りたる　岡部桂一郎

奥山の高木の森にせんだんの咲きて散りゆくときにあひにけり　宮　英子

瞬きのいづべにやまむ夕ごころ樗は咲きてうすく散りぬる　山中智恵子

草丘の楝はな咲く木下かげ朝あさゆきて戻りくるかな　中井　正義

ことことと日のなか君は帰りゆき楝こまかき花降らすなり　高嶋　健一

木を見つつ思へば花のさびしさは咲くまへにあり樗のこずゑ　小野興二郎

遠き日はとほくにありて朝ぐもりあふちの咲くは悲恋のごとし　小中　英之

**おうばい〔黄梅《わうばい》〕** 中国原産のモクセイ科の落葉小低木で、庭木、鉢植、盆栽にする。早春、葉に先んじて小枝に単生する花は、黄色の小さい六裂した筒状花で、芳香がある。寒さに強い。迎春花。

用件の済める電話にききしこと木瓜《ぼけ》と黄梅と花つけしとぞ　吉野　昌夫

古への人ら嘉《よみ》せし黄梅か春さきがけて迎春花咲く　麻生　松江

**おおばこ〔大葉子《おほばこ》・車前草《おほばこ》〕** 平地から高山にはえるオオバコ科の雑草。卵形で長い柄のある葉は根から多数でる。夏、葉間から花茎がのび、多数の白い小花を穂状に密につける。葉・種子は薬用。

夏山のみちをうづめてしげりける車前草ぞ踏む心たらひて　斎藤　茂吉

高麗川をわたりて直ぐにのぼりなり照る日にしらむ車前草の道　松村　英一

おほばこの実を踏みつけし道ありておほばこの実多くこぼれたり　土屋　文明

末枯《うらが》れて花茎のこるおほばこの地《つち》に濡れ伏す寒き葉のいろ　千代　国一

踏まれながら花咲かせたり大葉子もやることをやつてゐるではないか　安立スハル

朝にゆき夕べを帰る道のべにオオバコの花の咲き出でにけり　瓜生　一恵

**おがたま〔小賀玉《をがたま》〕** 暖地に自生し、また神社や寺などに多く植えられるモクレン科の常緑高木。高さ20メートル、太さ70センチに達する。春、2.5センチほどの淡黄色の花を葉のつけねに一つずつ開き、6センチ位の長穂形の実を結ぶ。葉はサカキのように神社に供え、また香料となる。招《おき》霊《たま》が転化した名という。

緑濃きをがたまの一葉をつみとりぬ浄光明寺をまからんとして　太田　青丘

しづかなる約を果してこの年も招《を》が魂《たま》が咲くきさら

ぎの部屋　　斎藤　史

鎌倉の宮の斎庭《ゆには》の小賀玉をまたきて仰ぐ魂に逢ふがに　　大塚布見子

思ひいづる旧きよきこと語りあふをがたまの花匂ふ夕ぐれ　　北沢　郁子

## おきなぐさ〔翁草《おきなぐさ》〕

本州から九州の日当たりのよい山中の草原にはえるキンポウゲ科の多年草。春、10～20センチの花柄を出し、鐘形の花が下向きに咲く。六枚のがく片は花弁状で、外側は白毛を密生し、内側は無毛で暗赤紫色。花期が終わると花柱が白くなり長い羽毛状に伸びる。斎藤史の「うけら」は万葉集東歌《あずまうた》に詠まれた、アザミに似て地味な花の「おけら」のこと。扇畑忠雄の「死に給ふ母」は斎藤茂吉歌集『赤光』に収められた題名。「おきな草口《くち》あかく咲く野の道に光ながれて我《われ》ら行きつも」「死に近き母が目《め》に寄《よ》りをだまきの花咲きたりといひにけるかな」などの歌が収録されている。

おきなぐさここに残りてにほへるをひとり掘りつつ涙ぐむなり　　斎藤　茂吉

おきな草白毛きよらにふくらまむ一日もなくて庭の

**—おしろいばな**

春は過ぐ　　鹿児島寿蔵

翁草をはじめて見たり白毛《はくもう》の内側の真紅誰がこころにや　　鈴鹿　俊子

このあたりに絶えたるうけら・おきな草野草市に来て買ふ根を種を　　斎藤　史

「死に給ふ母」の季節といふべしも翁草咲けりをだまきも亦　　扇畑　忠雄

いにしへの恋うた一つ思はせて返り花なる翁ぐさ咲く　　佐藤　輝子

## おじぎそう〔含羞草《おじぎさう》〕

ブラジル原産のマメ科の一年草。鉢植にされる。高さ30センチ位。葉は細かい羽状複葉で、二対の葉片からなり、二列に配列。葉は指など触れたり、明暗、温度の刺戟により下垂し、相合わさる。夏、淡紅色の小花が球状に密集して咲く。ねむりぐさ。

さやるとも無く葉をとづる眠草反応にぶき老いさみします　　鈴木　康文

## おしろいばな〔白粉花《おしろいばな》〕

南米原産のオシロイバナ科の多年草。七月から十月ごろ色が黄、紅、白などの芳香のある漏斗

状の花を開く。種子は黒色で割ると白粉状の胚乳がある。夕方、涼しげに咲くので、夕化粧《ゆふげはひ》の名もある

夕化粧などと呼ばれてゆふべ咲くオシロイバナ罪の匂ひして　福田　栄一

毀たれし家跡門の残りたるめぐり白粉の花埋め咲く　礒　幾造

散漫にいまだ咲きつづくおしろいの花の蔭、実の鮮しき黒　田谷　鋭

花あまた白粉花は開ききり来向かふ夜のけはひに震ふ　蒔田さくら子

## おだまき〔苧《を》環《だまき》〕

高山に自生するミヤマオダマキが原種といわれる。キンポウゲ科の多年草。四、五月ころ青紫色、白色の五弁花を開く。花壇、鉢植でよく見られる欧州原産の西洋オダマキは草丈が高く、黄色や赤色などの花も咲く。

鳥籠のかたへに置ける鉢に咲く薄紫のをだまきの花　正岡　子規

きみがやまひかならずよしと、／苧環のむらさきの花／さくを待ちにし　石原　純

休鉱の山守《も》る家は日の照れる苧環草《さう》に雨ふりにけり　結城哀草果

茎立ちのたわやかにしてうなかぶすおだまきは花の匂うむらさき　坪野　哲久

紅花のみやまをだまき残り咲くいくつか見よと鉢かかへ来ぬ　千代　国一

風吹けば花の底まで見せてしまふをだまき草のかろさ羨しも　栗木　京子

## おとこえし〔男郎花《をとこへし》〕

オミナエシに似ているがそれより茎に毛が多く、葉の裂片が広い。花は白色。実には包葉から変わった、うちわ状の翼がある。

昼寝《ひるい》ざめまだうつつなしながめゐてしらしら照りのをとこへしの花　北原　白秋

なかなかに見出だされぬ男郎花吹く風白く亡き人遠し　鈴鹿　俊子

男郎花女郎花左右《さう》の手に持てり生駒越ゆればそらみつ大和　塚本　邦雄

男郎花はるかをさなくわが立てし志をも散らしてゐたり　中川　昭

## おどりこそう〔踊子草《をどりこさう》〕

シソ科の多年草。高さ30〜60センチ。春、葉腋に白色、淡紫色の大形の唇形花を開く。都市付近で見られる帰化植物のヒメオドリコソウは一、二年草で高さ10〜25センチ。葉は小形で暗紫色を帯び、茎の上部に集まってつく。花も小形で紅紫色。

一人来て一人立ち去るふるさとの無人の駅の踊り子草の花　野北　和義

りんご畑に通う近路むらさきの踊子草が地下足袋ぬらす　熊谷　和子

普段の心のわれを肯ひゆれてゐるをどりこ草よけふよりいもうと　青井　史

## おにすげ〔鬼菅《おにすげ》〕

カヤツリグサ科の多年草。水田や畦などにはえ、高さ20〜40センチの茎は束生、直立し、剣状の葉をまばらに互生する。初夏、茎頂に金平糖状にたくさんの突起のある花穂を出す。スゲの一種。

おにすげの占めたる位置のひだまりに闇あり太古の垂直があり　沖　ななも

## おにゆり〔鬼百合《おにゆり》〕

山野にはえるが庭にも植えられるユリ科の多年草。高さ1.5メートルの茎は紫色を帯び、葉腋に濃褐色の、むかごができる。夏、5〜20個の花がつき、六枚の花被片は黄赤色で黒紫色の斑があり、そり返る。

鬼ゆりはまこと夏花濃みどりの切れのよき葉も力にみちたり　宇都野　研

官能にさも似て逆光　恍恍《くわうくわう》と黒く昏れゐる鬼百合に触る　河野　裕子

## おひしば〔雄日芝《をひしば》〕

本州、四国、九州の野原、路傍にはえるイネ科の一年草。高さ30〜60センチの茎は直立または斜上し、細長い線状の葉をつける。夏、茎頂に傘形状の緑色の花穂をつける。雌日芝《めひしば》は雄日芝より小形で葉が柔らかい。雀の帷子《かたびら》はイネ科の一〜二年草。高さ5〜25センチになり、茎・葉は柔らかく、花穂は円錐形でおもに春に開花する。

草取りを怠ける我を苦しむるをひしば・めひしば・すずめのかたびら　石川不二子

## おみなえし〔女郎花《をみなへし》〕

山野にはえ、栽培もされるオミナエシ科の多年草。茎は高さ約1メートルで葉は対生、羽状複葉、裂片は細くとがる。茎の上部が分枝し、その先に夏から秋まで黄色の小花を多数開く。万葉集に山上憶良が「秋の野に咲きたる花を指《および》折りかき数ふれば七種《ななくさ》の花」「萩《はぎ》の花尾花《をばな》葛花《くずばな》瞿麦《なでしこ》の花女郎花《をみなへし》また藤袴《ふぢばかま》朝顔《あさがほ》の花」と詠んでおり、秋の七草の一つに選んでいる。

わが目にはたえて久しき女郎花よくぞよくぞといひつつ手折る　若山喜志子

短歌とふ微量の毒の匂ひ持ちこまごまと咲く朝の女郎花　斎藤　史

女郎花男郎花と秋の野を行くに性超えていまぞ人間《ひと》思ひたし　鈴鹿　俊子

黄なるいろ身に集めつつをみなへし白妙のをとこへしとへだたる　二宮　冬鳥

女郎花ここにも咲きて垂直に立つものばかり残れる廃墟　永田　和宏

## おもだか〔沢瀉《おもだか》〕

池、沢などにはえるオモダカ科の多年草。やじり形の柄の長い葉は束生。夏から秋に高さ50センチ位の花茎を直立し、白色の三弁花を輪生する。

鷺に似てひと花すいと水をぬく青藺《あをゐ》のなかのおもだかの花　佐佐木信綱

五月雨《さみだれ》の築地《ついぢ》くづれし鳥羽殿《とばどの》のいぬゐの池におもだかさきぬ　与謝野晶子

ほのかなる沢瀉の花はわが妻の身ごもるよりもあはれなるかな　結城哀草果

おのづから水のほとりに歩むわれ眼に異国《ことくに》のおもだかの花　玉城　徹

沢瀉は水の花かもしろたへの輪生すがし雷遠くして　小中　英之

## おもと〔万年青《おもと》〕

ユリ科の常緑多年草。鉢植で観賞する。根生する厚葉は長さ約40センチに及ぶ。秋、集まって結ばれた球形の実が赤熟する。

雪なかにひとむら万年青の紅《あか》き実を年のはじめにわれはめでつも　結城哀草果

投げ出されしごとく凍れる万年青にも雪はやさしく膨れて昏れぬ　生方たつゑ

**おりづるらん**〔**折鶴蘭**《をりづるらん》〕　アフリカ原産のユリ科の多年草。観葉植物として、吊り鉢植にされる。葉は長さ10～30センチ。葉の間から下垂させ、はわせた枝に気根を生じ、そこに新しい株ができ、繁殖する。春、長くのびた花茎に白い小花を数輪つける。

忘れいし不安つぎつぎ呼び覚まし折鶴蘭のランナー繁殖　岸本　由紀

**オレンジ**　インド原産のミカン科の高木になる代表的な柑橘《かんきつ》。ネーブル、福原、バレンシアなどの品種がある。

オレンジが喉通りて落つるとき水琴窟のような響きす　大衡美智子

樹液吸う虫の女と変わるまでオレンジを噛む唇《くち》を濡らして　早川　志織

オレンジの甘味残れる舌さみしところどころに妥協があるも　梅内美華子

**かいどう**〔**海棠**《かいだう》〕　庭木に植えられ、盆栽に用いられる中国原産のバラ科の落葉低木。高さ5メートル位になる。枝は紫色を帯び、ときに小枝がとげとなる。四、五月、細長い花柄の先に下向きの紅色半八重の花が数輪まとまって咲く。花海棠とも。

河豚《ふぐ》くうていのち死なまし海棠に春うつくしく雨のふる日や　太田　水穂

くれなゐのつぼみはひらきあはあはとなりゆくまでの山の海棠　福田　栄一

はろばろとなりゆく人か海棠の花咲きそめし庭にわかるる　岡野　弘彦

なまざしは宙にとどまり夕茜のこして散れる海棠の花　佐佐木幸綱

**かいわれな**〔**貝割菜**《かひわれな》〕　ふた葉の出たばかりの菜。カイワレ。形が貝を割ったようなのでいう。川端茅舎の俳句「ひら／＼と月光降りぬ貝割菜」が有名である。

さみどりの心のかたち遠くとおく天まで届けカイワレの春　俵　万智

みっしりと暗がりに育つカイワレの箱に幾重も布をかぶせぬ　岸本　由紀

**かえで〔楓《かへで》〕**　葉の形がカエルの手に似ているためいう。カエデ科の落葉（ときに常緑）高木。日本には23種が自生、数百の園芸品種があるという。早春ふきでる鮮紅色の芽、若葉のころ(若楓)、それと同時に暗紅色のたれさがる小花、特に秋の鮮麗な紅葉はなんといっても楓である。古くから雪月花とともに主要な歌題となっている。かへるで。

このごろの二日の雨に赤かりし楓の若芽やゝ青みけり　伊藤左千夫

かへるでのこまかき花の散りてゐる庭にそそぎぬ逝《ゆく》春《はる》のあめ　斎藤　茂吉

川しもに瑞枝《みづえ》ひろぐる若楓癒えかてぬ身の目見《まみ》にけぶらふ　吉野　秀雄

ある時のあるがままなるひとこまとあかくれなゐの楓のしづまり　長沢　美津

かへで葉は下枝《しづえ》は青く中鴇《とき》に上《ほ》つ枝《え》を紅《こう》に色染めてけり　野村　清

楓《かへるで》のプロペラ型の実を見れば南風《みなみ》うけつつそよがぬぞなき　宮　柊二

わが庭のかへで紅葉にありつるを近所の道のそこここを飛ぶ　森岡　貞香

渓ぞらに若葉の枝のさし蔽《おほ》ひちらちらとして楓《かへるで》の花　玉城　徹

飴色の今年のもみぢわが庭におくれてぞ来る若き楓に　林　安一

**かき〔柿《かき》〕**　甘柿と渋柿に大別され、甘柿は富有、次郎、御所など、渋柿は西条、平核無《ひらたねなし》などが代表的である。果実の中ではもっとも大衆的で味もよい。北原白秋の「名ぐはしき柿生の柿」は川崎市柿生産の禅寺丸（小形の甘柿）。「名ぐはしき」は名高い。「本柿《もとがき》」は古い柿の木。

青柿の実のあらはれて俄にも繁き緑のおとろへにけり　窪田　空穂

名ぐはしき柿生《かきふ》の柿の本柿《もとがき》は果の三つ二つすでに老柿　北原　白秋

遠くより柿の実みゆるころとなりいまだ濁らぬ視野をよろこぶ　佐藤佐太郎

ひとつづつ更なるひとつくれなゐのつめたき柿を食ひつくしたり　葛原　妙子

まろやかな柿をぐさりと切る快感朝の食卓の会話に

まぎらす　佐佐木由幾

甲州の柿はなさけが深くして女のようにあかくて渋い　山崎　方代

柿くへば秋ふかきかな病みあとのことしの柿はいのちにひびく　上田三四二

柿一つあな静かなる秋の灯に物思ふごと食べ終へにけり　馬場あき子

年どしに暮らし簡素になりゆくを柿の次郎のことしの実り　入野早代子

目を上げてふとくらがりにつやつやし柿のお尻を叩きて過ぎぬ　阿木津　英

柿の朱は不思議なる色あをぞらに冷たく卓にあたたかく見ゆ　小島ゆかり

## かきつばた〔燕子花《かきつばた》・杜若《かきつばた》〕

水辺や湿地にはえ、庭の池辺に植えられるアヤメ科の多年草。剣状の葉に中央脈がなく、花茎は分枝せず、高さ50～70センチ。五、六月に濃紫色の花を開く。外花三被片は大きく、たれ下がり、下部の中央が黄色い。

天地《あめつち》はすべて雨なりむらさきの花びら垂れてかきつばた咲く　窪田　空穂

かきつばたその葉ごもりの紫を今朝より水にうつしそめける　若山喜志子

水無月やここは八ツ橋杜若ただようものは男なりけり　岡部桂一郎

燕子花《かきつばた》つひの一花《いちげ》に風立ちてまるつきり西行のうしろすがた　塚本　邦雄

かきつばた咲くきはまりの濃むらさき水に映るを境《さかひ》に生きむ　小中　英之



## かきのき〔柿《かき》の木《き》〕

本州から九州にはえ、古くから栽培されているカキノキ科の果樹。中国にも多い。高さ5～6メートル。若葉は萌黄色で艶がありあざやか。五月に淡黄色の合弁花を開く。果実は十月に成熟し、採取した後の葉は朱、紅、黄が入りまじって美しく紅葉し、しだいに落ちる。柿には守り神が宿るとして「木守り柿」を一つ残しておく。裸木の梢に、晩秋初冬の残照を浴びて映える姿は風情がある。現在、都市にも柿の木は見られるが排気ガスなどを危惧し、あまり採取・食用されない。

おり立ちて今朝の寒さを驚きぬ露しとしとと柿の落

葉深く　伊藤左千夫

柿若葉目ざめ安らかに照り匂ふこの村の道を行き行くわれは　古泉　千樫

この朝《あした》隣の庭に音のして掃き応へある柿の落ち花　半田　良平

旦《あした》見つ昼見つ飽かぬ柿若葉夕べは胸にしむがごとしも　尾山篤二郎

照りひかる若葉の中にまさびしく咲き散るものか柿の樹の花　植松　寿樹

柿の葉は一夜のうちに紅葉せりねてのあしたの物のうつろひ　土屋　文明

今年実のとまらざりし柿の木も紅葉して日に日にうつくし　長沢　美津

柿の木は葉をふりこぼして立っている何とおかしな事なのである　山崎　方代

うなじ垂れてわれの歩める新宿の市なかにして柿の花落つ　清水　房雄

## がくあじさい〔萼紫陽花《がくあぢさゐ》〕

アジサイの母種。がく片・花片ともに五枚の両性花が花序の中央に集まり、装飾花がそのまわりにつく。関東以南の太平洋岸の山地にはえる。これに似たヤマアジサイは山地にはえ、だ円形の葉は薄く、普通白い花が咲く。ともに庭木にする。

がくあぢさゐ花の楽しさよもすがら雲より出でてその花あそぶ　佐藤佐太郎

石垣にとりつきて咲く紫の萼あぢさゐのすみし朝のいろ　小野　昌繁

潮風に荒れたる岩の道下りて萼紫陽花に映るわがゐつ　浜　梨花枝

## かしのき〔樫《かし》の木《き》〕

ブナ科のコナラ属のうち、特に常緑高木の総称。高さ10～20メートル。晩春、雌雄同株の花を開く。五、六月に新葉が出て茂り、古葉が風の強い日など病葉《わくらば》のように乱れ散る。農家が防風林とした。

木の芽ぶく春とはなれり樫の葉の真昼さびしく色足らひ見ゆ　三ケ島葭子

夏に散る樫の落葉の鮮かさ苔の上のみ掃きのこされて　若山喜志子

落すべき葉は落しけむ秋空の疾風《はやて》に揉まれさやぐ樫の木　窪田章一郎

十方に枝を張りたる樫の木にある人格をしのび近づく　島田　修二

樫の木の梢に風が生まれるかざわざわずわんと高鳴りがして　沖　ななも

いまいちど〈われら〉と彫りし樫の木をゆりうごかして我等去るべし　小池　光

あけぼのの中なる樫の影太しあな男とは発語せざる樹　影山　一男

## かしのみ〔樫《かし》の実《み》〕

カシ類の実で、どんぐりの一種。どんぐりは他にクヌギ、カシワ、コナラ類の実が代表的である。

櫟の実はわが手のひらに唯一つあめつちの秋をころげをるかも　依田　秋圃

拾ひきてつやつやまろきどんぐりを幼なの撒けばそこはもう秋　佐佐木由幾

かさかさになりし心の真ん中へどんぐりの実を落してみたり　山崎　方代

握りゐる木の実の一個あたためてどんぐりをわれは何に孵《かへ》さむ　大西　民子

みちのくに宮澤賢治を尋ねればどんぐりの実が旅の

—かしわ

ピリオド　俵　万智

## ガジュマル

ガジュマルは琉球語で、漢名は榕樹《ようじゅ》という。種子島以南の亜熱帯から熱帯の沿海地にはえるクワ科の常緑高木。防風林や庭木、生垣にする。高さ20メートルに及ぶこともあり、幹の周囲から褐色の気根をたれ、葉は倒卵形で厚く光沢がある。花と実がいちじくに似て小さく、赤熟する。

道のべにガジュマルの木を仰ぎ立つゆるる気根のかなしともなく　佐藤佐太郎

地に低き榕樹の森のかげりくる島の夕べに鳴きいづる鳥　岡野　弘彦

榕樹《ガジュマル》の気根が抱き止むる断崖に危ぶみ立てば蘇るいくさ　平山　良明

## かしわ〔柏《かしは》〕

高さ10メートル位のブナ科の落葉高木。葉は枝先に集まって互生。春に開花し、実は球形（どんぐり）。葉は端午《たんご》の節句に食べる柏餅の皮にする。

椎の葉にもりにし昔おもほえてかしはのもちひ見ればなつかし　正岡　子規

柏の葉解きつつ食ぶる白き餅《もち》五月《ごぐわつ》はたのしいささか

ごとも　窪田　空穂

強《こは》き皮をまとひて立てる柏木の冬の姿勢に顕ちてくる祖父　時田　則雄

**かすみそう〔霞草《かすみさう》〕** ムレナデシコと呼ぶカフカス産のナデシコ科の一年草と、シュッコンカスミソウと呼ぶ欧州、北アジア原産の宿根草がある。高さ30〜50センチでよく枝分かれし、白色の小形五弁花を四方にたくさんつける。切花用。

霞草かすみて寒の机上なる愚鈍凡庸かくしおほせよ　雨宮　雅子

花屋よりかすみ草ははみだして風吹くときにおおいにわらう　林　和子

霞草　ドライフラワーとなるまでの鬱こもごもに黄変しゆく　松平　盟子

かすみ草の白きかすみを支へゐる茎あり一世《ひとよ》閉ぢゆく夜にも　栗木　京子

**かぜくさ〔風草《かぜくさ》〕** イネ科の多年草で道ばたや野原にはえる。高さ30〜80センチで束生する。葉は細長く、八月から九月に紫を帯びた緑色の小穂状花序をつける。全体にやや堅く、性質が非常に強く、踏まれてもすぐ立つ。みちしば。

この子二歳のころは動きの鈍くしてカゼクサのなかに坐れることあり　花山多佳子

**かたくり〔片栗《かたくり》〕** 北海道、本州の山林にはえるユリ科の多年草。早春、地下の肥大した鱗茎から長さ6〜12センチの柔らかい二枚の葉をつけた花茎を出し、頂にユリに似た紅紫色の花を一つ下向きにつける。ことに残雪のなかに咲く姿は印象的である。六枚の花被片はそり返る。鱗茎から片栗粉を作る。古名堅香子《かたかご》。

うなだれて撓《しな》ふはなびら悩ましく風にさいなまるる山慈姑《かたくり》の花　植松　寿樹

かたかごは二つ葉となり萌え出でぬ今年片葉のものもいとほし　長沢　美津

信濃川みさけつつきて雪残る越のゆきどまりの谷のかたくり　中野　菊夫

星がたのかたくりの花咲き闌けて尖《さき》たわみ反《そ》る空へ還ると　上田三四二

芽ぶき待つ雑木林の奥処までむらさきを敷くかたく

りの花　川辺　古一

昼ふけし光あつまるかたくりの花は反りつつみな風ぐるま　三国　玲子

すき透るコップにさせば紫のうつむきて咲くかたくりの花　原田　清

今年また春荒涼とかたくりのなだれ日昏るるむらさきを越ゆ　成瀬　有

## かたばみ〔酢漿草《かたばみ》〕

人家の周囲、道ばたなどで見かけるカタバミ科の小形の多年草。葉はうまごやしに似る小さい三葉。春から秋、葉腋から出た花柄上に可憐な黄色の五弁花を開く。実は円柱形、熟すと種子をはじき飛ばす。茎・葉はかむとすっぱい。花・葉は就眠運動をする。土屋文明の「みぎり」は庭。

をさなごと幾度か来しみちばたにかたばみの花むらがり咲けり　杉浦　翠子

みぎりにて憎み憎みしかたばみに夕日のこりて此の冬の花　土屋　文明

ゆくりなくしばし借り住みし路地に出づ西日かがやくカタバミの花　吉田　正俊

―かなむぐら

造られし小川のそばに植ゑられし木々のめぐりのかたばみの花　安田　純生

## カトレア

熱帯アメリカ原産のラン科の一属。温室で栽培され、花は大輪で芳香がある。花色は紅紫色、白色があり、唇弁は大形、基部は内側に巻いて花柱を包む。鉢物、ブーケ、コサージュに用いられる。

親しきが祝ひてくれし花いく束カトレアは華麗にのびのびひらく　中野　菊夫

ふた鉢のカトレアにほふ部屋ぬちの空気ふるはせ洟かみにけり　安田　純生

カトレアに蜜があふれる日曜の午後の陽射しは眠りを誘ふ　早川　志織

## かなむぐら〔金葎《かなむぐら》〕

荒れ地や野原にはえるクワ科の一年草。茎や葉柄に小さい逆とげがあり、他物にからみついて繁茂する。

葉は対生で掌状に五、六裂し、ざらつく。秋、円錐状の花穂をだし、多数の淡黄色の雄花をつける。雌花は紫褐色の球形で短い穂状に下垂する。

かなむぐら黄ばむ葉むらの動けるは実を啄むと雀ゐる

るらし　林　安一

## カーネーション

二千年も前から栽培され、日本には江戸時代オランダより渡来。八重咲きで色が赤、桃、だいだい、サーモンピンク、黄、紫、白や、絞り、覆輪など品種改良が盛んに行なわれている。春の花壇、鉢植、切花用は秋に種子をまいて冬に霜よけをして育てる。四季咲きの大輪の切花用は温室で育てる。一九〇七年アメリカのアンナ・ジャピスの提唱で五月の第二日曜日「母の日」に、この花を胸に飾る。

花すぎしカーネーションの一むらは霜にみだれて枯れゆかむとす　柴生田　稔

わが贈る五月の赤きカーネーション花冠歯牙状に裂くるはたのし　星河安友子

## かぶ〔蕪《かぶ》〕

アブラナ科の野菜。古くから栽培され、大蕪（聖護院など）と小蕪（金町など）があり、漬物、煮物にして食べる。かぶら。古名すずな（春の七草に用いる名）。

山の上に吾に十坪の新墾《あらき》あり蕪《かぶ》まきて食はむ餓ゑ死ぬる前に　土屋　文明

わが畑のすず菜すずしろ花は咲きこまかく咲きて日は近づきぬ　山下　陸奥

蕪《かぶ》の葉のいたく乱れし朝霜を見つつし居るに心はずみ来《く》　高安　国世

大まかに冬の蕪《かぶら》を切りてゐる糊口といふもみづみづしけれ　安永　蕗子

浄白の蕪《かぶら》をつくる冬のわざ地涌の菩薩の出で給うまで　原田　禹雄

## ガーベラ

南アフリカ原産。明治末期に渡来したキク科の多年草。荒い切れ込みがある葉の中心より花茎を出し、色が白、黄、桃、紅などの一重咲き（八重咲種もある）の花を、五月より十一月までつぎつぎと開花する。フレーム、温室で冬から春にも開花させる。

単一に花開きたるガーベラが我に教ふる省略の過去　宮原阿つ子

透硝子のこっぷに挿ししガーベラの弁細くして長き朱の花　宮　柊二

濃淡の墨絵なれどもめらめらと葉を押し立ててガーベラの花　大西　民子

## かぼちゃ〔南瓜《かぼちゃ》〕

ポルトガルより天文年間渡来。つる性うり科の野菜。北海道が主産地で、夏に黄色の花が咲いて実を結ぶ。現在メキシコなどから輸入され冬でも食べられる。中国ではクワズルといって種を好んで食べる。大形で色のきれいな観賞用もある。唐茄子《たうなす》。

風ふけば広葉のかひにあらはれて朝眼《あさめ》に清《きよ》し南瓜の花は　太田　水穂

あかあかと南瓜ころがりゐたりけりむかうの道を農夫はかへる　斎藤　茂吉

たうなすの受粉せしめし大き雄花朝日ただ差す土に捨てたり　鹿児島寿蔵

両《もろ》の手にうくるが如くし子がいひぬ青き南瓜が風にゆるるを　福田　栄一

トレーラーに千個の南瓜と妻を積み霧に濡れつつ野をもどりきぬ　時田　則雄

きしきしとカボチャの種を噛みながら少女のころの夢を思えり　俵　万智

## がま〔蒲《がま》〕

小川、沼沢など水辺にはえるガマ科の多年草。幅1～2センチの細長い葉は粉緑色で厚く、根生する。夏、葉の間より高さ1メートル位の太くて丸い花茎を直立し、上端に円柱形の花穂をつける。黄色の雄花の下に緑褐色の雌花が密生する。雌花は赤褐色の実になり、白綿毛を散らす。加藤克巳の「蒲穂波」は風に吹かれて波のようにゆらぐ蒲の穂。「のこんの光」は残りの光。「残りの」と用いるとき音便化させるもの。

蒲の花かなしくも咲き池の端に夕べ明るき日かげさしたり　尾山篤二郎

鴉《からす》らのわたりゆくとき青きかな水の上四五寸のびし蒲《がま》の芽　前川佐美雄

蒲穂波　のこんの光にぬれひかる　そよろ沼辺の逢魔が時を　加藤　克巳

立ち枯るる蒲の群落をりをりの風に穂絮は雪のごと飛ぶ　扇畑　利枝

## がまずみ

庭木にするスイカズラ科の落葉低木。全体にあらい毛があり、葉は小さい。夏、その年のびた枝先に多数の白花を散房状につけ、小豆状の実を結び、秋に赤く熟す。

かはづなく水田のさきの樹群《こむら》にしらしらしら見ゆる莢《がま》

蒾《ずみ》の花　長塚　節

がまずみの青実やうやくつぶらかに照りいでて谷地に夏は来向ふ　林　安一

## かや〔茅《かや》・萱《かや》〕

ちがや、すげ、すすきなど、屋根ふきに用いる細長い草。

やうやくに色づかんとする秋山の谷あひ占めて白き茅原《かやはら》　斎藤　茂吉

海を背《せ》に開《ひら》け来《く》る丘茅わけてしばらく道の見ゆる恋《こ》ほしさ　柴生田　稔

萱草《かやくさ》のかすかなる芽の土割りし春のみちべをいたはりゆかむ　生方たつゑ

萱《かや》の葉に斬られたりしが止め刺すことせぬゆゑにかく長生す　斎藤　史

侵入者はここも侵略者湿原の草の紅葉にたかだかと萱　小市巳世司

茅の葉にたまれる雫満天の緑の世界かたくむすびて　玉井　清弘

## かや〔榧《かや》〕

イチイ科の常緑高木。暖地の山地にはえるが庭木にも植えられる。葉は線形で二列に並び、先が鋭くとがる。四月頃に開花、だ円形の緑色で紫色を帯びた実を結び、翌年の秋に熟す。内種皮は赤褐色でかたく、種子は食べられる。後藤直二の「うらぐはし」は心楽しい。

秋はやく木《こ》の実《み》の落つる親しさをもちて来にけり榧の樹のもと　山口　茂吉

榧の大木《おほき》春のすがしき香の下に熱あるわが身しづかならしむ　佐藤佐太郎

松の芽に似たる匂ひのうらぐはし草よりひろふいくつ榧の実　後藤　直二

## かやつりぐさ〔蚊帳吊草《かやつりぐさ》〕

畑など日当たりのよい草地にはえるカヤツリグサ科の一年草。三稜形の茎が線形の葉の間からのび、夏から秋に茎頂が分枝して多数の小穂をつける。茎を裂いて蚊帳の形を作って遊ぶ。長塚節の「こちたき草をいとはしみ」は仰々しい草がいやなので。

白露の朝朝しげきくさむらに蚊帳吊草の穂がすいと立つ　岡　麓

暑き日はこちたき草をいとはしみ蚊帳釣草を活けてみにけり　長塚　節

高麗《かうらい》の白き小瓶《こがめ》にカヤツリの若き幾もと涼しく乱る
窪田章一郎

**からしな〔芥子菜《からしな》〕** アブラナ科の二年生の野菜。四月ごろ茎がのび、黄色の蕾をつける頃に収穫し、主に漬物にして食す。茎、葉に辛みがある。種子から芥子《からし》を作る。

からしなは春の菜にして厨べに立ちて食うとき口に疼《ひひ》きぬ
宮城 謙一

茎伸びて黄の花あぐる芥子菜の路傍のいのち香ぐはしくあれ
安永 蕗子

**からすうり〔烏瓜《からすうり》〕** 藪、垣根に細いつるをからませるウリ科の多年生つる草。夏の夕方、縁《ふち》の細く裂けている白花を淡あわと開く。だ円形の実は晩秋に朱赤色に熟す。種子は黒く、形がカマキリの頭に似る。また結び文にも似ているため玉章《たまずさ》ともいう。

此のものもたつた一人の詩を書くか 採る人も無き朱の烏瓜
斎藤 史

からすうりながき綿毛の白花のそよぎかそけきところをすぎぬ
上田三四二

晩秋の朱たもち来しからす瓜冬深むころ机上に乾く
長沢 一作

夕虹の消えたるあとを烏瓜絹の被衣《かづき》をひろげはじめぬ
後藤 直二

この色を愛づるのみなる烏瓜ひとつもぎきてみ祖《おや》に献ず
島田 修二

さらさらさらつと降るはしぐれか生真面目にああ烏瓜生きてくれなゐ
馬場あき子

宙吊りの嘘、赤き実の烏瓜、たのし子供と行く小旅行
佐佐木幸綱

**からすのえんどう〔烏野豌豆《からすのえんどう》〕** マメ科の一、二年草。日当たりのよい草地にはえる。茎は根元より分枝し、葉は羽状複葉、先端の小葉は矢筈形、先は巻きひげとなる。春、紅紫色の蝶形花を開き、豆果は広線形で平たく、黒く熟すと十個ほどの種子を結ぶ。ヤハズエンドウ。

からすえんどう叢るるに沿いて歩みくれば鉄条網ありみな捲きのぼる
花山多佳子

**からすむぎ〔烏麦《からすむぎ》〕** イネ科の一、二年草。欧州、西アジア、北米原産

の帰化植物で荒れ地や路傍にはえる。高さ50～90センチになり、夏、茎頂にややまばらに下垂する緑色の小穂をつける。小穂は長いのぎのある小花からなり、小花は個々に落ちやすい。

稔りの重さは忽ち喪失の軽さにてからす麦地にこぼれゐにけり　稲葉　京子

## からたち〔枳殻《からたち》〕

中国原産のミカン科の落葉低木。生垣や柑橘類のつぎ木の台木にする。春、葉のでる前に小枝のとげの付け根に匂いの強い白色五弁花を開く。実は球形で秋に黄熟、芳香があるが食べられない。漢名枳殻《きこく》。

枳殻のかたくかぐろき刺《とげ》の根に黄いろの芽あり春たけにけり　木下　利玄

やはらかに若芽のびたるからたち垣白き小花のかつ咲けり見ゆ　古泉　千樫

枳殻《きこく》また鬼哭の樹にて棘の間に身をのけぞらす揚羽の蛹　斎藤　史

夕影の叙情効果をまとめゐるカラタチの実かまづは蹴とばす　加藤　将之

棘するどく冬鎧ひるしからたちもやさしき花をつくる春来ぬ　下郡　峯生

恋びとにゆきあひしごと棘光るからたち垣を立ち去りかねつ　間島　定義

からたちの花さしちがひ咲く籬《まがき》すぎて歓びしづかなりけり　小中　英之

## からまつ〔唐松《からまつ》・落葉松《からまつ》〕

本州中部の日当たりのよい山地にはえるマツ科の落葉高木。高さ20メートルに達し、針のような柔らかい緑葉が集まり、鮮やかに萌えるころ、黄葉しながら散るころはともに美しい。

秋深しこの日も栗鼠《りす》のふるまひを盗み見すなり落葉松林《ばやし》　与謝野晶子

斑雪山をそびらになして落葉松は芽頃にかあらむ萌黄に彩ふ　結城　健三

国とほく分るる道のしばらくは落葉松の間《ま》に見ゆるさびしさ　柴生田　稔

ひとときの歓喜に似つつ夕茜ささへてゐたる落葉松のあり　遠山　光栄

高きより落葉松落葉降りしきる光の針のごとき滴り　高安　国世

落葉松の芽ぶきの匂ひ吹きて来る風を作業衣にはらませて出づ　近藤　芳美

からまつの億の芽立ちのつぶやきの聞こゆる今をわが靴光る　林　安一

落葉松はほうほうとその尖《さき》を脱ぎ霧のなかにもひと仰がする　今野　寿美

カラマツの落ち葉の上にゆれている冬陽は杳い砂場のにおい　早川　志織

## かりん〔花梨《くわりん》・榠櫨《くわりん》〕

中国原産のバラ科の落葉高木。高さ8メートルで庭木に植えられる。春、新葉と同時に芳香のある淡紅色、白色のかれんな花を開く。果実は大きい倒卵形で秋に黄熟して芳香を漂わす。砂糖漬や果実酒の材料にする。木材はきめこまかく、高級家具になる。

春の日は花梨《くわりん》の花の朱《あけ》をなほあざやかにして美しきものを　岡部　文夫

榠櫨一果のにほへる几《つくゑ》愛染に遠くゐる夜の更けゆかんとす　木俣　修

かりんの実香に立ちてくる湖《うみ》の辺の黄の色もぎてわれや少年　武川　忠一

何の木かと朝々電車に見てゐしが落葉して露《あら》はなり花梨《くわりん》の黄の実　宮脇　瑞穂

たまひたる花梨《くわりん》一果を掌《てのひら》に載せて濃密になりゆくこころ　高嶋　健一

黄色光《わうじきくわう》放てる榠櫨大空をどうと落ちたるのちの深処《ふかんど》　馬場あき子

## かるかや〔刈萱《かるかや》〕

イネ科の多年草。メガルガヤとオガルガヤがあるが、普通前者をさす。本州から九州の山野にはえ、葉は広線形で基部に長い白毛がまばらにはえている。秋、上部の葉腋より総状の小花穂を出す。雄性と両性とあり、両性には長いのぎがある。秋の七草の一つ。今野寿美の「真名」は漢字。

秋立つと言へば野立ちの刈萱に生きて見ばやの禾《のぎ》が鋭し　安永　蕗子

忘られてすすきかるかや佇《た》つごとき閑吟集の真名序と仮名序　今野　寿美

## かわらははこ〔川原母子《かはらははこ》〕

キク科の多年草。川原の砂地に多く、茎の高さが30〜70センチで分枝が多い。葉は幅細く縁が裏に巻くのが特徴。八、九月ころ茎頂に白色の頭花を多数散房状に開く。山母子《やまははこ》は日当たりのよい山地の高山の乾燥した草地にはえる。

白妙《しろたへ》にかはらははこの咲きつづく釜無川《かまなしがは》に日は暮れむとす　長塚　節

## かんきつ〔柑橘《かんきつ》〕

ミカン科のミカン属のレモン、ライム、ザボン、グレープフルーツ、ダイダイ、ナツミカン、イヨカン、ハッサクなどの果実。他にカラタチ属、キンカン属の果実、果樹をさす。柑類《かうるい》。

柑橘の実《み》は黒きまで青くして触るる指頭をはじきかへすも　四賀　光子

貧しさに堪へつつおもふふるさとは柑類《かうるい》の花いまか咲くらむ　古泉　千樫

たらべたる柑橘の香のするどきはかたはらに立つ硝子を伝ふ　葛原　妙子

手にもてばかろき香に立つ夏の柑《かん》さやけきものを人は恋ほしむ　尾崎左永子

木がくれの柑橘一顆ほのぼのと思維熟れてゆく静けさに見ゆ　稲葉　京子

黄に熟れし柑橘ひとつ夜の卓に一文体のごとくかがやく　高野　公彦

柑橘を裂く手の指の濡れ濡れて女人と居たる暮のひととき　佐藤　通雅

## かんざくら〔寒桜《かんざくら》〕

冬に咲く桜を冬桜といい、また、暖地で二月頃に緋紅色に咲く桜を寒桜、緋寒桜、緋桜と呼ぶ。花弁は完全に開かず半開で下垂する。九州、沖縄に多い。

寒桜をはりの花のさかりにて鳥が嘴《は》みおとす一ふさの花　五島　茂

いくばくの夢を織れとや冬ざくらひかり淡きを路地に仰げり　春日真木子

人あらぬ寺域のはづれくれなゐの緋寒ざくらに空明りつつ　高嶋　健一

寒桜ひらきてさむき空の下我を呼ぶ声の谺消えずも　石川不二子

## かんぞう〔萱草《くわんざう》〕

ユリ科の多年草。葉は剣状。夏、葉間から花茎をのばし、鬼百合に似た赤黄色六弁の花を数個咲かす。やぶなどにはえるのをヤブカンゾウ、ワスレグサ、オニカンゾウといい、山野にはえるのをノカンゾウといい、暖地の海岸にはえるのをハマカンゾウという。いずれも昼間だけ咲き一日でしぼむ。若葉は食べられる。

萱草よげに忘れ草うつくしき一日花《いちにちばな》のこの後《あと》なさよ　窪田　空穂

萱草の芽は焦《こ》げながら萌《も》え出でぬ草焼きしあと霜のふらねば　松村　英一

萱草を甘菜《あまな》と呼ぶことのこりつつ食ふは疎開の吾等のみなり　土屋　文明

尾瀬ヶ原に吾は来しかば萱草の黄の連続が見えわたりけり　佐藤佐太郎

在りし日の犬のアジトの庭隅に萱草はことし花をもちたり　川合千鶴子

萱草の彼方流るる夏の川見えぬ仏が矢のごとくゆく　安永　蕗子

## かんつばき〔寒椿《かんつばき》〕

庭木や鉢植にされるサザンカに近い園芸種で、ツバキ科の常緑低木。高さ2メートル位になり、十一月から二月まで八重咲きの紅色の花を開く。冬枯れの庭や垣を彩る。

寒椿を生垣とする路地の家いつしか異る表札の文字　吉田　正俊

幼木にひとときに咲く寒椿わかき命のあふるるごとし　窪田章一郎

おほかたの雪消えしころ寒椿さく道のべは雪凍りをり　佐藤佐太郎

寒椿咲きそめにけり幽かなるねがひごともちて生きつがんとす　加藤　克巳

くれなゐを冬の力として堪へし寒椿みな花をはりたり　馬場あき子

寒椿花落しつつ咲きており母ひとり住むふるさとの家　多賀　陽美

## カンナ

カンナ科の春植え球根植物。花壇、鉢植えにして観賞する。花は夏から秋まで咲きつづけ、色は赤、だいだい、黄、白など、絞り覆輪、斑入りなどもあり、筒形花弁。

金の蜂ひとつとまりて紅のかんなの色はいやふかきかも　岡本かの子

喝采に似て炎天に咲きのぼるカンナの朱や声としてきく　保坂　耕人

—カンナ

くるめくはカンナの紅《あけ》か日盛りの庭にゆゑあらず異象を怖る　鈴木　英夫

大き葉をひろげひろげて花びらの破れつつカンナ嗤《わら》へるごとし　椎名　恒治

台風の目のただなかのしづけさにカンナは花の黒々と立つ　杜沢光一郎

基地跡にカンナは赤く咲き乱れ自爆やあわれ戦死やあわれ　河村　盛明

## かんばい〔寒梅《かんばい》〕

寒中、冬至のころに咲く梅のことをいう。花弁は八重で、紅色。寒紅梅《かんこうばい》。冬至梅《とうじうめ》。

一鉢の寒紅梅をかかへてや部屋にもどり来るをとめごのごとく　前川佐美雄

紅梅の寒のつぼみのいろ深く見れども固く恥《やさ》しむらしも　福田　栄一

冬至梅の固き蕾に朱注《あけさ》せば霧吹きかけて年迎へせむ　宮　英子

寒紅梅は雨に匂ふとお隣に言はれて嬉し花ぬしわれは　石川不二子

終《しま》い天神時雨のなかにもう咲ける冬至梅《とうじばい》あり絵馬堂の裏　永田　和宏

## がんぴ〔岩菲《がんぴ》〕

観賞草花として古くから植えられる中国原産のナデシコ科の多年生草木。高さ40～90センチになり、五、六月頃茎頂または葉腋に朱赤色の美しい五弁花をつぎつぎに開く。葉はナデシコに似て大きく丸味を帯び、対生。

ガンピ、リンダウ、植ゑ終へて泥手洗ひをり花見るあてのあればたのしく　館山　一子

## かんぼたん〔寒牡丹《かんぼたん》〕

早咲きで、厳寒に開花させて観賞する。わらでかこったり、温室で育てる。伊藤左千夫の「さきくさ」は「みつ」「なか」などにかける枕詞。冬牡丹。冬深《ふゆぶか》見草《みぐさ》。

さきくさの三《み》つの蕾《つぼみ》の一つのみ花になりたる冬深見草　伊藤左千夫

いくばくか心たのしき紅《こう》一花寒牡丹藁におほはれて咲く　前川佐美雄

感にぶくなりゆく日日に凛凛とわれを圧しくる白《はく》寒牡丹　倉片みなみ

冬咲きのこのひと花や牡丹花の紅《こう》を秘色と思ふ思は

め　　雨宮　雅子

## きいちご〔木苺《きいちご》〕

バラ科のキイチゴ属。日本には山野に多いモミジイチゴが代表的である。春、短い小枝の先に白花五弁花を一つ下向きに半開し、のち黄色の果実を結ぶ。味がよい。藪などにはえるクサイチゴは花が上向きに咲き、果実は赤く熟す。

道のべの木いちごの花にほへるをあらそはなくに蜂ひとつゐる　　斎藤　茂吉

木苺のいまだ青きをまがなしみ嚙みてぞ見つる雨の山路に　　古泉　千樫

つぎつぎに白き花咲く木苺の黄の実を結ぶ逝く春の庭　　浅井喜多治

## キウイ

マタタビ科のつる性落葉果樹。中国中南部、西南部原産で温暖な土地で栽培される。果実は鳥のキウイに似ていて、褐色でこわばった毛がある。芳香があり、ビタミンCが豊富。

林檎から出るXが毛だらけのキウイ10個を熟れさすとおお　　田井　安曇

握りつつもの考えるに適当な大きさ手触りキウイの重さ　　永田　和宏

キーウイの剝《む》かれし皮が溺れゐる流しに指はふかく差し込む　　辰巳　泰子

## ききょう〔桔梗《ききやう》〕

日当たりのよい山野の草地にはえるキキョウ科の多年草。夏から秋に鐘形で先の五裂した青紫色の花を開く。白花、二重咲きの園芸種もある。秋の七草の一つ。桔《きち》梗《かう》。

紫に隣りて咲ける白《しろ》桔梗今年は紫の縞を持ちたり　　和田　周三

秋山に風も言葉となりてゆく桔梗苅萱萬古の韻き　　安永　蕗子

哀しみの存在よりもほのかなるこの一夏の桔梗《きちかう》の花　　山中智恵子

大江山桔梗刈萱吾亦紅　君がわか死われを老いしむ　　馬場あき子

立ちあがるものの気配や桔梗《きちかう》の藍とどこほる庭土のうへ　　高嶋　健一

桔梗《きちかう》の濃き一輪よ紀の国の秋の六根浄めたりけり　　辺見じゅん

いつぽんの雨を吸ひたる桔梗《きちかう》の花截らば鬱然の霧となるべし　大滝　貞一

黙秘紺、含羞紫、健気藍、われの愛《かな》しむ桔梗の色は　松平　盟子

ゆつくりとむらさきを消す桔梗《きちかう》のあはれ天涯の色となりつつ　坂井　修一

## きく〔菊《きく》〕

秋の代表的な花で、江戸時代から盛んに栽培されている。大菊、中菊、小菊に大別でき、大菊は厚物《あつもの》、管物《くだもの》、広物《ひろもの》など。中菊は肥後菊、嵯峨菊、伊勢菊などに細別されている。懸崖、菊花展、菊人形などと秋を彩る。料理菊は食用にする。また中国から欧州に渡り、観賞用に発達したのを洋菊という。

白菊の咲き極まりて衰ふる態《さま》と見むかも紅《あけ》を帯び来ぬ　窪田　空穂

はらはらと松葉吹きこぼす狭庭《さには》には皆白菊の花さきにけり　長塚　節

白菊はただつつましき花ながら月のてらせばたけたかくみゆ　橋田　東声

わがうちにもだし兼ねたる思ひありてあはれは深し白菊の花　今井　邦子

芸者衆が第九を歌ふ世に生きてわが路地暮し黄菊白菊　岡本　文弥

げに細き針金の輪の支へたるかなしみに管物《くだもの》の菊は咲きたれ　葛原　妙子

ほのぼのと石にぬくみののぼる昼みぎりの小菊香にたちにけり　太田　青丘

もつてのほか　その名の菊は葱畑のへりをかざれる淡きくれなゐ　森岡　貞香

うち並ぶ厚物の菊おのづから白はさやけく黄は匂はしき　田谷　鋭

憂ひなき時を願ひて日を経れば地上に菊の黄の花乱る　尾崎左永子

ここに咲くほかなくてここに咲きたらむ籬《まがき》の菊に夕茜さす　稲葉　京子

懸崖の菊花の黄色もりあがり澄める気配を押し戻すなり　今井　恵子

## きくいも〔菊芋《きくいも》〕

北米原産のキク科の多年草。根茎を果糖、アルコール製造の原料にするため栽培されるが、各地に野性化、とく

に北海道に多い。茎の高さ1～2メートル、茎葉ともに粗毛がある。九～十一月、菊のような黄色の頭花を開く。

バスの腹冷たきに身をさし入れて菊芋の花ふり返りたり　花山多佳子

**きけまん**〔黄華鬘《きけまん》〕　関東から九州のやぶの縁や海岸にはえるケシ科の二年草。全体に粉緑色で異臭がある。茎は高さ30～40センチ。葉は二、三回羽状に深く裂ける。春、枝先に総状花序をつけ、多数の黄色の唇状花を横向きに開く。花が多数並んで垂れ下がる状態を仏殿装飾の華鬘に見立てた。華鬘草の花は桃色。

にんげんに関心持たぬ黄華鬘《きけまん》の小さき唇《くち》の花ばなそよぐ　伊藤　一彦

雷雨去り凪《な》ぎてゆくなりわたくしも卓の上なるケマン草の黄も　道浦母都子

**きすげ**〔黄菅《きすげ》〕　ユリ科の多年草。本州から九州の山地にはえ、庭にも植えられる。夏、高さ1メートルほどの花茎を立て、淡黄色のユリに似た筒状花を開く。夕方から翌朝にかけて咲く。夕菅《ゆふすげ》。

陸《くが》果つる海の光に草山は黄すげの花のかがやくあはれ　佐藤佐太郎

知らずしてうれひすくなき日日がありいま夕菅の黄ににじむ雨　森村　浅香

宿命はなほ一灯をゆりあげて現世斜面の夕すげの花　安永　蕗子

文芸は書きてぞ卑し書かずして想ふ百語に揺れたつ黄菅　安永　蕗子

それぞれの向きに傾く茎先に黄菅のまるき実は色づくを　大越　一男

逢ひたけれ　われにひとりの人ありて咲きいづるゆふすげの花の夕べは　大塚　陽子

**きづた**〔木蔦《きづた》〕　本州以南の各地にはえるウコギ科のつる性木本。庭木、鉢植にされる。気根を出して木や岩、壁面、石垣などによじのぼる。斑入り葉の園芸品もある。フユヅタ。

攀ぢ攀ぢて尾根に出づべし摑みたる木蔦の蔓を引きて身を揚ぐ　片山　貞美

あらくれの木蔦の腕《かいな》ふとぶとと一本の杉巻きとど

めたり　石本　隆一

小康を保てる父は植木鉢ひなたに出せり蔦の木の鉢　高野　公彦

## きつねのかみそり〔狐《きつね》の剃刀《かみそり》〕

本州から九州の野原や山麓にはえるヒガンバナ科の多年草。葉は線形でやわらかく緑白色で、春に出て夏には枯れる。八、九月に高さ30〜50センチの花茎をのばし、黄赤色の数個の花を開く。雄しべは花片と同じ位の長さ。

たまひたる狐のかみそりの尖り花ペン擱《お》きしときの目の位置に挿す　大屋　正吉

石仏に似し母をすてて何なさむ道せまく繁る狐の剃刀　前　登志夫

汗あえし今日のひとつや抱きつつゆさゆさきつねのかみそり移す　田井　安曇

## きつねのぼたん〔狐《きつね》の牡丹《ぼたん》〕

キンポウゲ科の多年草。路傍、溝、山野の流れのそばなどの湿地にはえる。茎は高さ15〜80センチになり、直立、分枝する。四〜七月、枝先に黄色五弁の花をつけ、のち金平糖状の集果を結ぶ。葉が牡丹に似る。

地に低く狐のぼたん野襤褸《のぼろ》菊咲きしあたりに我を立たしむ　角宮　悦子

## きのこ〔菌《きのこ》・茸《きのこ》〕

菌《きん》類。椎茸、松茸、初茸、シメジ、ナメコ、ヒラタケ、マイタケなどは香りや味がよく食べられる。テングタケ、ベニテングタケなどは色や形はよいが猛毒をもっている。くさびら。たけ。

露じめり峡はをぐらし木の間なる椎茸の床をのぞき見にけり　宇都野　研

紅茸《べにたけ》の雨にぬれゆくあはれさを人に知らえず見つつ来にけり　斎藤　茂吉

黄しめじはきいろくちさしから松の落葉かづきてそこ此処に見ゆ　若山　牧水

屈《かが》む背に露ひややかに降りにけり匂ふ松茸採るがうれしく　松村　英一

伐りし木の朽ちて木の子の生ふるまで此の山下に住みとどまりし　土屋　文明

庭すみに井桁《あげた》に組みて積まれたる楢のほだ木に椎茸は生《な》る　長谷川銀作

秋山に今日の日を得て遊行《ゆぎやう》なす少なしといふ松茸
狩りに　初井しづ枝
木耳《きくらげ》を剝ぎゆく魔物見し日より日毎に烈し林の落ち
葉　大西　民子
茸いま暗闇の土に頭あぐ月の出の暗きくらき時なり
前　登志夫
十六夜の月わたりゐむひそまりに耳ひらくなり春の
茸《くきびら》　春日真木子
秋されば嬉しき燗の北の酒　透ける烏賊の身　銀の
舞茸　佐佐木幸綱
雑茸がわらわらはえてゐる所この辺りからこの山笑
ふ　河野　裕子
さくら色　リラは紫　息の緒は春のはざまの木木水母《きくらげ》
を食《は》む　内田　紀満

**きばなあきぎり**〔**黄花秋桐**《きばなあきぎり》〕　シソ科の多年草。本州、四国、九州に分布する。高さ30センチ位、葉は対生し、やじり形で長い柄がある。秋、茎の上部に10～20センチの花穂をつけ、唇形黄花を開く。本州北・中部に分布するアキギリは淡紫色の花を開く。山地の木陰にはえる。

摘みたるをテーブルに置き湯に行きぬ花終へ方の黄
花あきぎり　林　安一

**きび**〔**黍**《きび》〕　東アジア原産といわれるイネ科の一年草。高さ約1メートル。花穂は複総状で二、三回分枝し、先端に小穂をつける。畑に栽培され、種実をだんご、餅の原料にする。

ひんがしの朝焼雲はわが庭の黍の葉ずれの露にうつ
れり　若山　牧水
朝ぼらけ一天晴れて黍の葉に雀羽たたくそのこゑき
こゆ　北原　白秋

**きぶし**　山地にはえるキブシ科の落葉低木。庭にも植えられる。三、四月ころ新葉のでる前に枝の先に花穂が並んで垂れ、四弁の黄花を密につける。卵形の葉は先がとがり、縁には鋭い鋸歯がある。秋、やや球形の実は成熟する。

立ちながらわれは衰ふ百千のなんばんきぶし萌ゆる
をみれば　馬場あき子

**ぎぼうし**〔**擬宝珠**《ぎぼうし》〕　ユリ科の多年草。山野にはえるが広く栽培されている。根生する葉は長い柄があり、長さ20センチ位の広だ円形で先がとがる。初夏、長い花茎をのばして上部に淡紫色の花を10個ほど総状につける。筒形の花は横向きに開く。若い巻葉は食用となる。ぎぼうしゅ。ぎぼし。

擬宝珠《ぎぼうし》は手鈴《しゅれい》のごとき花もてり水ひかりつつ落つるかたへに　生方たつゑ

茎高くぎぼしは咲けり朝々の汁に道のへに採みしを思ふ　小市巳世司

擬宝珠《ぎぼうし》のむらさきの花河原にかたまり咲くは人しのばしむ　秋葉　四郎

## キャベツ

欧州原産のアブラナ科の一、二年生野菜。明治末期より普及し、生食の他に漬物、煮物にする。成育するにつれ中心部の葉が重なって球状に緊まり、球形、尖《せん》形、扁球形などとなり、色も白色、濃緑色、赤紫色などがある。甘藍《かんらん》。玉菜《たまな》。

あるときは大地《だいち》の匂ふぷんぷんとにほふキャベツの玉もぎて居り　北原　白秋

憲兵隊のあととし言へり土のうへに冬のキャベツははじけてゐたり　木俣　修

蒼白き光体のごと引緊まるキャベツを積みて人は去りゆく　富小路禎子

六月の甘藍の葉はしげりあひて声のきこゆるごときしづかさ　川島喜代詩

今やわれ妻と言ふ名に落着くと青き夕べのキャベツをほどく　馬場あき子

甘藍は己《おのれ》を絞めてゆくからに贅肉の無き球形あはれ　西村　尚

はればれと見えて夕づく海のべの甘藍畑ながく日を浴む　秋葉　四郎

梅雨ぐもる甘藍畠もんしろを遊ばせて固き結球いそぐ　瀬木　草子

さみどりの葉をはがしゆくはつなつのキャベツのしんのしんまでひとり　俵　万智

我という存在確かめているように青くて大きいキャベツを刻む　上田　茜

## きゅうこん〔球根《きうこん》〕

ユリの鱗茎、フリージアの球茎、ダリアの塊根、シクラメンの塊茎、アイリスの根茎の五種がある。チューリップ、ダリア、グラジオラス、スイセン、クロッカスなどが代表的なもので、春植えと秋植えがある。

雪高くやがて積むべし朝市に春咲く花の球根も売る

窪田章一郎

口重くなりゆくひと日そくそくと耳に根をはる球根ひとつ　馬場あき子

## きゅうり〔胡瓜《きうり》〕

インド北西部原産のウリ科の一年生野菜。品種が多く、現在はビニールハウスによる促成、抑制栽培などで一年中出まわるようになった。茎は細長く、巻きひげで柵などにからませる。茎がのびるにつれ下の方の葉腋から順次雌雄別の黄色い花をつけ、円柱状の多数のいぼがある実を結ぶ。生食、漬物などにする。長塚節の「花ながら胡瓜のしりへ」は花がついたまま胡瓜の尻の方。

たまたまにたち出でてみれば花ながら胡瓜のしりへゆがまひて居り　長塚　節

きうりの汁かくうつくしき色なるか藍より淡く鶸《ひは》よりは濃く　五島美代子

庭畑にもぎし胡瓜をはりはりと嚙りつつ朝の息をととのふ　木俣　修

青胡瓜ま冬も在りて　この星に棲む水すこしづつ老いてゆく　高野　公彦

## きょうちくとう〔夾竹桃《けふちくたう》〕

インド原産のキョウチクトウ科の常緑低木。夏の花木として庭、公園に植えられ、高さ3メートル位になる。葉は革質の狭皮針形。七月から十月まで普通は紅だが白、淡黄などの色で、絞りもあり八重咲きもあるツツジに似た花を開く。

すみやけく人も癒えよと待つときに夾竹桃は綻びにけり　長塚　節

くろみもつ葉ずゑに紅《あか》き花つくる夾竹桃の夏のあはれよ　木下　利玄

日毎ゆく道のべにして幾日も鮮《あたら》しく見ゆ夾竹桃の白　佐藤　志満

天の川空にかかりて丈高き夾竹桃の花を暗くす　岡部桂一郎

夾竹桃のくれなゐ猛く咲く見れば曾て切実に祖国ありにき　加納　一郎

国の忌も個の忌もひとつ夏花の夾竹桃のいろににじみて　雨宮　雅子

## きり〔桐《きり》〕

各地で広く栽培され、本州から九州の山地にも野性化するゴマノハグサ科の落葉高木。樹皮は淡灰褐色。葉柄が長く、対生する葉は大形広卵形でときに三〜五裂して先がとがり、縁に粘りのある毛を密生する。五月から六月、小枝の先に唇形で先の五裂する淡紫色の花を多数開く。花後に結ぶ実は卵形で熟すと堅くなり、二つの殻にわれる。中は二室になり翼のある種子が沢山入っている。材は軽くて狂わないので箪笥、細工物、琴などに使う。

折りとりて瓶《かめ》に挿さまく思へども枝みな高き桐の樹の花　植松　寿樹

われの来し湯島聖堂の後庭にむらさきの雲桐の花さく　佐藤佐太郎

今日はもう十一月の二十日なり桐の梢に桐の実が鳴る　山崎　方代

冬が来て桐の木の実がからからと鳴るを宝のごとく拾ひき　岡山たづ子

絶え間なく動きてやまぬ桐の木の葉の影うつる壁の面《おもて》に　石黒　清介

なにかなし野は明るくて高貴なる花桐ひと木憂ひ隔《お》かしむ　田谷　鋭

桐の花むらさきふかしゆつくりと牛鋤けるみゆ東洋の時間を　前　登志夫

桐の木のむかうひときは濃き空の寂しき昼にさしかかりたり　高嶋　健一

母の言葉風が運び来るに似て桐の葉ひとつひとつを翻《かえ》す　岸上　大作

風なくてけふ桐の実のしづかなり晴るるともなくしろき冬空　柏崎　驍二

## きりんそう〔麒麟草《きりんさう》〕

日当たりのよい山地や海岸の岩石上にはえるベンケイソウ科の多年草。茎は多数群生して高さ5〜30センチ。葉は緑色多肉質の広皮針形。夏、茎頂に多数の枝を分かち、黄色五弁の花を密につける。

汝が胸の寂しき影のそのあたりきりんきりん草の影がはみ出してゐる　河野　裕子

わが耳のしきり熱しと思ふまでキリン草もゆるうへを吹く風　中埜由季子

## きんかん〔金柑《きんかん》〕

中国原産の柑橘。ミカン科のキンカン属の常緑低木。暖地に栽培され、庭木にも植えられる。葉は小さく、夏に白色小花をつけ、だ円形の黄金色の果実も小さい。食用、薬用になる。

照り陰りはげしき日にて金柑の黄金《こがね》まぶしき日だまりを知る　富小路禎子

**きんしばい**〔金糸梅《きんしばい》〕　中国原産のオトギリソウ科の半常緑性小低木。庭木、切花に用いられる。高さ1メートル位になり、柄のない葉を対生。六、七月ころ枝端に集散状につく花は光沢のある美しい黄色の五弁花。多数の雄しべは五束をなし、花柱も五本ある。

五月梅・金糸梅とぞ梅といふ文字を持ちて咲ける花々　醍醐志万子

**きんぽうげ**〔金鳳花《きんぽうげ》・毛茛《きんぽうげ》〕　日当たりのよい草地にはえるキンポウゲ科の多年草。春、長い小柄先に黄色五弁花を開く。葉は五角状円心形で三深裂し、長さ3～7センチ。葉の形からウマノアシガタという。有毒植物。

温かに洋傘《かさ》の尖《さき》もてうち散らす毛茛《きんぽうげ》こそ春はかなしき　北原　白秋

ふるさとの土堤《どて》に咲きつづく金鳳花ただみるのみに心はふるふ　北見志保子

きんぽうげ、むら／＼黄なり。風のむた　その花ゆらぐ。いろひ　かげろひ　釈　迢空

すかんぽに交《まじ》へ手向《たむ》くるきんぽうげあはれ清《すが》しき一《ひと》生《よ》なりしを　土屋　文明

きんぽうげ黄にむれつづく田の道がひくくなりきて小川にそへる　熊谷　武至

**ぎんらん**〔銀蘭《ぎんらん》〕　山野の樹陰にはえるラン科の多年草。茎はやせて細く直立し高さ15～20センチ。葉は茎の上部に互生。晩春、茎頂に花穂を出し、白色半開の花を数個つける。金蘭《きんらん》の黄花に対して白花を開くので銀蘭という。

銀蘭の返り花さく病院裏献体の死者運ばれてゆく　中埜由季子

**ぎんりょうそう**〔銀竜草《ぎんりょうそう》〕　山中の樹林の落葉の中にはえるイチヤクソウ科の腐生植物。純白色の茎は一株より数本出て直立し高さ10センチ内外、肉質となり、葉は退化して鱗状。五～七月ころ白い筒状鐘形の花を茎頂に一つ下向きに開く。ユウレイソウ。漢名水晶蘭。

腐生植物といはれつつ咲く　銀霊草　咲《あ》むといふこ

とまた妖しもよ　斎藤　史

**くこ**〔**枸杞**《くこ》〕　本州から九州の野原や川岸にはえるナス科の落葉低木。茎は細く枝分かれし、垂れ下がるのもある。夏、葉腋に淡紫色の鐘形に五裂する小花をつける。秋、だ円形の小さな実は紅く熟し、膚がなめらかで美しい。若葉は食べられ、実からクコ酒をつくる。

暴風雨《あらし》ふき庭の垣根は倒れけりたふれし垣に枸杞の実赤し　岡　麓

花瓶《かめ》に挿したる後《のち》もふとりゆく枸杞の赤《あけ》の実かなしむわれは　山口　茂吉

むらさきの小花は枸杞と目にとめし草生にまぎれ風にあらがふ　大神善次郎

冬枯れしわが庭中に夕日さし透きとほる赤き枸杞の実いくつ　吉村　睦人

**くさぎ**〔**臭木**《くさぎ》〕　山野にはえるクマツヅラ科の落葉低木。葉には臭気がある。高さ1.5〜3メートル。八、九月に、白色の香りのよい花が枝先に集まって咲く。花冠は筒部が細く、先端が五裂し、平たく開く。雄しべ四本、雌しべ一本が長く出る。球実は藍色に熟し、下方に紅紫色のがくが残る。

昨日今日臭木の花の散りたまる午後をさむしと家ごもりたる　清水　房雄

クサギの実夕日の中に艶もてり玉の涙の瑠璃色の粒　阿木良直子

**くさそてつ**〔**草蘇鉄**《くさそてつ》〕　本州中部以北の温・亜寒帯の林にはえるオシダ科のシダ。葉は集まって出、高さ1メートル以上になり、倒皮針形、羽状複葉。秋、褐色小形の胞子葉がつく。春に巻いた若葉を食用にする。こごみ。長野県などでは山菜（の優）として賞味する。

山行きて採りしこごみと送り来ぬ夕餉は楽し草の香のする　吉田　正俊

草蘇鉄脛に触れたり春なれば火宅の愉楽なほ深むべく　雨宮　雅子

野びるこごみぜんまい独活《うど》その他ひろいつつ一と日野の沢を渡りきにけり　田井　安曇

**くさぼけ**〔**草木瓜**《くさぼけ》〕　本州から九州の日当たりのよい丘や山地にはえるバラ科の落葉小低木。ボケに似るが丈が20〜50センチで低い。早春、葉の出る前に朱紅色の花を開く。実は夏に熟すが酸味が強い。しどみ。

雪のこる会津の沢に、赤き火の　根延《ハ》ふ野樝《シドミ》は、かたまり咲けり　釈　迢空

**くじゃくそう〔孔雀草《くじやくさう》〕**　北米原産のキク科の一年草。庭や花壇に植えられる。草たけ1メートル以上。30センチ位の矮《わい》性《せい》種もある。六、七月頃細長い花柄の先に3センチ位の頭花を開く。周りの舌状花は鮮黄色で基部に濃赤褐色の斑紋がある。ハルシャギク。蛇の目傘を開いた花のようで、蛇の目草ともいう。

孔雀草春の孔雀が驕《おご》り羽のはてよとさけば夏のさびしき　金子　薫園

朝雨のすぎにしあとの孔雀草しどろにしげき花の露かも　岡　麓

孔雀草の花穂ゆさゆさ揺らめかせ東京神田神保町行く　道浦母都子

**くず〔葛《くず》〕**　山野にはえるマメ科のつる性多年草。葉は大きく裏面は白っぽい。夏から秋に繁茂し、葉腋に花穂を出して紅紫色の蝶形花を多数密につける。のち粗毛のある豆ざやを結ぶ。根から葛粉を製したり、葛根湯《かつこんとう》の原料とする。秋の七草の一つ。

鏜鞳《たうたふ》と黒み寄せたぎる黒潮《くろしほ》のあら磯にしてさける葛花　佐佐木信綱

葛の花　踏みしだかれて、色あたらし。この山道を行きし人あり　釈　迢空

野にありて野を想ふのみ葛の蔓引けばたぐれば限りなし　秋　築地　正子

日本の葛アメリカに行き森林を損なふといふも愉快ならずや　宮地　伸一

海風《うみかぜ》にはびこる葛の葉のほてり花咲けば花のくれないの熱　石本　隆一

八月の終りのひかり君は言ふ葛の花まで歩いてまた言ふ　河野　裕子

ひとは逝きわれはおくるるたそがれの真葛原《まくずがはら》に通ふ風道　藤井　常世

**くすのき〔樟《くすのき》・楠木《くすのき》〕**　関東南部から九州にはえるクスノキ科の常緑高木。高さ20メートル以上の大木となる。卵状の葉は先がとがり、革質で光沢がある。五、六月頃、黄

緑色の小花をつけ、球形の実は秋に黒色に熟す。全体に香気があり、樟脳《しょうのう》の原料となる。防風林として植えられるが、よく燃えるので庭木にはむかない。樟《くす》。楠《くす》。

木も草も残すことなき戦《いくさ》の火楠一もとの生きしもあはれ　土屋　文明

樟のかげ行きて帰りて運命のすこし変りしごとき夕なりき　清水　房雄

樟《くすのき》が樹下の空気をいつくしみゐる涼しさぞ歩みてくれば　川島喜代詩

昼は昼の風集ひくる楠一本秋のひかりを散らしつつ佇《た》つ　尾崎左永子

楠の木の若葉の下を歩みゆく降りいでし朝の雨あたたかく　水野　昌雄

巨《おほ》き闇つつめる樟は悲しみをふりほどかむと天にふるふも　松坂　弘

一葉一葉は影をたもちて一本の楠はまぎれざる円蓋をなす　玉井　清弘

千年の楠の梢におうおうと呼ばれて遊びに来るいわし雲　田村　広志

したたかな女となりたし真冬さへ葉をもつ楠が風に狂ふよ　河野　裕子

やさしく低く朝けの風に呼ぶこゑとなりて歌はむ樟《くす》の木のうた　永井　陽子

雨過ぎて千の言葉のつややかに弾けて遊ぶ老い樹、楠　内藤　明

からみあう楠に日射しは割り込みてぼんやりとしたせつなさに似る　岸本　由紀

## くちなし〔梔子《くちなし》・山梔子《くちなし》〕

静岡以西の暖地に産し、庭などに植えられるアカネ科の常緑低木。葉は対生し、濃緑色のだ円形。六、七月に香気ある純白の花を開く。八重咲きもある。実は紅黄色で食品染料になる。実が熟しても口を開かないので、くちなしという説もある。築地正子の「烏夜《うや》」は、やみよ。

夏の日はなつかしきかなこころよく梔子の花も汗もちてちる　北原　白秋

くちなしの白い花なりこんなにも深い白さは見たことがない　山崎　方代

中庭にくちなしの実をひろひたり実のひとつ無きく

ちなし立ちゐて　森岡　貞香

梔子の匂ひ濃くなる烏夜なれば眼を開けてゐよわれが見え来む　築地　正子

はやく昔になれよと心かなしみし昔の香にて梔子は咲く　馬場あき子

梅雨の雨に咲きつぐ花のくちなしよ死にたるわれの上に置く花　北沢　郁子

くちなしの花の匂ひにつづる夢水無月尽の夜を徹《あか》して　成瀬　有

山梔子をテラスのくらき雨に置きわれはしりぞく家の内側　小池　光

やはらかに大気の動く気配して雨後の夕べにくちなし匂ふ　秋山佐和子

## くぬぎ〔櫟《くぬぎ》〕

山地にはえるブナ科の落葉高木。高さ10メートル以上。樹皮は暗褐色で縦じわがある。葉はクリに似た長だ円形で先が鋭くとがり、縁に針状の鋸歯がある。四、五月に黄褐色の花が穂状に開く。実はどんぐりの一種で丸く、翌年の秋に褐色に熟す。

ふる雨に音するばかりこの山の櫟若葉はひらきけるかも　島木　赤彦

山蚕《やまこ》生る櫟の原の色づくを夕べの雨の降りそそぎをり　高田　浪吉

夕日さす山の中腹《なかはら》櫟生《ふ》の若葉の色は明るかりけり　松村　英一

冬日さす櫟林の櫟の葉かくしづかなる所ありけり　吉田　正俊

争ひのこころわくとき部屋いでてくぬぎの下に落葉をぞ踏む　木俣　修

声をみだし羽音みだしてからすらの冬小半日くぬぎ林は　有野　正博

山なかに絶ゆるまあらぬ時は逝きいま逝く時は櫟の葉ふる　片山　貞美

## くねんぼ〔九年母《くねんぼ》〕

インドシナ原産の温《うん》州蜜柑に近い柑橘。暖地に栽培され、高さ4～5メートルに達し、枝にはとげがない。初夏、白い花を開き、果実は濃いだいだい色で皮が厚い。一、二月に熟し、香気があり甘ずっぱい。

弟と枝にのぼりて実をもぎしあの九年母の木はあるか今も　橋田　東声

## ぐみ〔茱萸《ぐみ》・胡頽子《ぐみ》〕

グミ科グミ属の総称。落葉または常緑。秋グミ、夏グミなどの種類がある。灰白色の小枝が多く、だ円形の実は多数下垂し、真赤に熟し、食用になる。北原白秋の「夏まけて」は夏をまちうけて。

なつかしみ庭に植ゑにし田植茱萸深紅なる実のこぼれなむとす　窪田　空穂

砂山の茱萸の藪原夏まけて花了りけり真砂《まさご》積む花　北原　白秋

山茱萸のうす黄に花の明るむををろがみ歩む春のほとけと　倉地与年子

海風を吹き上ぐる浜の枯山に残る秋《あき》茱萸をわれ食みにけり　佐藤佐太郎

ぐみの芽は動きそめたり銀色に庭のぐみの芽久にみゐれば　中野　菊夫

根づきたる夏《なつ》茱萸の木は夜半《よは》すぎし午前一時頃黒々と立つ　宮　柊二

島山のなだりに白く花のごと見え蔓《つる》茱萸の葉の翻る　由谷　一郎

胡《ぐ》頽《み》子の実の赤きをとりてふふみれば口にしくしく日のぬくみあり　醍醐志万子

赤銅《あかがね》の八十梟帥《やそのたける》らつどひけむ嶮《さか》しき村に茱萸熟れてをる　前　登志夫

母なればうたふ山脈《やまなみ》妻なれば摘むあきぐみの朱実ほろほろ　牛山ゆう子

水盤の茱萸の朱実の連なりは見おろすわれをややに黙らす　今井　恵子

## グラジオラス

アフリカ、地中海沿岸地方原産のアヤメ科の球根植物。明治時代に欧米で各種の原種より交配されたものが輸入された。高さ60～150センチで葉は剣状。六月ころより花茎がのび、花が一方に向いた穂状花穂をつける。秋植えの早咲きと春植えの夏咲きがあり、花色がきわめて多く変化に富む。

夕くらき室より出でてたたずめばグラヂオラスの清《せい》白《はく》の花　松村　英一

日にいくつ咲きのぼるらむグラジオラス花十いくつ咲きて傾く　大塚布見子

農地また原野にもどる日日あわれグラジオラスは雨に咲きたり　宮岡　昇

## くり〔栗《くり》〕

ブナ科のクリ属の果樹。落葉性の高木で高さ10メートル内外。六月、新枝の葉腋から花穂を出し、薄黄色の花を開く。匂いが強い。実は一個～三個集まっていがに包まれる。八月より十月に収穫する。森早稲《もりわせ》、銀寄《ぎんよせ》、岸根《がんね》、丹波などが代表的品種。山林の秋の主要な木の実。木村捨録の「行くよしもがな」は行くすべがあるといいのになあ。

姉がくれし栗の実食へばその家も家の前なる栗の木も見ゆ　窪田　空穂

大き鳶たわたわと来て過《よ》ぎるとき穂のあざやけき丹波栗の花　北原　白秋

梅雨《つゆ》そそぐ山のなだりの栗畑のどの木にも花の押し合ひて垂るる　土屋　文明

栗の毬《いが》踏みつつ行きしふる里の山道遠し行くよしもがな　木村　捨録

栗の花の匂へば雨になるといふ雨の日曜はさびしきものを　大西　民子

虚栗《みなしぐり》いが栗落ち栗ははの世の恋しき秋の山坂に来つ　馬場あき子

いづこなる時間が腐《いた》む栗の花ふさりふさりと空すべり落つ　米川千嘉子

——くるみ

## くるまゆり〔車《くるま》百合《ゆり》〕

本州中部以北の高山の頂上に至る林、草原に咲くユリ科の多年草。高さ30～70センチの茎の中央より下に葉が数段輪生状につくのでこの名がある。花は七、八月に茎頂に六枚の黄赤色の花びらがそり返って横向きに咲く。

槍ヶ岳そのいただきの雪にさくくれなゐの百合手触《た》れ難しも　窪田　空穂

## くるみ〔胡桃《くるみ》〕

クルミ科の落葉高木。日本に自生するのはオニグルミ一種で、山野の流れに沿って多くはえる。寒冷地に植栽されるのは中国原産で核の殻が薄く割れやすい。四、五月ころ前年の枝に緑色の雄花穂が長く尾状にたれ下がり、雌花穂はその年の若枝に直立する。実はほぼ球形で密毛があり、核はかたく、深いしわがある。青胡桃は夏のころのまだ熟さない青い実のこと。

母一人臥《こや》りいませり庭のうへに胡桃の青き花落つるころ　島木　赤彦

出で入りに踏みし胡桃を拾ひ拾ひ十五になりぬ今日

クレソン—

の夕がた　土屋　文明

怨念の澄むきわもなし生きの緒に胡桃を割れば散乱の殻　山田　あき

房ながら砂にあざやかにうごきつつ胡桃の花の影さへや青し　岡部　文夫

くるみの苗携へて来ぬ学園に林つくりりす呼ばむと言へば　中山　周三

道の辺の陸軍上等兵W氏の墓に胡桃の落つるこのごろ　斎藤　史

胡桃の木垂り花青く揺れながらわが行く道の上をさへぎる　扇畑　忠雄

山なかの心は親し肩に触れ落ちし胡桃が水際にゆく　岡部桂一郎

青胡桃握りてをれば生涯のたつた一つの獲物ならずや　大西　民子

蟬のこえ充てる胡桃の木の下にアンゴラと牧師と遊ぶ夕暮　田井　安曇

てのひらの胡桃の中は見えねども小さけれども濃き闇ならむ　佐佐木幸綱

女人きてあひるとあそぶ水ほとり聖樹《せいじゅ》のごとくくるみそよげり　高野　公彦

鬼ぐるみ月山の夜を太り来てことりと置けばよき顔をせり　川野　里子

## クレソン

水辺にはえるアブラナ科の植物。明治中期に渡来。水底の土に根をはり、流水に浮かんで生育する。特有のかおりとほろにがさ、辛味が好まれ、生食する。オランダガラシ。水辛子《みづがらし》。川辛子《かはがらし》。

山沢《やまさは》の草の霜がれはやければ和蘭《おらんだ》がらしの青き目に立つ　土屋　文明

朝々に霜にうたるる水芥子となりの兎と土屋とが食ふ　土屋　文明

春となる古き泉のみづのこゑ聴くにもあらず水がらし摘む　鹿児島寿蔵

しらじらとずみの花咲く岸低く水はクレソンをなびけやまずも　小市巳世司

川辛子伸びて微塵の白花に群れて無尽の紋白が飛ぶ　安永　蕗子

クレソンを濯ぎてゐればゆふぐれの水に聖霊の宿りあをしも　雨宮　雅子

クレソンをわれは食みしか細く長き人体の中のボレロきこゆる　水原　紫苑

## グレープフルーツ

西インド原産。ミカン科の高木になる柑橘。ブドウのように一枝に多数の実が群がってつく。雨の多い日本には適さない。

グレープフルーツに西日の香なにごとも勃らぬふしあはせを愛して　塚本　邦雄

## クロッカス

南欧から小アジア原産のアヤメ科の球根植物。花壇、鉢植、水栽培に植えられる。早春、松葉の形をした細長い葉を三、四枚出し、その間から上向きの花を咲かせる。六弁花は黄、白、紫、絞りなど花色が多く、大きい。日中咲く。日当たりのよい場所では一月頃より咲き出し、春近しの感を誘う。

むらさきの花弁つぼめてクロッカスささやかにて春風にゆるる　北見志保子

クロッカス夕べ花閉ぢ三月の庭にあざやか黄の蠟のごと　宮　柊二

いまひらくとほのゆれやさしクロッカス黄の花群れのいまかひらくと　加藤　克巳

きみが歌うクロッカスの歌も新しき家具の一つに数えむとする　寺山　修司

ひと夜の雨晴るるわが庭クロッカスの地にこぞりたつ花あたたかし　板宮　清治

山も海も見えぬこの町を寂しみて林檎箱に子とクロッカスを植う　小野田　勉

## クローバー

欧州原産のマメ科の多年草。長い茎は地をはって葉をつける。葉は長柄の上に倒卵形の小葉が三つある。春から夏、葉よりも長い花茎を出し、上端に白色蝶形の多数の花を球状に密につける。飼料にする。苜蓿《つめくさ》。白苜蓿《しろつめくさ》。四つ葉のものは幸福のしるしとされる。

空晴れて鐘の音美《くは》し苜蓿《つめくさ》の受胎の真昼近づきにけり　北原　白秋

白つめ草蕋をかこみて細かなるいとつつましき花にかがみぬ　長沢　美津

青芝にまじるつめ草の白き花すがしく見ゆるゆきて踏まねど　佐藤佐太郎

父の日を妻は庭先のクローバに四つ葉を探しコップ

にさしぬ　稲田　定雄

子の摘みしクロバーの花を嗅ぎしより幾度も我は嗅ぎつ行きぬ　高安　国世

裾ひろくクローバの上に坐り居る汝を白じらと残して昏《く》るる　近藤　芳美

クローバーの丘に少女は連れゆきて犬にも首輪を編みやりしとぞ　大西　民子

ほしいまま白つめ草が公園のすべてをおほひ遊ぶ子のなし　伊藤　一彦

## くろもじ〔黒文字《くろもじ》〕

本州から九州の山地にはえるクスノキ科の落葉低木。枝は暗緑色、黒い斑点があり、折るとよい香りがする。葉はだ円形で両端がとがり、裏は白味を帯び、うすい。三、四月淡黄緑花を開く。九、十月に球形の実が黒く熟す。庭木にもする。爪ようじの材料となる。

谷あひの黒文字の木に繋《つな》がれて炭負《すみお》ふ馬のいななきにけり　前川佐美雄

芽ぶかむとして黒文字が貯ふる濃厚の香のふと恐ろしき　石川不二子

## くろゆり〔黒百合《くろゆり》〕

本州中部以北の高山の草原にはえるユリ科の多年草。高さ10～40センチの茎に皮針形の葉を数段輪生する。六月から八月、花は釣鐘形で、黒紫褐色の六枚の花びらを横向きにして開く。悪臭がある。

痩尾根は岩欠けやすしと戒めて黒百合の花いくつか踏みぬ　植松　寿樹

## くわ〔桑《くは》〕

クワ科のクワ属の落葉樹。山野に自生するヤマグワは高木となるが、養蚕用の栽培グワは毎年枝を刈り取るため低い。葉は卵形、心臓形で鋸歯がある。四月中旬、若葉と共に淡黄緑色の小花を穂状花序につける。夏に実を結ぶが、はじめ緑色、次に赤色、更に黒紫色に完熟する。冬の裸木、新芽をふき出す木も目立つ。宮英子の「あしびきの」は山にかける枕詞。岡野弘彦の「みそかごと」は秘密なこと。

母と我とものも語らず桑つめば桑摘む音のさやけかるかも　依田　秋圃

うららかに雲雀《ひばり》あがれば幼児に桑の実くはせしばし居りけり　土屋　文明

桑畑の桑が八月の陽に燿《て》れり烈しきもののこの寂けさや　真鍋美恵子

生《なま》あたたかき桑の実はむと桑畑に幼き頃はよく遊びけり　佐藤佐太郎

裏庭にひともとありて界隈の人らは知らぬ桑実《くわと》いろづく　山本　友一

あしびきのやまぐはの花に時雨きて忘らふべしやその白きはな　宮　英子

わが子らと黒き桑の実を摘みあへり子らも信濃は恋しとぞ思ふ　宮地　伸一

思ひいでてひそかにたのし桑の実の熟るる葉むらのかのみそかごと　岡野　弘彦

白き蚕の軀《こく》の伸び縮みいずこにか桑の若葉のかがやき続く　石本　隆一

## くわい〔慈姑《くわゐ》〕

中国原産のオモダカ科の野菜。各地の水田に栽培される。球茎の先端から葉と、地下を這う枝をのばし、枝の先に塊茎をつける。冬季、葉や茎が黄色くなり、まったく枯れてから掘り上げる。塊茎は扁球形で頂にくちばし状の芽がある。正月のおせち材料にする。

手洗鉢でありたるものに正月の慈姑を植ゑて慈姑の育つ　醍醐志万子

青々と伸びゆく稲に星のごと慈姑の白き花の混れる　亀山仙心庵

くわいほこほこ涙のにじむ思い出の父がいまさばおん年一〇五　阿木良直子

## くんしらん〔君子蘭《くんしらん》〕

現在、鉢植にして観賞するのは南アフリカのナタール地方原産のウケザキクンシラン（別名ハナラン）。三月から五月ころ花茎をのばし、黄だいだい色、赤だいだい色の漏斗状の花を10～20輪散状に開く。

君子蘭げに思はぬに太々と花茎立ちて咲き出でむとす　窪田　空穂

永遠はこの瞬間《ときのま》に凝り澄むか君子蘭の花灯をともしたり　岡山　巌

橙黄色の花筒仄明かる君子蘭昏れながき微光を背後に持てり　葛原　妙子

## けいとう〔鶏頭《けいとう》〕

熱帯アジア原産のヒユ科の一年草。1メートルほどの茎は直立し、皮針形の葉を互生。八月から十一月ころまで茎頂がニワトリのとさか状の花序になり、赤、紅、黄、白などの色彩の変化に富む小花をつける。高さが20～30センチの矮性種、花序が房状になる変種もある。

鶏頭は冷たき秋の日にはえていよ〳〵赤く冴えにけるかも　長塚　節

ひいやりと剃刀《かみそり》ひとつ落ちてあり鶏頭の花黄なる庭先　北原　白秋

くれなゐの色深みつつ鶏頭の花はかすかに実を孕みたり　若山　牧水

鶏頭はあまりに赤しよわが狂ふきざしにもあるかあまりに赤しよ　岡本かの子

十月われをめぐり鶏頭の垣燃えて血縁の棲む界へだたれり　斎藤　史

雨あがり鶏頭群の朱《あけ》の燃え弱き神経たたきたたきゆく　加藤　克巳

つかの間の夕映なるも欠落の記憶をつなぐ鶏頭の花　山名　康郎

闇を裂き地を刺す雷の渡り継ぎ今宵地を噴く庭の鶏頭　富小路禎子

鶏頭は紅しといへど襞なせる影濃く秋のこころのやうな　蒔田さくら子

奸計にふるるなかれよこの夕べ鶏頭の朱澄みて立ちけり　辺見じゅん

かすかなる土の震えにひびきあい鶏頭は黒き実をこぼしたり　玉井　清弘

## けし〔罌粟《けし》・芥子《けし》〕

欧州、西アジア原産のケシ科の二年草。未熟の実からアヘンを製するため、日本では和歌山でわずかに栽培している。高さ1.4メートルの茎頂に五月ころ白、紅、紫色などの四弁の一日花を開く。

罌粟咲きぬさびしき白と火の色とならべてわれを悲しくぞする　与謝野晶子

たましいは峨々たれ風の夜のしじま乾きて芥子の緋に咲きさかる　近藤　芳美

父の死につづき罌粟は花ひらきいまひしひしと毒のけしつぶ　塚本　邦雄

四枚の花びらのうち二枚散りし芥子の花かくて死すべき命　北沢　郁子

未熟な実毒かくすとふ芥子畑その怪《け》し畑に散る花ゆかし　富小路禎子

黄なる罌粟夢みてゐたり夏至の夜のいづくに咲ける花と思はん　　尾崎左永子

のびあがりあかき罌粟咲く、身をせめて切なきことをわれは歌はぬ　　石川不二子

揺れて鳴るグラスの氷いまだ見ぬヒマラヤの罌粟《けし》さやけく思へ　　藤井　常世

## げっかびじん〔月下美人《げっかびじん》〕

中南米原産のサボテン科の温室観賞植物。枝は緑色扁平でとげがなく、縁が波状し、高さ80センチ位。夏の夜に20センチほどの芳香のある白花を開いて豪華、翌朝までにしぼむ。花弁、雄しべの数が多い。谷邦夫の「二更」は午後九時から十一時、「五更」は午前三時から五時。

今年最後の月下美人の二花か寄する思ひのなきにしもあらず　　吉田　正俊

月下美人の白珠《しらたま》の花のはかなさよ二更に咲き初《そ》め五更にしぼむ　　谷　邦夫

大鉢の月下の美人馴れぬ手に人の愛児《かなしご》あづかるごとし　　窪田章一郎

月下美人一つ咲きしより月余り経たる清夜を再びの花　　礒　幾造

咲き終へし月下美人は戦ひに敗れ果てたるもののふめきぬ　　大西　民子

花開く月下美人に喝采のこころを呑みてみつむる家族　　相沢　一好

ふくよかに今宵わが家に時はあり月下美人のやがて咲くゆゑ　　浜田　康敬

## けやき〔欅《けやき》〕

本州から九州の山地にはえるニレ科の落葉高木。並木、庭木、防風林として植えられ、武蔵野の屋敷林は景観を呈した。高さ30メートルに達し、芽吹きの頃、冬の裸木もよいが、日陰木として憩いの場所を作る。材は堅く木目美しい、建築、船舶、器、器具用に使う。

寥りょうと武蔵野を圧して立つ欅これの風姿よああわれ愛す　　山田　あき

元日のしづけき時刻百舌群るる欅冬木に日のあたりゐつ　　宮　柊二

一本の欅《けやき》の大木がおのづからみどりの重さとなりゆく夕べ　　真鍋美恵子

秋もなか空に漂う欅落葉は言葉のごとく人にとびつ

く　岡部桂一郎

鳥さわぐ日の昏れ方の欅林版画のごとし黒き陰影　扇畑　利枝

路広く欅の並木枯れ尽す多摩丘陵の一隅にして　細川　謙三

鬱然と立つ大欅むさし野の夜空を掬ふごとく枝張る　宮岡　昇

芽吹きそめて光れる枝の空を指す欅の老樹街道に立つ　来嶋　靖生

落葉せし欅の幹をつたひゆきわれのまなこは空に浮かびぬ　石田　耕三

歩むなきいのちの一つ幹ふかく漏刻《ろうこく》もちてけやき芽ぶきぬ　高野　公彦

斧をもて打てばくづるる歳月の形象として父なる欅　武下奈々子

あさみどり冠る木末となりにけりけやきはけやきとして生まれけり　阿木津　英

## げんのしょうこ

フウロソウ科の多年草。丈は約60センチで全体に軟毛がある。葉は柄があって対生し、深く三～五裂する。夏から秋に白色、紅紫色の梅に似た五弁花をつける。茎葉の乾燥したものをせんじて下痢止めに飲むとよくきくので「現の証拠」の名がある。

門の辺にげんのしょうこの咲きてゐし彼の山の家如何なりしや　遠山　光栄

げんのしょうこほのかなる香の甘ければ今日も煎じて枕べに置く　小市巳世司

旅に会うゲンノショウコの花のいろつつましくしてあたたかき紅《こう》　道浦母都子

## けんぽなし〔玄圃梨《けんぽなし》〕

日本全土にはえるクロウメモドキ科の落葉高木。大きいものは直径1メートル、高さ20メートルになる。六、七月に小枝の先や葉の付け根に淡緑色の五弁の小花を開く。九、十月ころ球形無毛の果実をつけ、十一月頃茶褐色に熟し、甘い。

灯《ひ》の下にけんぽなし食ふ埴鈴《はにすず》のごとく鳴る実をあはれみながら　土屋　文明

秋ふけしこの山なかに枳椇《けんぽなし》ひろひてあれば昔こほしく　山口　茂吉

けんぽなし曇りに立てる夏蔭を仰ぎて立てり吾と吾

が妻　小暮　政次

けんぽ梨洄び過去世のアトリエゆ吾をさし招くコフイン画伯　星河安友子

## こうじ〔柑子《かうじ》〕

日本原産といわれ、古くから栽培されている柑橘。耐寒性が強く、木の高さ3メートル位。枝にはとげがなく、葉はやや小形、花は白い。蜜柑より小形の果実の肌はなめらかで、皮が薄くむきやすい。十一月中旬ごろから黄に色づく。甘いが酸味が強い。

柑子《かうじ》の実熟《う》れて音なく落つるなりいくさに死にし人思《も》ふゆふべ　吉井　勇

教室にときたま生徒等《こら》の声澄みて弱昼《わかひる》さぶし柑子花の香　穂積　忠

## こうしょくき〔紅蜀葵《こうしょくき》〕

北米原産のアオイ科の多年草。花壇、庭に植えられる。高さ2メートル位で全草粉白を帯びる。葉は長い柄があり、掌状に深く五～七裂する。夏、葉液から柄を出して緋紅色の大きな五弁花を開く。花弁は倒卵形で先がとがり、基部が狭くてすきまがある。もみぢあふひ。

—こうばい

くれなゐを極むる色のあやしくも静けく見ゆる紅蜀葵の花　窪田　空穂

わが庭に今咲く芙蓉紅蜀葵眼《まなこ》にとめて世を去らむとす　吉野　秀雄

雑草のしげみを抽きて晩夏《おそなつ》の光の中に紅蜀葵咲く　木俣　修

遠き目に紅蜀葵咲くとわが見しが今朝すでになし紅のまぼろし　扇畑　忠雄

紅蜀葵《こうしよくき》、みづからがまづ標的となる戦争をはじめてみろ！　塚本　邦雄

## こうぞ〔楮《かうぞ》〕

クワ科の落葉低木。葉は卵形でとがり、若枝は三～五裂する。五、六月ごろ淡黄緑色の花を開き、青色球状の果実をつけ、赤く熟す。樹皮から和紙を作るために栽培される。

人亡くて日数は経たり路の辺の楮《かうぞ》の枝に朱に熟るる実　林　安一

## こうばい〔紅梅《こうばい》〕

紅色の花が咲き、白梅などより花期が少しおくれ、また長い期間咲く。

紅梅の散り敷く土のくれないやひとのおわりは荘厳

ならず　山田　あき

紅梅の枝のあまねくしんとして天より享けむくれなゐを待つ　春日真木子

友あれば二日遊びて過ぐるとき雪降る中の枝垂紅梅　小暮　政次

紅梅の咲く日を待つとひと鉢を日の射す二階に妻のもちゆく　中野　菊夫

はるかなる過去の氷河期　はるかなる次の氷河期紅梅ひらく　高野　公彦

## こうぼうむぎ〔弘法麦《こうぼふむぎ》〕

海岸の砂地にはえるカヤツリグサ科の多年草。高さ10～20センチで、葉は堅い革質で線形。春、茎頂に多数の花穂を密生し、淡黄緑色の頭状花序をつくる。昔、筆の代用にしたので弘法麦の名がある。フデクサ。

川原は弘法麦の漠漠とはだらなす青とびいろの花　千代　国一

ふるさとに墓なきゆゑの清しさよ弘法麦のうごく夕ぐれ　辺見じゅん

## こうほね〔河骨《かうほね》〕

沼にはえるスイレン科の多年生水草。根茎は白くて太い。水に浮く葉は厚くつややかで里芋に似る。夏、花茎をのばし、黄色い鈴のような花を水面上に開く。

河骨の花咲く池に鸊鷉《かいつぶり》しづかに浮きて暑き日の午後　結城哀草果

ふるき大和のみなかみ池やうつくしく河骨ともす黄《き》花《ばな》三輪　坪野　哲久

河骨の固きつぼみの水を抽《ぬ》く青まろまろし家の瓶にて　千代　国一

河骨の黄なる水面くぐりくる神ある時間神なき時間　雨宮　雅子

河骨の黄の花一つ見出でては満つる心に池めぐりゆく　原田　清

河骨の花は黄に光《て》り午後の刻水のほとりに移る寂けさ　荻山　数

## ごくらくちょうか〔極楽鳥花《ごくらくてうくわ》〕

南アフリア喜望峰原産のバショウ科の宿根植物。革質の長だ円形で柄の長い葉は根生する。冬季、50センチ位の高さにのびた花茎上に色彩豊かな特徴のある花を順次開く。緑色で縁が赤く基部が紫色をした船形の包から黄だいだい色の花弁が開く姿を極楽鳥にみたてて、その名がある。温室内で栽培し、切花、鉢植にされる。ストレリチア。

芽の尖に触れれば温し間なく咲く極楽鳥花その花宇宙　　田村　広志

名にし負ふ極楽鳥花妻は愛《め》づあはれとばざる種をのこすもの　　坂井　修一

**こけ〔苔《こけ》〕**　蘚台《センタイ》植物。スギゴケ、ヒカリゴケ、ミズゴケなどのセン類、ゼニゴケ、ジャゴケのタイ類、ツノゴケ類に大きく分類される。胞子でふえる苔は梅雨のころ花のように見える小さな傘状のものをのばす。京都の西芳寺の苔の庭は有名で苔寺といわれる。吉野秀雄の「来《こ》しくも」は来ていることだ。

庭土に短く伸ぶる苔草のこまかき花の実を結ぶころ　　今井　邦子

苔寺《こけでら》に来《こ》しくも著《しる》く白壁《しらかべ》の築地《ついぢ》に沿ひて苔生《こけふ》をし踏む　　吉野　秀雄

苔庭のしなやかな起伏の息づきの照りかげりつつたそがれは来る　　加藤　克巳

—コスモス

庭石に苔つきて苔の花咲けりこの家に住みし年月思ふ　　扇畑　利枝

苔の香が今日はひときはさびしくて雨をみてゐる青いかまきり　　馬場あき子

高原の苔黄みどりに育ちつつ夢二の歌碑を裾より侵す　　石本　隆一

**こけもも〔苔桃《こけもも》〕**　北海道から九州の高山帯にはえるツツジ科の常緑低木。高さ10〜20センチ。茎の基部は横にはい、葉は倒卵形で表面はつやがあり、縁は少し下面に巻く。夏に白、淡紅色の鐘形花を開き、のち赤い球形の果実を結ぶ。生食、塩漬け、果実酒にする。

冷蔵庫内に霜ふり錘形《すいけい》の死の睡りもて熟るる苔桃　　塚本　邦雄

**コスモス**　メキシコ原産のキク科の一年草。高さ1〜2メートルの茎は直立し、葉は羽状にさけ、裂片は線形で繊細。秋、黄色の筒状花のまわりに白、ピンク、紅色など八枚の舌状花を開く。栽培しやすいため、最近は街道沿いにも植えられる。秋《あき》こちょうらん—

桜《ざくら》。

咲きのこる田居の垣根の秋ざくら和む思ひに小橋を渡る　富永　貢

コスモスは瓦礫の間《ひま》に花そよぎ炊ぐひとゐてバラックのうら　木俣　修

かえらざる言問《こと と》いに似てコスモスの花ゆれやまず人のさびしさ　岡部桂一郎

花あふれくれなゐあふれ見の限りコスモスの丘夕ぐれむとす　岡山たづ子

コスモスの揺れ合ふあひに母の恋見しより少年は粗暴となりき　中城ふみ子

絶叫などしないではないかコスモスのゆらゆらしんと遠き山なみ　高松　秀明

コスモスの花群《はなむら》に風わたるとき花らのそよぎ声のごときもの　長沢　一作

ふるさとは枯野の果てなり廃線の駅舎に咲けるコスモスの花　原田　昇

身にふれし花コスモスのゆるるひそか心をひらく心をゆるす　関根　栄子

こころよき澄明ならむコスモスはいとけなき子のてのひらに似て　道浦母都子

コスモスにみつばちは寄り離れたり遠くとおくて平らな脳波　加藤　治郎

## こちょうらん〔胡蝶蘭《こてふらん》〕

東南アジアに分布するラン科の一属ファレノプシス。温室で栽培され、鉢植、切花にする。厚い革質の葉が左右に数枚つき、長い花茎の先に蝶形花をつぎつぎに開く。白色花が多いが桃、桃紫色などもあり、花期が長い。ファレノプシスはギリシア語で蛾のような。日本では胡蝶という美しい名前で呼んでいる。

目覚めたる眼に床《とこ》の間の胡蝶蘭かならず去来する人ひとりあり　頴田島一二郎

寒き日も胡蝶蘭の花膨らみてながき命を保ちてゐたり　生方たつゑ

胡蝶蘭うすくれなゐに純白に色ふかく咲くさかりのいのち　窪田章一郎

枕辺に胡蝶蘭のはなときながしつくづくと見てよろこぶわれは　宮　柊二

胡蝶蘭白くかがやきよみがえるやさしさはあれ二人

長く生く　近藤　芳美

葬花《はふりばな》なりし真白き胡蝶蘭夜闇やはらげ月余保ちぬ　富小路禎子

夕ぐれは逢魔の時と誰《た》がいひし胡蝶蘭の白き花冷ゆるなり　尾崎左永子

胡蝶蘭の香のこもりたる部屋ぬちに病むとは人ととほざかること　雨宮　雅子

**こでまり**〔小手毬《こでまり》〕　中国原産のバラ科の落葉低木。約1メートルの先端が傾いて垂れる細枝に、四、五月ごろ葉とともに、白色五弁の小花が、まりのようにかたまって並ぶ。

夕庭にこでまりの花咲きそめてそよゆれつつも暗みゆくなり　岡　麓

小手鞠の小さき花に見られゐる信うすきわれの短き祈り　北沢　郁子

こでまりの白き花びら散る庭の昏れなずみつつ遠き街の音　相良　義重

**こなし**〔小梨《こなし》〕　バラ科の落葉低木〜小高木。葉は長だ円形で先がとがり、縁に鋸歯がある。四、五月に白色の五弁花を開く。つぼみは淡紅色。果実は球形で九月から十一月に紅から黄色に熟す。山野にはえるが庭木、盆栽にもする。ズミ、ヒメカイドウ、コリンゴとも。

君折りし小梨の花の白じろとみどりは浅き五月の山々　武川　忠一

その潔《きよ》き小梨の花の咲く五月なにをかくてはたゆたいている　武川　忠一

みちのくはりら桐の花桷《ずみ》けぶり桜残りて雨ニモマケズ　今野　寿美

**このてがしわ**〔児手柏《このてがしは》〕　中国原産のヒノキ科の常緑高木。葉のある枝は手のひらのように垂直に広がり、表裏の区別がつかない。葉はヒノキに似る。三、四月開花。実は卵円形で先がとがる。庭に植えられる。

似たやうな異葉《ことば》千枚うちはやし児手柏が雷《らい》をよろこぶ　河野　裕子

**このみ**〔木《こ》の実《み》〕　果樹をのぞいた木になる実《み》で秋に熟す果実。どんぐりなど秋に熟して自然に地上に落ちる木の実。

秋くればわれは富人《とみびと》食《は》めど尽きぬめでたき果実《このみ》置き

ならべたり　　　　　　　　窪田　空穂

なげきより覚《さ》めて歩める山峡《やまかひ》に黒き木《こ》の実《み》はこぼれ腐《くさ》りぬ　　　　　　　　斎藤　茂吉

くれなゐの秋の木の実のうづ高き卓に向きゐて身は渇くなり　　　　岡野　弘彦

森の時間棄てたる者の畜として家族は木の実灯の下に食む　　　　三枝　昂之

## こばんそう〔小判草《こばんさう》〕

地中海沿岸地方原産で日本各地にみられるイネ科の一年草。高さ30～60センチ。五、六月に先の垂れた円錐花序を出し、黄金色で光沢のある卵形の小穂をまばらにつける。荒地や砂地にはえるが観賞用に栽培されている。

亡きを偲ぶ木草年々に殖えゆきて今日は佇む小判草のまへ　　　　吉田　正俊

金婚は来らず金塊も持たずこばん草などの種を蒔く　　　　斎藤　史

小判草庭に植ゑたり裕福の思ひに坐り部屋より出でず　　　　島崎　栄一

## こぶし〔辛夷《こぶし》〕

モクレン科の落葉高木。三、四月に新葉より早く白色の大きな花を小枝の先に一つつける。花弁六枚、雄しべ、雌しべともに多数。香気がある。九、十月に実は熟して裂け、赤色の種子が白糸で垂れさがる。山地にはえ庭に植えられるシデコブシは花被片が12～18枚で幅が狭い。山野で春の到来を告げる樹花。古名やまあららぎ。

くぐもりのみづみづしきを刺して立つ辛夷さながらにいまだも冬樹《ふゆき》　　　　岡部　文夫

陽に炎えて山こぶし咲く　人界をのがれしものが振る春の旗　　　　斎藤　史

辛夷咲く三日がほどのものおもひこころざし心のいづこを刺す　　　　塚本　邦雄

咲きけぶる白き辛夷の花のもと遊べる者はかげ清くゐる　　　　岡野　弘彦

はなびらの伸ぶる力はふる殻をおし破りたり真白き辛夷　　　　玉城　徹

咲きさかるそのきはまりに翔けらむかやまあららぎの千の白花　　　　三国　玲子

香れ残る谿に辛夷の花しろく風に遊びてゐる神の畜

山名 康郎

やうやくに辛夷のつぼみ光るころ岐路越えて湧くわが悲しみは　長沢 一作

あらあらしき春の疾風《はやち》や夜白く辛夷のつぼみふくらむべしや　尾崎左永子

梢《うれ》たかく辛夷《こぶし》の花芽ひかり放ちまだ見ぬ乳房われは恋ふるも　小野興二郎

遠山の谿に辛夷のしろきときほほほほほほと土偶の唄ふ　牛山ゆう子

大いなる足は来りて木下なるこぶしの朱実潰す一二歩　阿木津 英

## ごぼう〔牛蒡《ごぼう》〕

キク科の野菜。中国原産で古くから栽培されている。根はまっすぐに伸び、長さ1.5メートルになる品種もある。繊維のある肉質の根は、あくがあり、香りがよい。きんぴら、煮しめ、サラダにする。細長形赤茎には滝の川系、白茎には越前系、短太には大浦系などある。

冬牛蒡せいせいと削ぐ時の間も詩語ほろび詩となる言葉あり　今野 寿美

聖護院蕪　賀茂茄子　九条葱　堀川牛蒡　時とける土　岡部 尚子

## ごま〔胡麻《ごま》〕

インド、アフリカ原産のゴマ科の一年草。畑地で栽培される油料作物。茎は1メートル内外。七月頃に白、淡紅色の筒状花を開き、実は短い筒形で四本の溝があり、白・黒・黄・茶色で多量の油を含む種子をつける。高級食用油、ごまあえ、炒りごまなどになる。

山のべにうすくれなゐの胡麻の花過ぎゆきしかば沁むる日のいろ　斎藤 茂吉

立てかけて壁に干したる胡麻の実のおのれはじけて散る頃ならむ　橋田 東声

ひとり老ゆる叔母を思へばひそやかに胡麻の花咲く家のあたり見ゆ　山本 友一

わたくしに得しよろこびと胡麻の実の黒く熟《う》れしを妻は見せに来《く》　宮 柊二

胡麻の粒こぼれてありし卓上の光れる面《おもて》われに静けし　岡部桂一郎

## こまくさ〔駒草《こまくさ》〕

本州中部以北の高山帯の岩礫地にはえるケシ科の多年草。パセリに似る白っぽい葉間から夏、高さ10センチ位の先のたれた花茎を出し、上端に淡紅紫色を帯びた三角形の花を数個つける。二枚の外側の花弁がそり返る。かつて長野県御嶽山では御《お》駒草と呼び、妙薬「お百草」に用いた。

駒草の花がまぼろしに見ゆるなど用なきことは人にし言はず　吉田　正俊

駒草のむらがる花のさかりなり白馬の山雪踏みこゆれば　窪田章一郎

## こまつな〔小松菜《こまつな》〕

アブラナ科の一、二年生の野菜。耐寒性がつよく二月に収穫できる品種もある。明治初年より栽培され、浸し物、カラシあえ、汁の実などにして食べる。石川不二子の「灌仏の日」は釈迦の誕生日（旧暦四月八日。今は陽暦）

まちびと　が　きばこ　に　まきし　こまつなの
このごろ　のびて　はる　はて　に　けり　会津　八一

小松菜も罌粟も芽ぶかむ灌仏の日のゆたかなる雨の音する　石川不二子

虹いろの朝靄さむくひろがりてわが行く畑にそよぐ小松菜　中埜由季子

## ゴムのき〔ゴムの木《き》〕

熱帯アジア原産、クワ科の常緑高木のインドゴムノ木をいう。葉は長だ円形、厚い革質で光沢があり、さし木または取り木した幼木を鉢植えにして観賞する。越冬させるには室内か温室などが必要である。

ゴムの木も凍りしまでの夜半《よは》のことといたいたしかりし死《しに》の夜《よ》のこと　柴生田　稔

逢ひし日をゴムの葉裏に記しをり幼きことは好色に似て　春日井　建

## こんにゃく〔蒟蒻《こんにやく》〕

インド、セイロン原産といわれるサトイモ科の多年草。秋に地上部は枯れるが球茎は越冬、翌春発芽。茎は高さ0.6〜1メートルにのびて褐色の斑紋があり、先端に複葉をつける。球茎は五年目まで肥大し、六年目に花茎を出し、大きな肉穂花序をつける。十一、十二月ごろ蒟蒻玉と呼ぶ球茎を掘り、洗って皮をむき、日に干してから粉末にする。食用こんにゃくは粉末を水に溶かして石灰液を加えて凝固させる。最近、葉柄を観賞する鉢植がある。

家々に掛けつらねたる蒟蒻だまの匂ひさびしく午《ひる》すぎにけり　古泉　千樫

たゆたひて植ゑおくれたるこんにやくも今朝《けさ》の朝日に開ききりたり　土屋　文明

油紙めきし蒟蒻の花唇《はなびら》ひかりつつ夏至の日のながき夕明りあり　生方たつゑ

倖せを疑はざりし妻の日よ蒟蒻ふるふを湯のなかに煮て　中城ふみ子

## さいかち〔皀莢《さいかち》〕

本州から九州の山野、川原などにはえるマメ科の落葉高木。茎にはとげがあり、葉は羽状複葉で長だ円形の小葉が多数つく。五、六月に総状に四弁の淡黄色の小花を開く。実は平たく、長さ30センチで褐色に熟す。庭木にする。

筧《かけひ》もる水の音のみひびくなり松の根方にさいかちは生ひ　尾山篤二郎

耳もとにさいかちの実を振りて聴く万延生まれ亡き祖母の声　菊地　良江

わが心寄すると知らで今年また皀莢《さいかち》の実の空に鳴りゐむ　北沢　郁子

川のべに枝をひろぐる皀莢《さいかち》の老木の枝は芽ぶかむとする　玉城　徹

住む家をいくつも変へて来し耳の底に河原の皀莢《さいかち》は鳴る　角宮　悦子

皀莢《さいかち》の流れへ傾《かし》ぐ古幹の上へ向く枝下へむかう枝　沖　ななも

## さぎそう〔鷺草《さぎさう》〕

湿原にはえるラン科の多年草。茎の高さ20〜40センチで線形の葉をつける。夏に茎頂に花を開く。花の形が白鷺の飛ぶ姿に似るのでこの名がある。鉢植でまた庭に植えて観賞する。

おぼおぼしき曇りに植ゑし鷺草の幾芽《いくめ》かすでに青々と伸ぶ　吉田　正俊

うるはしといへど華やぐこともなく鷺草の群かすかにゆらぐ　山下喜美子

下り立てば月の光に鷺草の花咲きゐたり梅雨明けし夜　黒沢　武子

志くずれゆくごと見られつつひと庭しろき鷺草も散る　馬場あき子

湿り田に生ひ立ちて咲く鷺草の飛翔のかたち幾日保

たん　武田　弘之

## さくら〔桜《さくら》〕

バラ科のサクラ属の樹木。自生もあるが花を観賞するために多くの種類が栽培されている。花の盛りは古来より詠まれているが葉桜、紅葉も美しい。

さくらの苗木買へといふ子よきさらぎの今日あたたかきひびきをもちて　中野　菊夫

葉ざくらとなりて清しく揺るるもと我が世ゆるゆる過ぎてゆくらし　佐佐木由幾

蕾やや含《ふふ》みそめつつ日のさせば幹くれなゐにけぶらふさくら　高嶋　健一

春まけど病める桜木ああ病める時代とう比喩の空虚を嘆く　佐佐木幸綱

紅葉せる桜の大樹影ふかくくれなゐの葉はその影に落つ　影山　一男

吹かれつつ坂あがり来るひとひらの桜紅葉と擦れちがいたり　落合けい子

## さくらそう〔桜草《さくらさう》〕

北海道南部、本州、九州の川岸や高原地方の草地にはえ、江戸時代から観賞用に栽培され、花色花型の変化に富むサクラソウ科の多年草。四、五月ころ花茎の上端に淡紅色、まれに白色の花を数個から十数個散状につける。花冠は五裂して先がくぼみ、基部に花筒がある。

鉢植の変種あまたのさくらさう見めでし父よ六十年前　岡　麓

春日照る岡べの草にまじり咲くさくら草の花をともしみにけり　松村　英一

花ちぢに咲けるさくら草の一鉢を雪ふる朝目にしささげつ　醍醐志万子

桜草窓辺に置けば乱れ降る雪のひかりとともに明るし　長田　雅道

## さくらのはな〔桜《さくら》の花《はな》〕

桜の種類は多く、とくに江戸時代より、里桜と称する（家桜ともいう）観賞用桜木が盛んに育成され今日に至っている。花の色香、容姿の優雅さはこの上ないが、八重桜以外は花の盛りがきわめて短い。花は一重咲き、八重咲き、菊咲き、二段咲きがあり、花色は白色からやや濃い桃色までが多い。緑化して黄緑色となった鬱金《うこん》、御衣黄《ぎょいこう》も知られている。

桜ちる音と胸うつ血の脈と似けれそぞろに涙のわく日　山川登美子

いやはてに鬱金《うこん》ざくらのかなしみのちりそめぬれば五月《さつき》はきたる　北原　白秋

桜ばないのち一ぱい咲くからに生命《いのち》をかけてわが眺めたり　岡本かの子

血のそこまでたわたわ重き八重桜まぎれようなきその花の鬱　斎藤　史

風ありていささか散りぬ八重ざくら花のさかりの今し過ぐるか　窪田章一郎

山深き世の寂寥を糧として染井吉野は惜しみなく咲く　安永　蕗子

八重のさくら咲きくづれゐるゆふやみの鬟いろあふれ人ゆきはてし　河野　愛子

雨のすぢ空より長くそそげるに桜あかるく咲きて乱れず　玉城　徹

孤りなる想ひに桜見上ぐれば枝さし交し花は歌へり　岩田　正

さくらばな陽に泡だつを目守《まも》りゐるこの冥き遊星に人と生れて　山中智恵子

## —さくらのはな

生きるとはすなはち愁ひ夕光の鬱金桜をわれは見て佇つ　尾崎左永子

さくら花幾春かけて老いゆかん身に水流の音ひびくなり　馬場あき子

駆りたてられて幾十万の神となりいま桜咲くこの一区域　水野　昌雄

ゆきかよふ人等の上にすきとほる春の吉事《よごと》の淡墨桜　稲葉　峯子

桜ひと木ほむらだつまでふぶく見ゆ全《まつた》き荒《すさ》びの為すしづか見ゆ　成瀬　有

咲くかぎりの花咲ききりて桜木のさざめく気配ひたと止みたり　河野　裕子

空さむく春めぐりきてははそはのははそはのははと桜ちりゆく　糸川　雅子

桜の花は古今集より「花」と表記され、数多くの秀歌が作られてきた。

命永かるまじきおもをわれ秘めて信濃高達の花に今日在り　吉野　秀雄

国敗れて残る山河のかくばかり花いつくしき春にあひにけり　五島美代子

老いてなほ艶とよぶべきものありや　花は始めも終りもよろし　　斎藤　史

ちる花はかずかぎりなしことごとく光をひきて谷にゆくかも　　上田三四二

華やぎて舞ふ花ふぶき月光《かげ》に眼こらせば翳ばかり散る　　富小路禎子

歳月はさぶしき乳を頒てども復《ま》た春は来ぬ花をかかげて　　岡井　隆

散るという飛翔のかたち花びらはふと微笑《ほほえ》んで枝を離れる　　俵　万智

## さくらのみ〔桜《さくら》の実《み》〕

桜の木は花のあと、さくらんぼより小さい球形の実を結び、熟すと紫黒色になる。

ま夏日の日のかがやきに桜実《こ》は熟みて黒しもわれは食みたり　　斎藤　茂吉

くもりたる土に落ちつぐ桜の実さびしきものか梅雨に入る今日　　松村　英一

## さくらんぼ

バラ科の果樹オウトウの果実。日本で栽培されるのは実桜《みざくら》と呼ぶ欧州系の甘果オウトウで明治初年に渡来。春、葉にさきだち淡紅色の五弁花を開き、六月に長い柄のある淡紅色、赤黄色のやや丸い果実が成熟する。梅雨の少ない地方で作られ、主産地は山形県。桜桃《あうたう》。輸入品は暗紅紫色。チェリー。

色づきて一つ見いでしさくらんぼみれば幾つも葉かげに赤し　　三ヶ島葭子

桜桃の盛りの頃に来よといふ招きは待たむ八十ふたつ超ゆ　　山本　友一

なまぬるき劬《いたは》りもちてよりあへば桜桃《あうたう》の実も苦き五月ぞ　　石川不二子

どす黒きチェリーの粒実皿に盛る悪をたくらむ愉しさに似て　　杜沢光一郎

どんな愛にもありし鮮《あたら》しさ街のどこにも桜桃あふれ　　三枝　昂之

母たちはつね発見し教ふるなり青き桜桃に睫毛あるさへ　　米川千嘉子

思い出す人ある午後にさくらんぼを並べて作る失恋のうた　　俵　万智

## ざくろ〔石榴《ざくろ》〕

インド北西部からイラン原産のザクロ科の落葉高木。高さ7〜

8メートルになり、よく分枝して小枝を出し、先端はとげになる。果実は九月～十月黄紅色に熟すと裂けて、淡紅色の透きとおった種子がぎっしりつまっている。この部分が液汁を含み甘酸味があり生食される。庭木に植えられ、盆栽用に改良もされている。インドには子どもを食べる女神（鬼子母神）に釈迦が子どもの肉の代わりにザクロを与えたという伝説がある。漢名石《せき》榴《りう》。実《み》ざくろ。

あまのはら冷《ひ》ゆらむときにおのづから柘榴《ざくろ》は割れてそのくれなゐよ　斎藤　茂吉

いと酢《す》き赤き柘榴をひきちぎり日の光《て》る海に投げつけにけり　北原　白秋

とり落さば火焔とならむてのひらのひとつ柘榴の重みにし耐ふ　葛原　妙子

噛みて吸ふ酸味鮮紅　柘榴《せきりう》を吐きすてて鬼子母の味覚を知らず　斎藤　史

おのづから実のはじけたる柘榴一つ今日新しきよろこびにあふ　宮　柊二

秋冷を待ちて一気に裂けむとぞ柘榴は日日に熟れつつ固し　野北　和義

―ざくろのはな

てのひらに実柘榴一顆のせて重しわすれてすぎしきのふ母の忌　阿久津善治

色づきていまだ裂けざる柘榴の実欝勃《うつぼつ》と今日の政治を怒る　富小路禎子

うすらかに陽は流れつつ永遠《とは》といふ一語のために柘榴実れり　雨宮　雅子

石榴《せきりう》を割れば哀歌の縁《ふち》みえてヘルベルト・フォン・カラヤン亡き秋の渕　清田由井子

## ざくろのはな〔石榴《ざくろ》の花《はな》〕

花木として中国で栽培されたものが美しく、6月ころ開花しそのあとも花が絶えない。花冠は赤だいだい色、がくは肉質。とくに八重咲きのものは実を結ばないので、花ざくろという。

告白をこばみきたりて修羅の眼のごとき朱《しゅ》の花柘榴《ざくろ》に向ふ　木俣　修

フラスコの球に映れる緋の柘榴さかしまにして梢に咲けり　葛原　妙子

つばらかに想ひ出せねど悔恨のわれのくれなゐ柘榴咲きたり　伊藤　麟

花石榴ふみにじりつつ慄然たり戦中派死ののちも戦

中派　　塚本　邦雄

暗きもの身はそれぞれにもつものを石榴はしげりつひに花咲く　　馬場あき子

あかあかと花石榴咲くわが内のかなしみあはく照らし合ひつつ　　島田　修二

繁り葉の間《あひ》にほのかに見ゆるもの柘榴の花は古代より咲く　　大島　史洋

## ささ〔笹《ささ》〕

ササ類は日本に非常に多く六属数百種ある。葉で食物を包んだり（チマキザサ）、観賞用とされる。熊笹は山地にはえる大形のササの俗称。社寺や庭に植えられる隈笹《くまざさ》は丈が低く、葉は枝先に四～七枚掌状につき、縁に白色のくま取りがあり、狭長だ円形で先がとがる。冬には縁が枯れて白色となり美しい。笹の花は開花するもの、まれに開花するものとがある。

片方《かたはう》はしら雲おほき空暮れて庭の小笹生《をざさふ》さやぐ音する　　松村　英一

饑ゑむ日を恐れて笹の実尋ねにきはやをととしと過ぎゆきにけり　　土屋　文明

露ふかき笹生《ささふ》を分けて小鳥らの餌なる笹の実袋に充たす　　岩波香代子

輝きてただに眩しき熊笹の振返り見れば茂りつづけり　　片山　貞美

けものみちをあらはに見せて風が吹くただ熊笹の音のみのして　　大西　民子

## ささゆり〔笹百合《ささゆり》〕

本州中部以西の山地草原にはえるユリ科の多年草。茎は高さ約1メートル。葉は皮針形で短い柄があり、笹の葉の感じ。夏、茎頂に漏斗状の花を少数横向きにつける。葯《やく》は濃褐色。淡紅色の花びらは六枚で斑点がなく、上半分が軽くそり返る。さゆりともいう。

咲きそむる無垢のたゆたひ笹百合の花の奥よりうす紅の射す　　安立スハル

郵便局も役場もどこも笹百合が活けてあり吉備の高原は初夏　　石川不二子

ササユリの雌しべと雄しべ音もなく触れ合っている午後の陽の中　　早川　志織

## さざんか〔山茶花《さざんくわ》〕

四国、九州、屋久島、沖縄に自生するツバキ科の常緑小高木。庭木として植込み、生垣にされる。椿より葉が小さい。晩秋から咲きはじめ、花弁が薄く波うち、ばらばらに散る。花色は白、淡紅が多く、濃紅色などもあり、一重咲きの他に八重咲きなどもある。

村雨があられとなりて暫時《しばし》ふる庭はさざんくわ花ゆたかなり　中村　憲吉

人の世の悲しみ多し山茶花の花に思ふもつひに人の上　柴生田　稔

よく晴れし初冬山茶花花輝《て》りて黄のしべけぶる短かき時間　佐藤佐太郎

山茶花の白冴ゆる日よ雪国にうまれし性《さが》を今に保ちて　大西　民子

夕靄にまぎれんとしてほのぼのと物言ふごとき山茶花は冷ゆ　尾崎左永子

冬木々の寄り合へるなか色ありてうつしよのはな山茶花の散る　島田　修二

咲き満てるさざん花の霜ほどけつつうすくれなゐの楽流れいづ　雨宮　雅子

降る紅の山茶花浄土霜月のこの朝々に踏むと告げなむ　田井　安曇

さざんくわの紅塵を掃き箒もて枝を揺すれば寒《かん》さやぐかな　大滝　貞一

少女の声ちりばめてひらく山茶花のくれなゐをもて冬深みゆく　青井　史

## ざぜんそう〔坐禅草《ざぜんさう》〕

本州、北海道の湿地にはえるサトイモ科の多年草。葉は根生、長柄のある卵状心臓形で長さ20〜30センチ。四、五月ころ紫褐色の卵形の仏炎包の中に、だ円形の肉穂花序をつける。花序と仏炎包の形が僧が坐禅をしているのに見立ててこの名がある。全体に不快な臭気がある。

ひそやかにさ霧の中に咲き過ぐる座禅草の花に心寄りゆく　林　光雄

## さつき〔皐月《さつき》〕

関東以西の川岸の岩上に自生するが、古くから盆栽、庭木として栽培されているツツジ科の常樹低木。開花は六、七月で深紅色、白色、咲き分け、絞りなどがある。ツツジより花期がおそく、陰暦五月に咲くのでこの名がある。さつきつつじ。

かん高く幼なの笑ふ声有りてさつき咲き溢れ富めるに似たり　佐佐木由幾

## ざっそう〔雑草《ざつそう》〕

食用・鑑賞用に栽培されない見ばえのしない雑多な草。近年、帰化植物が都市にまで進出している。あらくさ。

めざめゐてわれはおもへり雑草《あらくさ》の実はこぼるらむいまの夜ごろに　斎藤　茂吉

冬来ると心いぢけて雑草の猛《たけ》きみのりも憎しむものか　斎藤　史

雑草《あらくさ》のスピリット互ひになびきあふあほむけのわれふっとなくなる　加藤　克巳

あらくさの穂に手触れつつゆく道のうつしみの手は穂に温かし　上田三四二

## さつまいも〔薩摩芋《さつまいも》〕

熱帯アメリカの原産のヒルガオ科の多年生作物。十七世紀ごろ渡来、十八世紀に普及、飢饉や敗戦後の食糧難を救った。紅・紫・黄色の球・紡錘形で多量のデンプンと繊維がある。甘藷《かんしょ》。藷《いも》。唐芋《からいも》。

この糧《かて》を得ねば餓ゑ死ぬ人の背に藷は石より重たかりけり　福田　栄一

まだ腐りてをらぬと言ひて押入より取りだす甘藷縁にならぶる　清水　房雄

大地には緑が似合ふさつまいもの蔓五十本に豆の苗植ゑて　醍醐志万子

夜満時《よみつどき》をさつまいも食ぶ紅小町べにあづまなど名もゆかしくて　松平　盟子

## さといも〔里芋《さといも》〕

熱帯アジア原産のサトイモ科の野菜。長さ80〜120センチの太い葉柄（茎）のある大きな葉を多数群生。根が球茎で多くの節があり、盛んに肥大して子芋、孫芋を生じる。秋に芋は煮て食す。葉柄は緑色。赤紫色の葉柄は八《や》つ頭《がしら》。岡麓の「根もりの土」は根もとの盛り土。

里芋の根もりの土をかきわけてさがす子芋はまだ数のなき　岡　麓

芋の葉にこぼるる玉のこぼれこぼれ子芋は白く凝りつつあらむ　長塚　節

里芋のこの新芋の胡麻あへはとろりととけて口にのこらず　吉植　庄亮

時を消すために見てゐる里芋のしげりたくましき赤茎もよし　佐藤佐太郎

過労死に死ぬ毛根もあるならむ里芋の葉はみなちぢれたり　後藤　直二

里芋の汁あつくして父と吸ふ夜目にふるるもの皆秋となる　馬場あき子

天に葉をかかぐる芋の青茎の入り乱れたり腐るるは土に　阿木津　英

## さびた

ユキノシタ科の落葉低木。日本全土の山野にはえ、葉は卵形で先がとがり、縁に鋸歯がある。七、八月枝先に円錐形の花序を出し、白色のアジサイに似た花をつける。のりうつぎ。北海道ではサビタという。遠山光栄の「おぎろなくしも早昃《かげ》るめり」は非常に広大で早くも陽が傾くようすだ。

藍《あゐ》深き水を見せつつ霧は散るさびたの花の白き崖《きし》より　尾上　柴舟

さびた咲く一谿うすきあかりさへおぎろなくしも早昃《かげ》るめり　遠山　光栄

逝く夏を惜しむ心に走り出づ湖近くサビタの花は散りをり　太田　絢子

のりうつぎ白く咲きたる彼方より時々晴れて日の光りくる　中野　菊夫

## サフラン〔泊夫藍《さふらん》〕

小アジア、欧州原産のアヤメ科の球根植物で、クロッカスの一種。九月に球根を植え、十一月ころ地中からクロッカスより大きな淡紫色の六弁花を開く。雌しべは真赤で、乾燥させて鎮痛剤、芳香剤にする。

秋の日に泊夫藍の花咲きにけり植ゑけむ君はいまだ見ざりし　岡　麓

つつましき朝の食事に香をおくる小雨に濡れし泊夫藍の花　北原　白秋

いつのまにか咲きて終りし萩の下ふみにじられてサフランの青　清水　房雄

地下深く何祝《は》ぎごとのあらむ日か花サフランの湧き出でて咲く　大西　民子

泊夫藍の花さきにけりわれはまたいかなる善根を植えにしか　原田　禹雄

翅畳むやさしさに似てサフランの花閉ぢしのちながきゆふぐれ　志野　暁子

アルミ貨のふれあふ音す泊夫藍《さふらん》のむらさきに秋の日とどくとき　栗木　京子

## サボテン〔仙人掌《さぼてん》〕

メキシコを中心に南北アメリカ大陸に広く分布する熱帯植物。葉が退化した茎は多肉質でとげがある。寛永年間にオランダ船が長崎にもってきたのが初めとされ、現在その収集、品種改良、栽培技術は世界でも盛んである。シャボテン。覇王樹《はわうじゆ》

窓べには仙人掌《さぼてん》の花日覆《ひおほひ》のだんだら縞やわが夏帽子　斎藤　史

悪なしてやまざる両の手のひらに今日花咲きしシャボテンの鉢　岡部桂一郎

棘光る団扇サボテン春の日を砂山蔭にあらく群なす　田谷　鋭

植木鉢を溢れて垂るるサボテンを一鉢買って未来に還る　佐佐木幸綱

スヌーピーのすみかを探す日常をサボテンにまで笑はれてゐる　荻原　裕幸

## ザボン〔朱欒《ざぼん》〕

アジア南部原産のミカン科の果樹。九州南部などで少量作られている。果実は晩秋に成熟する柑橘の中でもっとも大きく、1キログラムに及ぶものもある。果肉の淡黄色のものと淡紅色のものがある。後者をうちむらさきと呼ぶ。文旦《ぶんたん》。文旦《ぼんたん》。

朱欒《ざぼん》の実、もろ手にあまる朱欒の実、いだきてぞ入る暗き書斎に　若山　牧水

仏顔の豊黙のごと朱欒《ザボン》あるそのかたわらにきみの白粥　山田　あき

土佐文旦大きく丸く純黄のつややかにして愛《かな》し文旦　加藤　克巳

冬を待つ文旦の黄の清《すが》やかに凜き心といいて恋おしむ　加藤　克巳

をりをりに行くわが意識冷蔵庫に大きザボンを一つ持てれば　大西　民子

文旦は島より届きぴかぴかの黄のさびしさを春と教ふる　馬場あき子

## さらのき〔沙羅《さら》の木《き》〕

ツバキ科の落葉高木。庭木に植えられ、とくに寺院などに多いのでサラノキ、シャラノキと呼ばれるがインド産の沙羅双樹とまちがえたことによるらしい。植物名はナツツバキといい、六、七月に葉腋に白色五弁で、花弁にしわのあるツバキに似た花を開く。夏椿。ヒメシャラは樹皮がサルスベリに似て平滑で赤褐色。花はナツツバキより小さい。茶庭に欠かせない樹木。

命二つ対《むか》へば寂し沙羅の花ほつたりと石に落ちて音

あり　　北原　白秋

朝《あした》咲きゆふ散る花を沙羅《しやら》の木と植ゑしは日本《にほん》のい
つの古《いにし》へか　　土屋　文明

梅雨冷えの巷の上に沙羅の木のしろたへの花葉ごも
りに見つ　　扇畑　忠雄

雨つづくあけくれ沙羅《さら》の咲きて散り白冴えざえと土
につく花　　千代　国一

しろたへの沙羅の木の花はなびらの合はせ目あたり
暮れそめてをり　　大西　民子

初花の沙羅に満ちくる晨《あさ》の光女《かげをみな》を賭くる恋もせざ
りき　　富小路禎子

姫沙羅《ひめしやら》も撫《ぶな》もはだか木雪上にみるものなべて簡浄な
りき　　川口美根子

子ら去りし広場の土にこぼれゐる沙羅涼しけれ夏さ
びしけれ　　稲葉　京子

ちぶさよりさびしきものは夏椿あかとき寺へ橋渉り
ゆく　　辺見じゅん

## さるすべり

中国南部原産のミソハギ科の落葉高木。幹肌が平滑で皮は薄く、はげやすい。七月から九月まで枝先に円錐花序をつけ、紅色または白色の縮れた小花を開く。夏の花木。百日紅《ひやくじつこう》。

### ―さるすべり

連連と哀感は湧きさるすべり紅《べに》濃き花に暑の日ざし
澄む　　久方寿満子

そのかみの百日紅《ひやくじつこう》は軍帽の赤き総なり忘れねば見
る　　森岡　貞香

思ひ来て思ひ余りし夏の道乾けば白く咲くさるすべ
り　　安永　蕗子

照りつくる午後の日ざしにあはあはと咲く百日紅《さるすべり》見
れば散りゐつ　　白石　昂

さるすべりわが眩暈《げんうん》のみなもとに機銃掃射の記憶の
花火　　塚本　邦雄

花の枝鋪道にのべて百日紅《さるすべり》咲くを朝よりひと日見下
ろす　　細川　謙三

友の機の曳きし炎よ夏空は百日紅のくれなゐの渦
　　宮原　包治

百日紅色おとろへて咲き居たりいくさ敗れし日の炎
天に　　蒔田さくら子

空をまさぐる手をあまた持つ木と思ふあはあはと咲
く花百日紅　　藤井　常世

## さるなし〔猿梨《さるなし》〕

山地にはえるマタタビ科の落葉つる植物。葉は互生、粗毛があり、とげ状の鋸歯の縁をもつ。五、六月葉腋に数個の白い五弁花を開く。果実は十、十一月に淡緑黄色に熟し甘ずっぱい。ナシに似た果実でサルが食べるという。

猿梨のからみてゐたる黒崎に恋うても人のなき日曜日　今野　寿美

## サルビア

シソ科に属し、花壇などで夏から秋まで茎頂に朱紅色の花を次々と穂状に長く沢山つける。日本名ヒゴロモソウと呼ぶ一年草。紫・桃・白色の花が咲く品種もある。

絶命の瞬におのれをゆるさざるおのれが欲しき朱しサルビヤ　山田　あき

誰もたれも遠くなりたりサルビアに触れたれば飛ぶ乾きし種が　真鍋美恵子

秋となりわが膝さむき夜夜《よなよな》を燃え尽きぬなりさるびやの花　斎藤　史

雨の中サルビアなびき鮮血のながるるごとき時はつづけり　加藤　克巳

街上にさるびあ赤きひとところ処刑のごとき広場見えくる　安永　蕗子

サルヴィヤの白き花群巷より死界へ通ふ陥穽隠す　富小路禎子

サルビアの朱並び立つ一端にむらさきの花ありて曇天　高嶋　健一

一列にさるびあかし歩みてもあゆみてもなほはろかに燃ゆる　穴沢　芳江

茫然とサルビアを見てゐし青年の傍を過ぎぬわれはさやさや　米川千嘉子

## さわぎきょう〔沢《さは》桔《ぎ》梗《きやう》〕

日当たりのよい山野の湿地にはえるキキョウ科の多年草。茎は枝分かれせず直立し、高さ60〜100センチ。皮針形で細鋸歯がある葉を互生。八、九月茎の上部に鮮紫色の花を総状につける。鑑賞価値が高い。

沢辺にはむらさきふかき魑魅《すだま》居て沢桔梗いまだ絶えずありにき　斎藤　史

雪来るまで幾日あらむむらさきの色さえざえと沢桔梗咲く　久我田鶴子

## さんきらい〔山帰来《さんきらい》〕

台湾、中国南部の熱帯植物サンキライは日本に自生せず、ユリ科の半つる性植物サルトリイバラのことをいう。山野に多く、とげが多い。葉は広だ円形で三～五脈があり、基部に一対の巻きひげがある。春、葉腋から花柄をだし、黄緑色の小花を散状に多数つける。果実は丸く、赤く熟す。猿がとげにひっかかるというのでこの名がある。

ずずとして堕ちゆく途中奈落にはいまだ距離ある山《さん》帰来《きらい》　安永　蕗子

疎林の丘にまた道出でて朱の実の三帰来覆ふ明るさ　竹内　邦雄

## さんごじゅ〔珊瑚樹《さんごじゅ》〕

スイカズラ科の常緑高木。関東以西の海岸に自生し高さ7～8メートルになる。だ円形の光沢のある大形の葉を対生。六、七月枝先に白色の花を多数円錐状につけ、のち紅から黒色に変化する珊瑚珠のような実を結ぶ。防火・防風・防潮樹として適し、刈込みにも耐えられるため生垣や庭木に植えられる。

珊瑚樹の木肌なめらにつやもちてやがて葉となるふしぶしの張り　長沢　美津

谷戸《やと》よりの風に磨かれ珊瑚樹の垣は五月のかがやきをもつ　大屋　正吉

厚ら葉のいのち燿ふ珊瑚樹の日の移ろへばすなはち冬木　千代　国一

さんごじゅの実のなる垣にかこまれてあはれわたくし専《もは》ら私《わたくし》　岡井　隆

受難週の朝あさ通いし記憶あり坂のぼりゆき柵の珊瑚樹　大塚　善子

珊瑚樹のとびきり紅き秋なりきほんたうによいかと問はれてゐたり　今野　寿美

## さんざし〔山査子《さんざし》・山樝子《さんざし》〕

中国、モンゴル原産のバラ科の落葉低木。享保年間に薬用植物として朝鮮より渡来。四月ごろ新葉とともに梅に似た白色五弁の花を散状につける。実は球形で八～九月赤熟、薬用となる。他に西洋サンザシ、紅色八重咲きのアカバナサンザシがある。

わが父のつとめたりとふこの園に来たりてぞ見る山《さん》樝子《ざし》の花　岡　麓

枯枝も草も払はず昔より小さくなりぬあはれさんざし　土屋　文明

秋冷えて暖めゐたるひとすぢのおもひ山樝子の実にあると知れ　伊藤　泓子

天日《てんじつ》のふりそそぎける山査子《サンザシ》の木の実ひとつを歯にきりひらく　小池　光

## さんしゅゆ〔山茱萸《さんしゅゆ》〕

中国、朝鮮原産のミズキ科の落葉高木。古くから庭木として植えられ、切花にもされる。早春、葉の出る前に黄色の四弁花を多数つけるので春黄金花《はるこがねばな》ともいい、薬用となる実は八、九月赤く熟すので秋珊瑚《あきさんご》ともいう。

山茱萸の花黎明にしづかなり今年幾たびの雪に堪へきて　春日井政子

黄の色の明るめる方求《と》め来れば山茱萸咲けりあはあはとして　高安　国世

山茱萸の花にあかるき春の陽のうらなごはしもふるさとの道　安田　章生

さんしゆゆは八十一個の花もつと風邪の癒えたる妻が数へつ　川辺　古一

頭疲れ出でこしゆふベデパートの花屋に咲ける山茱萸の花　柏崎　驍二

## さんしょう〔山椒《さんせう》〕

ミカン科の落葉低木。枝や葉の付根に一対のとげがある。三月末から芽ぶく葉は芳香があり、きのめあえに用いられる。四月中ごろ新枝の先に緑黄色の小花を多数つける。あと小さい丸い実がついて九、十月に紅褐色に熟れ、割れると黒い種子が見える。香辛料、薬用に用いられる。岡本かの子の「おどろ」は藪。

青青し椿のもとの山椒はおどろなれども芽を揃へつつ　岡本かの子

冬の芽は針持つ姿勢つらぬきて故郷の庭に山椒枯れず　田代　俊夫

山椒の黄葉《もみぢ》の時になりぬるを棘の裸木の見えむとはして　森岡　貞香

春のめだか雛の足あと山椒《さんしよ》の実それらのものの一つかわが子　中城ふみ子

山椒の実のくれなゐを潰す夜はくらくら雪もまんじどもゑぞ　馬場あき子

青山椒つむ沈黙の時間ゆゑペテロの手紙くちずさみ

つつ　小中英之

## しい〔椎《しひ》〕

ブナ科の常緑高木。ツブラジイは関東南部から九州に自生し、スダジイは東北地方南部から九州に分布し、薪炭やシイタケの原木などに、また防火樹として植えられる。高さ20～25メートル、周囲3メートルに達するものもあり、枝が張り、表面が深緑色、裏面が灰褐色の葉でこんもりする。若葉のころの鮮やかな緑は古葉との見事な対照を呈し、五月ごろには古い葉が散る。

稍《やや》遠く椎のわか葉の森見れば幸《さち》とこしへにそこにあるらし　伊藤左千夫

椎わか葉あふり燃えたつ焔のした逃れし夜半を幻覚とせむ　土岐善麿

わが家はいまだは見えねいちじろく裏の椎森若葉せる見ゆ　古泉千樫

屋敷一つ亡びの跡を見せながら椎の若葉のいや立ちごもる。　須永義夫

茂りたつ椎の木の下のくらがりよりかがやき出で来ふるきふるき葉　森岡貞香

瘤々の椎の大樹を仰げれば夏の若葉のこまごまと萌ゆ　小市巳世司

―しいのみ

歩み入る椎の木下はおびただしく古葉降敷き雨もよひせり　片山貞美

椎の木のめぐりは椎の音楽の鳴りゐる秋のしづかなる律　伊藤一彦

## しいのはな〔椎《しひ》の花《はな》〕

五、六月ころ新枝の葉腋に、淡黄色で強いかおりのある雄花が多数穂状に開く。雌花穂は下部の葉腋について短い。虫媒花。

見上げたる梢の花のにほひあまし薬をもちてかへる椎の道　橋田東声

わが身より何かこぼるる心地する椎の落花のしきりなる朝　鈴鹿俊子

椎の花ふいに匂える夕闇は宿世《すくせ》の罪に遇う思いする　馬場あき子

ふり仰ぐ男となりてすぎゆけり椎のかおりに狂わぬわれは　三枝昻之

## しいのみ〔椎《しひ》の実《み》〕

ツブラジイの実は丸くて小さい。スダジイの実は円錐状卵形で大形。十月ごろ黒褐色に熟し、かわくと褐色

になる。

椎の実の黒くちひさき粒々をてのひらにして心をさなし　若山　牧水

おのづから枯れて艶ある椎の実のただささらさらとあるぞよろしき　若山喜志子

戦ひの焰あびたる椎の木が今年しづかにふらす椎の実　原田　汀子

椎の実は智恵のごと降りあれは何？　あれは何？とふ子の放つ声　川野　里子

ハンカチにそっとくるみて持ち帰る椎の実は銃弾の重いつめたさ　早川　志織

**しおん〔紫苑《しをん》〕**　キク科の多年草。茎は直立して2メートルほどの高さに群生する。根に近い葉は大形のだ円形で上部ほど小さくなる。八月から十月、上部に小枝を分かち、淡紫色の頭花をむらがり開く。庭先や花壇に植えられる。

白き蝶紫苑に飛べば光みな秋は寂しきものをぞまとふ　宮原阿つ子

丈たかく紫苑の花のさける見て日の余光《よくわう》ある坂くだりゆく　佐藤佐太郎

ひと隅におしかたよりて忘らるるごとくありしを紫苑のさきいづ　遠山　光栄

わきて名のかなしきしをんくさぐさのわが病室の秋草の花　上田三四二

道のべの紫苑の花も過ぎむとしたれの決めたる高さに揃ふ　大西　民子

ささやきを伴ふごとくふる日ざし遠き紫苑をかがやかしをり　相良　宏

**ジギタリス**　欧州原産のゴマノハグサ科の多年草。地ぎわから大きな葉を出し、株の中央から高さ1～1.5メートルの茎をのばす。五、六月茎頭に花穂を出し、鐘状の紅紫色の花を下向きに開く。花壇の中央に植えられる。有毒。乾燥した葉は利尿・強心剤になる。和名は狐の手袋。花の形からつけられた英名の訳である。

ああ五月《さつき》螢匐ひいでヂギタリス小《ち》さき鈴ふるたましひの泣く　北原　白秋

ジギタリス毒にて薬　ほどほどの美しさにて咲きのぼりゆく　斎藤　史

二箇月余飲みつづけゐしジギタリス初夏の日暑きこ

の園に咲く　由谷　一郎

赤い旗のひるがへる野に根をおろし下から上へ咲くジギタリス　塚本　邦雄

## しきみ〔樒《しきみ》〕

関東から九州の山林にはえるモクレン科の常緑小高木。高さ5～10メートル。葉は厚くなめらかで両端がとがった長だ円形。三、四月葉腋に黄白色の花が多数つく。実は星状で九、十月に熟すが有毒である。寺院、墓地に多く植えられ、全体に香気があり、枝を仏前に供える。

さびしらに咲くとおもひし樒の木枝ごとおほく花の咲きたり　岡　麓

山ゆくと山の樒の黄の花のよにつつましき春も見にけり　北原　白秋

黄の花の樒匂ふといふ声す染井の墓地は下りとなれり　君島　夜詩

山すその明星村の墓どころしきみの花の白じろと咲く　遠山　光栄

夕あかり消えて昏れゆく道の辺に樒の花の白尽くしゐる　伊藤　一彦

月の夜の樒の花の沐浴に誰も気づかず朝となりたり

—シクラメン

伊藤　一彦

## シクラメン

地中海東部沿岸地方原産のサクラソウ科の多年草。明治中期から栽培されはじめた代表的な鉢植草花である。群生する葉は柄が長くハート形で表面に銀灰色の斑紋があり、裏面は紫色。冬から春まで花柄を次々とのばし、蝶形の花を咲きつづける。花筒は下向きだが花弁はそり返り、少しよじれる。色は白、緋紅、鮭肉、紫紅などで、また花弁の先端が波状になるもの、縁に細かい切れ込みのあるものもある。開花の状態から和名を篝火花《かがりびばな》という。

かがりびさうとその名を知りて何故か親しむ思ひ深くなりたり　吉田　正俊

年を越し冬も越す日日の友となる紅きシクラメン一鉢二鉢　窪田章一郎

シクラメン白と赤との花並ぶ店頭すぎて歩むたのしさ　佐藤佐太郎

終る花抜きて労るシクラメン形崩れずうとましきまで　佐藤　志満

シクラメン広葉のみどり飽かなくに数の莟のひとつ

咲かむとす　千代　国一

ボヘミヤのチェロの旋律聴き終へてシクラメン白し夜更の居間に　細川　謙三

そり返る花をすつくと掲げもつシクラメンこそわが冬の意志　大塚　陽子

かえり来て人居ぬ部屋に灯すとき紅きシクラメンゆさと灯りぬ　木田そのえ

真剣に花を捧げて年を越すシクラメンを妻深くいたわる　佐佐木幸綱

## じしばり〔地《ぢ》しばり〕

キク科の多年草でオオジシバリとイワニガナをいう。オオジシバリは山野や路傍に茎を長くはわせ、葉は倒皮針形。イワニガナは山野の裸地にはえて葉は卵形で長い柄がある。四月から六月に高さ20センチの花茎を出し、二、三個の黄色舌状花を開く。両者ともちぎると白汁が出る。

吹きさらされて居るといふともこの野にはすかんぽの花地《ぢ》しばりの花　斎藤　史

いぬふぐりはこべぢしばり春の野をおほふこまかき花のかずかず　久我田鶴子

## しそ〔紫蘇《しそ》〕

中国、ヒマラヤ原産のシソ科の一年草で古くから栽培されている。梅干の色つけや刺身のつまに用いる紫色の葉が縮れたチリメンジソ、薬味などに用いる緑色の葉のアオジソなど品種が多い。夏から秋にチリメンジソは淡紫色、アオジソは白色の小さな唇形花を穂状につける。全体に芳香があり、実は小粒で塩漬けにすると風味がよい。

紫蘇の実の二つぶ三つぶ噛む程に口に残る甘さ消え失せにけり　窪田　空穂

こころよき刺身《さしみ》の皿の紫蘇の実に秋は俄かに冷えいでにけり　長塚　節

土《つち》の面《も》に紫蘇のこまかき花ちりて秋の日かげのこまやかに照る　結城哀草果

雨あがり草の乱れし庭べより紫蘇のにほひの沁みくる覚ゆ　土田　耕平

紫蘇の実をしごけば土にちりこぼるうつくしきものおよぶべくもなし　山田　あき

青紫蘇の穂のひろがりて実となるを見れば炎暑になほ生くるもの　千代　国一

大原の霞の端の紫蘇畑《ばたけ》日の夕ぐれのむらさき匂ふ

安立スハル

感ひに感ひを重ぬるがごとくにて縮緬紫蘇の葉の縮み方　原田　禹雄

紫蘇の葉を揚げておりたり都市の空薄れて夏はきわまりゆけり　馬場あき子

ふるふると夏の時雨の降りこゆる山畑にして羞《やさ》しあを紫蘇　西村　尚

**しだ**〔歯朶《しだ》・羊歯《しだ》〕　シダ植物シダ類に属す。根、茎、葉から成り、茎は地中、地上をはうか、直立する。葉はよく発達し、大きさ、形、葉、脈、毛の有無などは千差万別である。葉の裏にできる胞子が地上に落ちて発芽、前葉体と呼ばれる小植物となり、これに雌雄の生殖器官が生じ、胚ができ、シダの幼植物となる。ゼンマイ、ワラビなどは食用とされ、ウラジロは正月の飾り物、または観賞用などにされるものもある。シダ植物は地質時代のデボン紀初期に出現したことが化石の出土からわかり、とくに石炭紀にはもっとも栄え、石灰の起源となった。

山ゆけば照りつつ涼し青羊歯の淡き胞子も夏ならむとす　北原　白秋



世界一小さき羊歯《しだ》をば見つけしと掌《て》にのせて君は玉の如くに　前川佐美雄

土佐の羊歯信濃の羊歯のひとときに萌えたる庭を見らくしたのし　木俣　修

歯朶の芽の足《あ》うらにぬくむ沼《ぬ》の上《へ》ゆき身ぬちに兆すけものの飢あり　葛原　妙子

昼過ぎてまばゆく思ふ日の影は青羊歯の葉に透きとほりをり　佐藤佐太郎

わが手足意志うしなひてねむる夜を羊歯は螺旋をほどきていきぬ　斎藤　史

羊歯の葉裏の胞子はじけて羊歯生《あ》るる天地の不思議にいま謙虚にて　鈴鹿　俊子

車椅子にも慣れてめざすは隠れ沼《ぬ》の銀輪に踏む羊歯濡れてをり　倉地与年子

さびしくもわれは見てをり庭隅にゆらぎゐるものの羊歯にあらずや　宮　柊二

下生《したば》えの羊歯に及べる日光の斑《まだら》の揺れにわが呼吸副ふ　大越　一男

光さへ透明の香をもつならんこの青谿に羊歯ほぐれゆく　尾崎左永子

踏みしめて山の湿りの噴きあがる径ひとところ羊歯のささやき　石本　隆一

かすかなる風にも揺らぐ羊歯の青ひとは眼を閉ぢて生まるる　三井　ゆき

**しなのき〔科《しな》の木《き》〕**　日本各地にはえるシナノキ科の落葉高木。長柄のある葉はうすく、左右が著しく不同のハート形、縁に鋭い鋸歯がある。六～八月葉脈から花柄を下垂し、淡黄色の小花を多数開く。実は小さい球形で九～十月に熟す。花から香りのよい蜜が得られる。

淡々と日差に映《うつ》り空行きし科の木の葉ぞ中庭に沈む　森岡　貞香

**しのぶ〔忍《しのぶ》〕**　本州中部以南の山地の岩や樹幹などにはえるシノブ科のシダ。淡褐色の鱗毛を密生した茎が長くはい、葉をまばらに出す。葉は長さ5～10センチで数回羽状に細かく切れこみ、厚く光沢がある。茎をしんに巻きつけ「しのぶ玉」を作り、軒下などにさげて緑葉を観賞する。

酸性の雨に枯れゆく軒忍《のきしのぶ》　幹のしづくを吸ふほかはなく　真鍋　正男

**しば〔芝《しば》〕**　イネ科の多年生。芝生として栽培され、また日当たりのよい路傍や丘陵地などにも野生する。茎は地上をはい、節ごとに細い根をおろして広がる。葉は針状で毛がある。五月ごろ細長い茎がのび、短い棒のような小花を一つつける。冬に枯れた芝を春になって焼くのは芝草をよくし、害虫を駆除するため。

枯芝に火をはなつればややしばしじじとひろがり消えはてにけり　尾山篤二郎

枯れ果てし庭芝草のうつくしくもの忘れしに似たる明るさ　吉田　正俊

木のもとの芝生すずしく学生にまじり横たはる幾年《いくとせ》ぶりぞ　窪田章一郎

雪におされしままの姿にて芝草はあらはれいづる雪消えしかば　石黒　清介

梅雨晴れの樹木の匂ひの切なさに芝に憩へば芝草匂ふ　川合千鶴子

淡々とローランサンの色彩をたもつ枯芝を去る少女あり　細川　謙三

芝はげにかがやくばかり芝の上《へ》に神の遊べる時間あ

るべし　雨宮　雅子

われの背に敷かれて折るる芝草の　君の重みも加はりし音　東　淳子

芝草を踏めり歩めり鳥獣のやうに素足にその芝草を　外塚　喬

今日われは妻を解《と》かれて長月の青しとどなる芝草の上　道浦母都子

## しばざくら〔芝桜《しばざくら》〕

北米原産のハナシノブ科の宿根草。春に毛せんを敷きつめたように地面をおおって咲く。花色は紅、淡紅、白、青紫。和名花詰草《はなつめくさ》。

芝桜かがやき擬宝珠《ぎぼうしゅ》の若葉萌ゆ亡きも在るも等しく春の日の中　吉田　正俊

## しもつけ

バラ科の落葉低木。高さ1メートルほどで地ぎわから多数の枝を出し、葉は細長くて互生し、多数つける。五月から八月、小枝の先に散房状に多数の淡紅色の小花を密につける。栃木県下野で発見されたことでシモツケの名があるという。丈が低く、よく茂るので庭の下植えに用いられる。

しもつけの花の花房鬼歯朶《おにしだ》のひろがれる葉のかさなりの上に　岡　麓

しもつけの淡くれなゐの花むしろ一木の蔭にかたまりいこふ　五味　保義

## しもつけそう〔しもつけ草《さう》〕

本州中部から九州の山地にはえるバラ科の多年草。夏、茎先で枝を分け淡紅色の小花を多数つける。本州中部以北の山地にはえるオニシモツケは全体に大形で、花は白く、花柄には毛がある。

煤いろにしもつけさうのたつ枯野みすかされゐる予兆がかなし　生方たつゑ

霧こむる薄明のなか吹かれつつ下野草《しもつけさう》は花房みだす　浜　梨花枝

## しゃが〔著莪《しやが》・射干《しやが》〕

アヤメ科の常緑多年草。高さ30～60センチで樹下などの日陰に生える。葉は剣状。四、五月高さ50～70センチの少し分枝する花茎上に一日花を次々に開く。花色は白に紫暈があり、中軸には黄色の突起がある。胡蝶花《しやが》。

胡蝶花《しやが》咲きて地を埋《うづ》めゐる汀辺《みぎはべ》へ波紋はゆるく揺りひろがれり　尾山篤二郎

じゃがいも――

いにしへの嘆ける人の逃れみち流されみちに咲くしやがの花　福田　栄一

病む妻と行く草地にて戦《そよ》ぐもの胡蝶花《しやが》咲きて四月末風の寒き日　植木　正三

懸命にうす紫の花咲きて嵐の前の射干《しやが》の静まり　岡部桂一郎

かなしみの眼を放つとき著莪《しやが》の花ととのひ織く風にゆれゐる　川口　汐子

雨のなか著莪《しやが》花むらに近づけば淡く紫暈をまとひをりたり　雨宮　雅子

悲しみに馴れつつおればあたたかく岸べの胡蝶花《しやが》が近づいてきぬ　花山多佳子

## じゃがいも〔じゃが芋《いも》〕

ジャガタラ芋の略で、馬鈴薯の漢字を当てることもある。アンデス温帯地方原産のナス科の多年生作物。十六世紀末にオランダ船がジャカルタから伝え、明治七年北アメリカから優良種が輸入され作物としての栽培が増した。地下茎が変形肥大して大小多数の芋を生じる。芋は蒸したり煮たり、ポテトチップスなどとし、またデンプンをとる。冷涼な気候を好み、北海道が主産地。六月頃葉腋より花枝を出し、白色または淡紫色の浅く五裂した小さな花をつける。馬鈴薯《ばれいしよ》。

畑の上に掘り出されたる馬鈴薯の土ながらなる色の美《うま》しさ　島木　赤彦

馬鈴薯《ばれいしよ》のうす紫《むらさき》の花に降《ふ》る／雨《あめ》を思《おも》へり／都《みやこ》の雨《あめ》に　石川　啄木

みなぎらふ春の光に土くだく細かくくだく馬鈴薯植ゑむため　土屋　文明

土にまろぶジャガ芋互ひにうなづきあふ大きはもだし小さきは声して　五島美代子

掘りあげて砂の微粒のひかりたり男爵《バロン》といへる聖きじやがいも　葛原　妙子

建物のあはひに満ちてじやがいもの花なれば花の生《うぶ》毛《げ》のにほひす　森岡　貞香

蟬などのこゑさへやみし暑き夕べ大き馬鈴薯笊にいただく　島崎　栄一

ジャガイモの花を飾れるテーブルにチリの詩人の詩集読みゐる　横山千鶴子

地下室の薄暗闇に芽吹きたる馬鈴薯白き茎伸ばしつつ　時田　則雄

## しゃくなげ〔石楠花《しゃくなげ》〕

ツツジ科の低木。葉は厚い革質で大きく、花は枝の端に十数個散形状に開く。アズマシャクナゲは本州中部から北部の深山にはえ、高さ2～3メートル。白～淡紅色の花を開く。ホンシャクナゲは本州中部、四国、九州に分布し、高さ約4メートルになる。本州、北海道の亜高山帯にはえるハクサンシャクナゲは花が小さい。高山帯にはえるキバナシャクヤクは高さ20～50センチで枝ははい、淡黄色の花が咲く。西洋シャクナゲは観賞用に作られた品種で庭木や鉢植にされる。石楠花《しゃくなぎ》とも。

石楠花は寂しき花か谷あひの岩垣渕に影うつりつつ　島木赤彦

跣足《はだし》にて谷川の石を踏みわたり石楠花の花を折りにけるかな　島木赤彦

石楠花《しゃくなぎ》は木曽奥谷ににほへどもそのくれなゐを人見つらむか　斎藤茂吉

石楠花の花の下みち歩むときひとりの懦夫となるべしわれは　木村捨録

石楠花のはなの下かげ眼とぢゐる女仏《をんなほとけ》の顔ぞ身に

—しゃくやく

沁む　岡野弘彦

秋風は山しやくなげに白く吹き思ひ出ははや忘れてもよき　馬場あき子

しやくなげの幾ところにも咲きゐるはうつつ明るき向うの深山　黒田淑子

## しゃくやく〔芍薬《しゃくやく》〕

アジア大陸東北部原産のキンポウゲ科の多年草。薬用、観賞用に古く中国から渡来した。茎は60～90センチの高さで葉は二回三出葉。五、六月直径12センチ余りの花を二～五個華麗に開く。一重咲きの他、八重咲き、金蕊咲き、翁咲き、冠《かんむり》咲き、手鞠咲き、ばら咲きなどがあり、色も純白より濃紅までさまざま。洋種シャクヤクは花が大輪で八重咲き。根を薬用とする。

霜おほひの藁《わら》とりすつる芍薬の芽の紅《くれなゐ》に春の雨ふる　正岡子規

芍薬のあえかにしかもうす紅にうるほひあまる花に手をふる　太田水穂

芍薬の一つの蕾ぬきんでて高きがかなし明日か咲きなむ　若山喜志子

夕庭に風しづまればしやくやくの明日《あす》ひらくべきほ

のかなる紅《あけ》　柴生田　稔

吾にはげしき夏くる兆し芍薬の花芯にほそきくれなゐ見ゆる　安永　蕗子

喉元まで水を満たして芍薬を活けて重たき壺となりたり　大西　民子

**じゃのひげ〔蛇《じゃ》の髭《ひげ》〕**　山林の陰地にはえ、庭の樹下などに植えられるユリ科の常緑多年草。葉は深緑色の細長い糸状に群生し、高さ10センチ位。夏、葉間から花茎をだし、上方に十個位の淡紅紫色の六弁小花を開く。心皮は後に脱落し、青熟した小球形の種子を露出する。竜《りゅう》の髭《ひげ》。福田栄一の「ひさかたの」は、そらにかける枕詞。

じやのひげの瑠璃《るり》いろふかくならむ実をそこはかとなくあけくれて見ず　斎藤　茂吉

ひさかたのそらいろの実がこぼれをり竜のひげの花はいつ咲きたらむ　福田　栄一

雑草におしよせられし竜の髭不憫《ふびん》なり除草のまきぞへとなる　吉野　昌夫

暖かき師走の墓に竜のひげうれしげに竜の玉をかくせり　馬場あき子

**しゃりんばい〔車輪梅《しゃりんばい》〕**　バラ科の常緑低木。関東から九州の海岸にはえ、庭木や街路の植込みにされる。高さ約1メートル。葉は広だ円形で厚くて堅く、表面につやがある。四～六月に枝先に円錐花序をつけ、白色五弁の花を多数開く。花が梅に似、枝葉が密集し車輪状に出るのでこの名がある。実は球形で十～十二月に黒熟する。

車輪梅の実生あちこちに出でてをりひび入りしみ墓の割れ目の一つにも　吉村　睦人

**しゅうかいどう〔秋海棠《しうかいだう》〕**　中国原産のシュウカイドウ科の多年草。庭に植えられ、暖地の日陰の湿地に野生化する。茎は高さ60センチ位で節の部分が紅色。九月に淡紅色の花を下垂して開く。うなだれて咲くようすから「雨に悩める秋海棠」と美人を形容する。葉は左右不同で先がとがる。築地正子の「妣《はは》」は死んだ母。大西民子の「うから」は家族。

米あらふ白きにごりは咲き垂れし秋海棠の下ながれ過ぐ　伊藤左千夫

つくばひをめぐり秋海棠咲く庭の女あるじは歌をよ

むらし　　太田　青丘

うつろひし秋海棠は踏石のあたりに見えて赤茎あはれ　　佐藤佐太郎

曖昧のかたち未練といふべしや秋海棠の花のうす紅　　安永　蕗子

秋海棠の花ほろほろといくそたび妣の涙を娘《こ》は見たらむか　　築地　正子

秋海棠を好みしうからみな在らず土やはらかし墓への道は　　大西　民子

降り出づとみるみる雨の激しきにこまかく揺るる秋海棠の花　　林　安一

## じゅうにひとえ〔十二単《じふにひとへ》〕

本州、四国の林や野原にはえるシソ科の多年草。全草に白いちぢれ毛があり、高さ15～20センチ。葉は対生、倒皮針形で縁に波状鋸歯がある。四～五月、茎の頂きに花穂をだし、淡紫色唇形花を多数密につける。花が重なって咲く状態を十二単の衣裳に見立ててこの名がある。

雑草といへども庭をわたりつつ十二単の紫さわぐ　　二宮　冬鳥



花終る十二単のむらさきの見るに影なき庭の上の哀《あい》　　石田比呂志

## しゅろ〔棕櫚《しゅろ》〕

南九州原産のヤシ科の常緑高木で庭木とされる。高さ6メートルほどの円柱形の幹は直立し、暗褐色の繊維におおわれる。頂部に四方へ広がる柄の長い葉をつけ、古葉は下垂する。葉面は扇形に深く裂けて先が垂れる。五、六月葉間から大きな肉穂花序を出し、淡黄色六弁花を密に開く。実はゆがんだ球形で青黒色に熟す。

棕梠《しゅろ》の幹黄なる房花あまた垂る五月まさをく照る空の下　　窪田　空穂

やるせなき淫ら心となりにけり棕櫚の花咲き身さへ肥満《ふと》れば　　北原　白秋

つくづくと変哲もなき棕梠の木がある日聖《ひじり》のごとく立ちゐる　　大屋　正吉

臥しながら雨戸あけさせ棕梠の実のこぞる青空をしばし見て居き　　小暮　政次

棕櫚の木に秋のひかりの照りながらかすかに揺るる生をよろこぶ　　島田　修二

祖父《おおちち》の為したるごとく願いたてわが植えし棕櫚すこ

やかに伸ぶ　　大塚　善子

## しゅろちく〔棕《しゅ》櫚《ろ》竹《ちく》〕

中国南部原産のヤシ科の常緑低木。観賞用に江戸時代に渡来。暖地では庭に、普通鉢植にされる。高さ1～3メートルの茎は直立して群生、節は暗褐色の繊維で包まれるが落ちると竹に似る。頂部に六～九枚の柄が長くてシュロに似た半円扇形の深裂する葉をつける。

根分けして貰はれゆきし行き先を指折りてみるもと一鉢の義父の棕櫚竹　　吉野　昌夫

## じゅんさい〔蓴菜《じゅんさい》〕

池沼に自生するスイレン科の多年生水草。だ円形の葉は長い柄があり水面に浮かぶ。五～七月、紫紅色の小花を開く。若い茎や葉は寒天のような粘質物に包まれる。若葉を三杯酢などにする。古名蓴菜《ぬなは》。

冬ちかみ沼尻《ぬじり》の水に流らふる蓴菜《ぬなは》の茎はやや紅《あか》みたり　　太田　水穂

湯どころに二夜《ふたよ》ねむりて蓴菜《じゅんさい》を食へばさらさら悲しみにけり　　斎藤　茂吉

春の光湛《たた》へぬるめる沼の水に蓴菜《じゅんさい》のびて蛙《かへる》子《ご》生《あ》れぬ　　結城哀草果

蓴菜《じゅんさい》はもみぢしたればさはやかに尾瀬沼《をぜぬま》の浅き水にただよふ　　佐藤　志満

木々茂る山の間の沼夏すぎし水に蓴菜《じゅんさい》の白き花咲く　　秋葉　四郎

## しゅんらん〔春蘭《しゅんらん》〕

山地の雑木林などにはえるラン科の常緑多年草。観賞用に東洋ランとして多数の品種が栽培されている。葉は堅い線形で束生、長さ20～50センチ、上半がゆるく垂れる。早春、鱗片に包まれた肉質の花茎を出し、一個の花を開く。花色は緑色を帯び、唇弁は白く濃紫色の斑点がある。香りがよい。

春蘭のほそき葉さきのするどきは爽やかにこころよきものにこそ　　岡　麓

春蘭のかをる葉叢《はむら》に指《および》入れ象《かたち》ある花にひた触れむとす　　北原　白秋

膨張せる物価をおもふ吾がまへに玉のごとくに春蘭ひかる　　鹿児島寿蔵

弥彦山《やひこやま》の春蘭といふ緑葉の細葉群《むら》立ち蕾三つ持つ　　都筑　省吾

根分けして姉の遺せる春蘭の咲きて我より妻のよろこぶ　野北　和義

黒部川の激ちを下に聞きながら辿る山路に春蘭を掘る　木村　玄外

片岨《かたそば》に花芽いだける春蘭を一株掘りて山の背またぐ　後藤　直二

春蘭の一株ながら明晰の冬日をうけてしづかなる草　雨宮　雅子

## しょうが〔生薑《しやうが》・生姜《しやうが》〕

古くから根茎を香辛料、薬用に栽培されている熱帯アジア原産のショウガ科の多年生野菜。葉はササ形で細長く深緑色。屈指状の根茎は多肉で黄色く、茎元が紅色を帯びる。とくに新生姜は新鮮な香りがあり好まれる。古名はじかみ。北原白秋の「堪へてあらめ」は堪《た》えていよう、と自己の意志を表わす。

寂しさに堪へてあらめと水かけて紅《あか》き生薑《しやうが》の根をそろへけり　北原　白秋

妻が洗ふうすくれなゐの秋生姜はじかみ見つつ心入り組む　前川佐美雄

生姜《はじかみ》をすりおろしつつ思ふかな女には放蕩といふこ

―しょうぶ

となきや　雨宮　雅子

## しょうじょうばかま〔猩々袴《しやうじやうばかま》〕

山地にはえるユリ科の多年草。倒皮針形で長さ10センチ位の葉は根元にロゼット状に集まる。早春、葉心から長さ10～15センチの花茎を出し、上方に半開する数個の花をつける。紅紫色の花の様子を猩々の赤い顔に、重なる葉を袴に見立ててこの名がある。

わが庭に絶えしが中に惜しきもの吉野の春の猩々袴　植松　寿樹

しやうじやうばかまただ一本になり花咲けば近づきかがみ顔近づけぬ　中野　菊夫

猩々袴の花を見むとてかがまればくぼみくぼみに残る今朝の雪　久我田鶴子

## しょうぶ〔菖蒲《しやうぶ》〕

サトイモ科の多年草。小川や池などの水辺にはえ、根茎は芳香があり薬用とされ、茎葉は端午の節句に菖蒲湯などに用いられる。群生する葉は長さ50～90センチで直立、香りがある。五～七月花茎を出し、長さ五センチ位の黄緑色の肉穂花序をつける。古名菖蒲《さうぶ》。

しらかば―

軒にさす菖蒲《さうぶ》の葉さき露ひかり朝戸くる君がすがた
しおもほゆ　古泉　千樫

村里の田圃にのびし菖蒲ぐさ山の温泉《いでゆ》にけふは浮か
しむ　結城哀草果

花季すこしおくれて山上の池に咲く菖蒲かたるとき
若々し人は　真鍋美恵子

菖蒲一束わがしかばねをおほはむに恥づ人殺し得ざ
りしこの手　塚本　邦雄

## しらかば〔白樺《しらかば》〕

本州から北海道の深山、寒地の原野にはえるカバノキ科の落葉高木。清楚な姿形で庭木にもされる。幹は直立し高さ20メートル位になる。樹皮は白く紙のようにはげ、皮目は横線形。葉は三角状卵形で先がとがり縁には重鋸歯がある。四、五月雄花の尾状花穂が短枝の先から垂れ、雌花の花穂が小枝の先に上向きにつく。果穂は円柱形で垂れ下がり、九、十月褐色に熟す。白樺《しらかんば》。

信濃路《シナノヂ》にかひなきものは、白樺《シラカンバ》の太木につたふ―
淡雪のすぢ　釈　迢空

落葉松《からまつ》の黄のもみぢ白樺の黄のもみぢ高原こめて霧
のながらふ　松村　英一

わが丈《たけ》と見ゆる白樺の真白幹疵をもたぬが朝光に立
つ　窪田章一郎

白樺の枝組みて同胞《とも》を焼くなどのさまざまなことを
この手は為しき　大屋　正吉

白樺の疎林に雪は降るらんか微かにきこゆ夏のチェ
ンバロ　高安　国世

白樺の穂花にも女男《めを》の別ありて相偶《たぐ》へむか雪在るあ
ひだ　中山　周三

白樺の一本の幹あくまでも白ければ自然の意《こころ》知り
たし　田谷　鋭

## しらねあおい〔白根葵《しらねあふひ》〕

本州中部から北海道の深山の林中陰地にはえるキンポウゲ科の多年草。花茎は高さ15～50センチでやや太く、上方に二枚の葉を互生。葉は掌状に中裂。初夏、淡青紫色で大形のがく片四枚の美しい花を開く。タチアオイに似ており、日光白根山に多くあるためこの名がある。

人の手の及ばぬ崖に咲き群る白根葵《しらねあふひ》の花のすず
しさ　来嶋　靖生

## しらん〔紫蘭《しらん》〕

本州中部以西の山中に自生、また庭にも植えられるラン科の多年草。葉は茎の下部に五、六枚互生、長さ20〜40センチ。五、六月高さ30〜70センチの花茎上に紅紫色の花を総状にまばらにつける。唇弁は少し内に巻く。

紫蘭《しらん》咲いていささか紅《あか》き石の隈《くま》目に見えて涼し夏さりにけり　北原　白秋

## ジンジャー

インド原産のショウガ科の宿根草。安政三年以前に渡来、花壇に植えられ切花にされる。高さ1〜2メートルの直立する茎にカンナに似た皮針形の葉を二列に互生。夏から秋に茎頂に花穂をつけ、芳香の高い白色の花が多数咲く。なお、薬味などにするショウガをジンジャーともいう。

蟻などの居らずなりたる庭のうへジンジャーの花またひとつ咲く　佐藤佐太郎

## じんちょうげ〔沈丁花《ぢんちやうげ》〕

中国原産で庭木にされる常緑低木。高さ1.5メートル位で枝を多く分け球状の株になる。葉は倒皮針形で革質。早春、枝先に頭状に群生するつぼみを開き、強い芳香を放つ。花色は外側が紅紫、内側が白。斑入り葉や白色花もある。花の香りを沈香と丁香にたとえてこの名がある。

沈丁花雨しめやかにいたる夜の重き空気のなかににほへり　金子　薫園

沈丁の薄らあかりにたよりなく歯のいたむこそかなしかりけり　北原　白秋

かきむしる悲しみというに遠けれど亡き母の日に匂う沈丁花　武川　忠一

春雪のにほひは花のごとくにて沈丁花《ちんちやうげ》さくところいづこぞ　上田三四二

沈丁の白の蕾に雪降れり沈丁の白みどりなりけり　石本　隆一

冷たくて明るき午前十一時きさらぎの沈丁花には赤きつぶつぶ　木場　順子

## すいか〔西瓜《すいくわ》〕

熱帯アフリカ原産のウリ科のつる性一年草。種子を食用とするため十六〜十七世紀に中国から渡来、現在の果肉用のものは明治初年アメリカから移入。つるは長さ5〜6メートルで羽状に裂けた葉をつけ、全体に白毛がある。夏、葉腋に黄色い単性花をつけ、果実は球形、だ円形で大きく、皮の模様や色もさまざま。普通は鮮紅色の果肉だが黄色もあり、品種150以上。種子は中国料理前菜とする。長塚節の「ゆがまへず」は曲がらないで正しく。「矜《ほこ》らくも」は誇らしい気持ちに。田谷鋭の「ひさげる」は販売する。

砂畑にごろりごろりと転がりて寄りどころなしや末《うら》生《なり》西瓜　窪田空穂

西瓜割れば赤きがうれしゆがまへず二つに割れば矜《ほこ》らくもうれし　長塚　節

砂畑のしき蔓のうへにうすみどり西瓜の蔓の延びのすがしさ　古泉千樫

現身《うつしみ》の歯がたあらはにわが食ひし西瓜を仮寝よりさめて見ぬ　大熊長次郎

現産地ならずと聞きておどろけり総《ふさ》の春野にひさげる西瓜　田谷　鋭

西瓜ぱくりと割るる爆笑この国の男それぞれの真紅の孤独　佐佐木幸綱

どう切っても西瓜は三角にしか切れぬあとどのくらいの家族であろう　永田　和宏

吐き捨てし西瓜の種子《たね》は日盛りに乾きつつあり恥の如しも　久葉　尭

## すいかずら〔忍冬《すひかづら》〕

山野にはえるスイカズラ科のつる性半常緑の木本。つるは右巻きに他物にからみ、若いときは軟毛がある。葉は長だ円形で対生。五、六月葉腋に二個ずつ花をつける。花冠は筒形で先は唇形に分かれ、花色は白、のち黄色に変化する。球形の実は秋に黒熟する。花冠の筒形が蜜を吸う唇に似ているのでこの名がある。忍冬《にんどう》。長塚節の「おどろがさへに」は草木の乱れさえにも。

藪陰《やぶかげ》のおどろがさへにはひまとひ蕗の葉に散る忍冬《にんどう》の花　長塚　節

すひかづら蒸し暑く咲くまれまれに妻をたづさへ行く道のべに　佐藤佐太郎

すひかづら歓喜のごとき金銀の花にあふるる日の光あり　石川不二子

## すいせん〔水仙《すいせん》〕

ヒガンバナ科の多年草。関東以西の海岸にはえるニホンスイセンなどの房咲系は秋に発芽し秋から冬に開花するが、その他は冬から春に芽を出し二〜四月に開花する。花は花茎の先に一個または数個つけ、香りがよく清楚である。園芸品種は豊富でラッパ・大杯・小杯・八重咲き・ジョンキル・房咲き・口紅などがある。

黄いろなる水仙の花あまた咲きそよりと風は咲きすぎにけり　古泉　千樫

胸のうちいちど空《から》にしてあの青き水仙の葉をつめこみてみたし　前川佐美雄

わわけつつ花をたてゐる水仙のたむろにそそぐ今年の雪も　熊谷　武至

月光は受話器をつたひはじめたり越前岬の水仙匂ふ　葛原　妙子

野の花の日本水仙年暮るる今日の机上にわれをはげます　窪田章一郎

水仙のかぎりなき白越前の海の荒きに向きて靡かふ　岡部　文夫

ビル街の歩道のかたへ水仙など植ゑられて土の見ゆる親しさ　礒　幾造

はれやかに喪服のえりをたてて棲む夫人のヴィラの喇叭《らっぱ》水仙　塚本　邦雄

雪ふたたび到れる庭になびき伏し花むらしるく匂ふ水仙　岡野　弘彦

立春の水仙の花たましひに及べる水とひとに告げむか　山中智恵子

爪木崎　越前岬　黒岩郷　刹那のひかり水仙のよぶ　春日真木子

歳の夢なきにあらねど水仙の手桶は暗き土間に片寄す　馬場あき子

水仙を勁き緑の線としてガラス器にただ一本活くる　田井　安曇

雪中に雪水仙の花しづからてな緊めつつ夜に入りゆく　河野　裕子

きさらぎの光の中に水仙の一念まこと静かに立てり　橋本　喜典

日輪のしろささみしさ春空へ金管楽器水仙鳴れり　小島ゆかり

丈低く黄水仙咲く山国の春は地を這ふ単線鉄路　吉村　紀子

## スイートピー

シチリア原産のマメ科の一年生つる草。茎は2メートル位にのび、葉は羽状複葉、小葉は下の一対を残し他は巻きひげとなる。花色が紅、ピンク、白、青紫など、大きな蝶形の芳香のある花を十数輪、花柄の先に開く。その姿形はやさしく、人々に愛されている。

何《なに》かしてふつと涙のうかみくれスウヰトピイをつまむとせしに　竹久　夢二

誰が挿ししスヰートピーか机上に赤しけふのわが眼に常識となり　北見志保子

傘さざず友が持て来しスヰートピー春の小雨の露にぬれつつ　三ケ島葭子

駅前の花屋に群れる今はまだ誰のものでもないスイトピー　俵　万智

## すいれん〔睡蓮《すいれん》〕

スイレン科の多年生水草。園芸品は対寒性と熱帯性に分かれ、前者は根茎、後者は泥中に球茎がある。いずれも長い柄の先に切れ込みのある丸葉を水面に浮かべる。花は七、八月花柄の先に一つつけ、対寒性は水面に浮かべ、熱帯性は水面から花柄を出して咲く。色は白、黄、紫、青、赤、桃など。日本に自生するヒツジグサは対寒性で七〜十月に白い花を開き、葉は褐色の斑がある。ひつじ（未）の刻、午後一時から三時頃花が開くというので未草といわれた。実際は正午ごろ開き、夕方にしぼむ。他にヒメスイレンは水盤に栽培され、淡黄色の小さな花を開く。普通は朝開き午後閉じるが、夜咲きもある。

あくがれの色と見し間も束《つか》の間《ま》の淡々《あはあは》しかり睡蓮の花　土屋　文明

睡蓮の広葉の上の日ざかりに蒼く太りし蕾はたてり　岡山たづ子

我にこの友らのありて来り見つ尾瀬の池塘のひつじ草の花　小市巳世司

睡蓮の一花開くを告げながら母に飲食まゐらせむとす　馬場　園枝

ひつじ草音たてて花閉ざしたり少し考えを変え立ちあがる　岡井　隆

睡蓮の花ひらきたりしまらくのひとりごころの器《うつは》なしつつ　島田　修二

睡蓮は三日涼しく水の面にそのしろたえの花を浮かべつ　石田比呂志

睡蓮の円錐形の蕾浮く池にざぶざぶと鍬洗ふなり　石川不二子

睡蓮の葉はなまけものひつたりと水面に青き己れを

伸べて　奥村　晃作

ひつじぐさぽつぽと咲いてきまぐれに時の束ねし三人家族　永田　和宏

**すおう〔蘇芳《すはう》〕**　東南アジア、インドなどに栽培され、日本には古く中国より渡来したマメ科の低木。葉は二回羽状複葉、枝にとげがあり、黄色の花を開く。材質がかたく上代には弓に使うほか、赤色の染色用にされた。

みんなみに蘇芳の花の咲くときにわが春日ははや闌けにけり　斎藤　史

**すかんぽ〔酸模《すかんぽ》〕**　山野の道ばた、田畑の畦にはえるタデ科の多年草。直立する紅紫色の茎は高さ70センチ位。葉は長だ円形で先がとがる。五、六月に淡緑、緑紫色の小花を円錐状に集めて開く。茎、葉に酸味がある。すかんぼ。酸葉《すいば》。

すかんぽの茎折り取りて老いしわれ噛みに噛むなり涙ぐましく　窪田　空穂

すかんぽの茎かみにつつ草にゐて行く春の日を赤しとおもふ　前田　夕暮

すかんぼの茎の味こそ忘られぬいとけなき日のもののかなしみ　吉井　勇

平らかな曇りの下の明るさや酸葉《すいば》の道は墓地にきはまる　小市巳世司

**すぎ〔杉《すぎ》〕**　スギ科の常緑高木。日本特産で本州から九州の山地に自生、また材木として広く植林されている。材はぬれても腐りにくく、建築材、器具、船材として使用されて来た。幹は直立して高さ45メートル位になる。枝葉が密生、葉は針状で小さく少し曲がり、らせん状に並ぶ。三、四月に開花、球形の実は木質となり、十月に褐色に熟す。屋久島スギ原始林、日光・羽黒山杉並木などは特別天然記念物。鉾杉《ほこすぎ》は鉾の形に伸びた杉、または鉾の長さほどの若木の杉。

見下《みおろ》せば八十溪《やそだに》に生《お》ふる鉾杉の秀並《ほなみ》が列《つら》に雪は降りつつ　若山　牧水

西多摩の山の酒屋の鉾杉は山《み》もと五《いつ》もと青き鉾杉　北原　白秋

薄明のわが意識にてきこえくる青杉を焚く音とおもひき　佐藤佐太郎

山ふかき千年の杉ふと幹のはだへ若きを見つつし罷《まか》

る　山本　友一

青杉のしみたつ山のとがり秀《ほ》の杉のほ見れば涙は湧きぬ　玉城　徹

秋の日の翳りのつつむ一本の老杉のごともすくと立てぬか　島田　修二

よろこびは天よりくだりかなしみは地よりのぼらむ太れ鉾杉　蒔田さくら子

静けさはめぐりよりくるこの街を囲みて高き素黒《すぐろ》青杉　大塚布見子

いくたりの兵を送りし境内の大杉よ父を終戦を語れ　小野興二郎

ちちははと杉植えてのち十年に母は逝きたり父は病みたり　池本　一郎

きさらぎの春の息吹のたかまれば待ちいし杉の枝打ちにゆく　瀬谷よしの

## すぎな〔杉《すぎ》菜《な》〕

トクサ科のシダ。河原、荒れ地、畑などにはえる。春、長い地下茎よりツクシがでたあと、緑色の針金状の茎の節から多数の小枝を輪生、高さ20～40センチに茂って群生する。青杉菜は生えたての若い杉菜。

紫の小花まじれる日あたりの杉菜の原にねころびたりし　岡　麓

青杉菜ひけばけうとき音のして土のなかなる根は切れにけり　前田　夕暮

ぜんまいも杉菜も伸びしけふの日に臥床《ふしど》いで来て庭に下りたり　柴谷武之祐

せせらぎの渕へなだれて杉菜群誰に見せむと春を闌けさす　大滝　貞一

## すぎのはな〔杉《すぎ》の花《はな》〕

三、四月開花する。雄花は枝先に淡黄色だ円形の花序を群生、雌花は同じ株の小枝の先に緑色球形の花序を単生。雄花と雌花が生殖作用を行なうため、雄花の花粉が風により長距離をとび、時に人家にまで及ぶ。最近は花粉情報が気象庁から出るほどアレルギーの被害がひろがっている。

薄霧らふ黒き森より吹き出でし杉の花粉の色を引きゆく　千代　国一

吹きわたる風に乗るとふ杉の花　見えざるものに人は苦しむ　蒔田さくら子

目に見えぬ杉の花粉は山を降りことしの春も妻をい

ぢむる　　小池　光

杉山に枝打ち終えて帰る道野良着に杉の花粉の匂う　　瀬谷よしの

## すずかけのき〔鈴懸《すずかけ》の木《き》〕

欧州南西部よりアジア西部原産のスズカケノキ科の落葉高木。明治年間に渡来、プラタナスと呼び、街路樹や公園樹とされている。高さ20メートル位になり、樹皮はよくはげ、大きな葉は掌状に裂け鋸歯がある。四、五月淡黄緑色の花を頭状につけ、晩秋、一本の果軸に三、四個の実が連なって下垂する。

すずかけがぐんぐん青葉をひろげる、ぢっとしてゐられない　　金子　薫園

思出《おもひで》のかのキスかとも／おどろきぬ／プラタナスの葉の散りて触《ふ》れしを　　石川　啄木

朝がへりさびしき人はすずかけの落葉ひろひてほほゑみて来ぬ　　若山喜志子

篠懸樹《プラタナス》かげを行く女《こ》が眼蓋《まなぶた》に血しほいろさし夏さりにけり　　中村　憲吉

すずかけは裸になつて落ちる葉の一葉もない日も人はつとめに　　西村　陽吉

身をふかれこころ吹かれてゆく街の秋の鈴懸また一葉落つ　　西川喜代水

年金に生くるかそけさ鈴懸の陰踏む道を急ぐともなし　　土屋　正夫

すずかけの並木ふかぶかとかげおとす舗道をゆきてこころはなごむ　　安田　章生

葉がくれに稚く小さき実を吊るし並木鈴懸はやも整ふ　　安永　蕗子

すずかけの木の骨格のあらはにて冬枯の街ゆく人矯《ひく》し　　高野　公彦

プラタナス地にしずかなる影となりおさなきものをひと日遊ばす　　三枝　昂之

べくべからべくべかりべしべきべけれすずかけ並木来る鼓笛隊　　永井　陽子

## すすき〔薄《すすき》・芒《すすき》〕

山野にはえるイネ科の多年草。群生して白波のように風になびくさまは、季節感濃い風物詩である。高さ1〜2メートルになる葉はカヤ（茅）ともいう。夏から秋に茎の頂に黄褐色、紫褐色の長さ20〜30センチの花穂をだし、のち毛ばだって白くなる。秋の七草の一つ。

尾花《をばな》。土屋文明の「まそほ」は赤みを帯びたすすきの穂。

正午《ひる》迫る野の輝きのまんなかに男ざくりと青芒切る　今井　邦子

世の交はり遠くなりゆくはてにして今朝の尾花のまそほに向ふ　土屋　文明

一穂《いっすい》のすすき立つ夜のこころすずし人なる終り簡素にあらな　坪野　哲久

買ひてやる何もなければ蜻蛉《あきつ》飛ぶすすきの原に子を連れてきぬ　太田　青丘

風媒はたのしき秘密、立ち枯れてそよぐ芒の白き旅立ち　河合　恒治

やがて野に消ゆる茜を穂にとめてひとしほ寒くたち添ふ薄　加藤知多雄

なよぶるはなよびて佳しもけふはいとも織きうつはに立ちたる芒　森岡　貞香

幾世ここに年貢は人を苛《さいな》みし芒穂に立つ水牢の趾　小市巳世司

村の子がまつる道べの地蔵盆われも薄《すすき》の花たてまつる　岡野　弘彦

すすき野に立てば顕ちくる俤のいづれもひとに消えてはかなけれ　山中智恵子

天と地のあはひに何もなきところ銀の薄穂揺るるしづけさ　島田　修二

山のなだりただ薄《すすき》のみ陽に燦《き》らひ旅の心も白く染まりぬ　蒔田さくら子

立ち枯れて芒は勁し北山にひと日跳梁の雲とひた対き　西村　尚

青すすき倒して水を飲み終へし四方《よも》さやさやと青芒立つ　小中　英之

わき水を汲まんと来たり峠より花背へつづく芒たてがみ　永田　和宏

飛行士の足形つけてかがやける月へはろばろ尾花をささぐ　香川　ヒサ

すすき原　銀髪をした神たちが秋のひかりを鳴らして笑う　早川　志織

## すずらん〔鈴蘭《すずらん》〕

北海道、本州、九州の高原の草原にはえるユリ科の多年草。長だ円形の長さ15センチ内外の二枚葉が相接して根生。春、長さ15～25センチの花茎をだし、釣鐘形白色の香

り高い花を、上半分に十数個下垂してつける。のち赤い実を結ぶ。欧州産のドイツスズランは切花、鉢植にされ、浅鐘形の白色またはピンク色の花が咲き、八重咲きもある。北原白秋の「みすずかる」は信濃へかける枕詞。

みすずかる信濃の駒は鈴蘭の花さく牧に放たれにけり　北原　白秋

鈴蘭の丹《たん》いろの果《み》は小鳥らも知らず人にも我はしめさず　鹿児島寿蔵

東京の庭に咲けりと鈴蘭の楚々たる花を人が持ちきぬ　宮　柊二

ひと束の鈴蘭活けて香に立つが息《いこ》ふ死のごと眠りに誘ふ　千代　国一

**すだち〔酢橘《すだち》〕** 徳島県特産の小柑橘。樹はミカン類中では小形。初夏、淡紫色のつぼみが白色に開花する。球形の果実は重さ30グラム内外で小さい。濃緑色の皮はうすく、果肉がやわらかく多汁、酸味が強いが香りが高く、土瓶蒸しなどの料理に利用される。

うらぶれて土佐三界に日を経れば酢橘《すだち》の香にも涙さそはる　吉井　勇

**ストケシア** 北米南東部原産のキク科の宿根草。切花や花壇に植えられる。高さ30〜60センチで、茎は分枝し、六〜十月に青紫色の頭花を開く。縁辺の舌状花は中心部より大きく、深く五裂する。色が白・淡紅・淡黄の改良種もある。瑠璃菊《るりぎく》。

立杭の壺にストケシアの花挿して机の上によきかたちあり　醍醐志万子

**すべりひゆ〔滑莧《すべりひゆ》〕** 田畑、道ばた、庭などのいたる所にはえるスベリヒユ科の一年草。全草肉質で紫赤色を帯び、茎は20センチ位の長さ、枝分かれして地面をはう。葉はくさび形。七、八月枝先に黄色の五弁花を開く。

生残りかけ摘みては食べしスベリヒユ土なき路にここだも繁る　草市　潤

**すみれ〔菫《すみれ》〕** スミレ科の多年草。日当たりのよい山野、道ばたなどで見られ、約五〇種が自生する。可憐な野の花として親しまれている。ツボスミレは庭などに春、淡桃白色で唇弁に紫色のすじのある小花を開く。距《きょ》（花の反対側につきでている筒部）は短い。タチツボスミレは四、五月淡紫色の小花を開く。ニオイタチツボスミレは本州から九州に紅紫色の香りのある小花を開く。ノジスミレは三、四月濃紫色の小花を開く。エイザンスミレは本州から九州の山地の樹下に四、五月淡紫白色または淡紅色の花を開く。比叡山にはえるのでこの名がある。普通、スミレの葉は三角状皮針形かハート形だがこれは切れ込みが多く、花も大きいのが特徴的である。この他に四、五月に白い小花を開くシロスミレ、本州、北海道の高山に八月黄色の花を開くタカネスミレなどがある。花壇、鉢植、切花にされるニオイスミレ（西洋スミレ）は十二月から四月まで芳香のある濃紫色の花を開く。

かたはらのすみれをほりて植ゑてやりぬまだあたらしき妹のはか　太田　水穂

距《きょ》の長さ倍《ばい》ほどのつぼすみれ見つけたりそばにその子が一株《ひとかぶ》ありき　土屋　文明

目にとめて何かゆかしといにしへの人のよみける山すみれ咲く　岡野直七郎

白花のすみれ一株咲けりともあわただしき今日のすでに始まる　吉田　正俊

石垣のあひの日向にそこばくの土ありてすみれの返り花咲く　安藤佐貴子

冬土に咲ける野すみれ濃むらさきひとつ思ひのしみつくばかり　前川佐美雄

むらさきに菫《すみれ》の花はひらくなり人を思へば春はあけぼの　宮　柊二

越後なる国上の山し春なれば落葉のなかにすみれぐさ咲く　畑　和子

とぼとぼと歩いてゆけば石垣の穴のすみれが歓喜をあげる　山崎　方代

年ごとによろこび深し庭石のはざまを埋めてすみれ萌えいづ　川合千鶴子

街にしてあやふきまでにむらさきの菫の花を立ちて見てをり　玉城　徹

いつよりか萌えずなりたり人参に似たる葉をもつ叡山すみれ　大西　民子

日向には有明菫つぼすみれ消えもやらねば居る欠け仏　馬場あき子

たえまなく砂崩れをり坪菫とぼしき花をそばだてな

がら　　稲葉　峯子

## すもも〔李《すもも》〕

中国揚子江沿岸原産のバラ科の果樹。古く渡来し、甲州大巴旦杏《はたんきょう》、ビューティ、ソルダム、万左衛門、米桃などの日本スモモが代表的品種。これに対し西洋スモモはプラムという。三月下旬ごろ花柄のある五弁白色の花を開く。果実は桃に似て小さく、熟すと赤色または黄色でやや酸味がある。すももの花を李花《りくわ》という。

家毎にすもも花咲くみちのくの春べをこもり病みてひさしも　　原　阿佐緒

精根《せいこん》もつきはてにしと思ふとき庭の一隅《いちぐう》李花《りくわ》に明れる　　館山　一子

李花が白く咲いてゐたといふ春の日よむかしむかしの春が知りたい　　前川佐美雄

梅雨あけむ光のなかに身ぶるひをしつつ李を嚙《かじ》る幼な子　　木俣　修

いつせいにすももの花の咲きそろいまぼろしと顕《た》つ遠きふるさと　　川口　常孝

夕闇をあからませつつ咲く李逃げる場所などがあるはずはなし　　時田　則雄

—せきちく

## せきしょう〔石菖《せきしやう》〕

本州から九州の渓流、小川の縁にはえるサトイモ科の多年草。葉は二列に互生し、剣状で長さ20〜50センチ。三〜五月花茎を出し、包葉を一枚つけて長さ10センチ位の細長い肉穂花序をつける。

石菖の花咲くことを忘れゐきうすみどりなる石菖の花　　若山　牧水

み吉野の滝の巌より採りて来し石菖を幾年か持ちて養ふ　　土屋　文明

丈ひくき庭石菖《せきしやう》の群れ立ちて風になびくは小林《をばやし》めきて　　大塚布見子

## せきちく〔石竹《せきちく》〕

中国原産のナデシコ科の多年草。花壇、鉢植にして観賞する。茎は束生して直立。高さ15〜40センチ。線形の葉は対生。五〜十月に茎頂に赤、淡紅、白色、しぼりなど変化に富む花を一、二個つける。唐撫子《からなでしこ》。変化の生じやすい花で、徳川時代から観賞価値の高い品種が作られており、常夏《とこなつ》、伊勢撫子《いせなでしこ》などは自生種を石竹と交雑させたもの。常夏は花弁の縁が深く切れ込み、八重咲きもある四季咲きに、伊勢撫子は切れ込みの深い花弁が長く垂れ下がるなど優美な花に改良された。

高草の日になびきたる湖辺行き石竹の花を火かとおどろく　　前田　夕暮

八月や浅間が嶽の山すそのその荒原にとこなつの咲く　　若山　牧水

しばらくは遠足の子らがさへぎりぬ唐撫子の紅き一群　　青井　史

**せつぶんそう〔節分草《せつぶんさう》〕**　関東以西の山側の雑木林などにはえるキンポウゲ科の多年草。葉は地下にある球形の根茎からのびる長い葉柄の先で掌状に裂ける。早春、高さ10センチほどの花茎をだし、上半に柄のない一枚の葉、項に一個の花をつける。花は直径2センチ、がく片が五枚、白色で淡紫色のすじがあり花弁状。節分のころ開花するためこの名がある。

節分草の雄蘂が紫にけぶるとふ「けぶる」一語の心離れず　　初井しづ枝

**ぜにあおい〔銭葵《ぜにあふひ》〕**　欧州、温帯アジア原産のアオイ科の二年草。野生化もしているが花壇、鉢植で観賞される。茎は1メートル前後で直立、根ぎわからよく分枝する。丸い葉は浅く五～七裂する。夏から秋、葉腋に小形の五弁花を数個つけ、下から次々に咲く。花色は淡紫色で紫色の脈がある。紅・白色もある。

ぜに葵はやも咲き立つ総《ふさ》の野のまぎれもあらず夏は来てをり　　大塚布見子

まづしかりし日のまどゐなどおもかげに顕ち来る母の銭葵咲く　　林　丕沙子

**ぜにごけ〔銭苔《ぜにごけ》〕**　ゼニゴケ科のコケ。人家近くの湿土に群生する。扁平な葉状体をなし、緑色または淡緑色。表面にはやや不明瞭な六角形の紋がある。

ある時の苦き心も生存のうながしにして青きぜに苔　　安永　蕗子

**ゼラニューム**　南アフリカ原産のフウロソウ科の一属で、明治中期に渡来、観賞用に改良され品種が多い。高さ30～50センチの茎は木質化し、長柄のある円形、ハート形の葉には鋭い鋸歯があり、馬蹄形の褐色の斑紋がある。晩春から初夏にかけ、花枝の先に五弁花を散状に開く。花色は濃赤、淡紅、白など。

ゼラニューム一花《ひとはな》あかし草の葉の緑みだれて重なる中に　　窪田　空穂

ゼラニウムあか紅《あか》と花の咲く苑に夏期大学の午《ひる》の電《ベ》鈴《ル》鳴る　　木俣　修

おいらん草と同じいろに並び咲くゼラニウムを差別するにあらねど　　花山多佳子

## せり〔芹《せり》〕

湿地や田圃の溝のふちなどにはえるセリ科の多年草。全草に香りがあり、早春の若い株は食用になり、栽培もされている。二回羽状複葉の葉が濃緑色にこわくなる夏、30センチ位の花茎をだし、頂に白い小花を複散状に開く。春の七草の一つとして、香りや独特の苦みが愛されてきた。特に芹摘は浅春の野遊びの風物詩である。

真間の野の芹生《せりふ》の水のゆきよどみゆきさ迷ひてつひにあとなし　　太田　水穂

浅川の根白の田芹《たぜり》洗ひすすぎすがしと思ひ寒さ忘れつ　　岡　麓

おのれを新しく否定しはじめた、この飢ゑごころ、野芹青い　　前田　夕暮

——セロリ

橋の影うつれる河の洲に咲ける芹の小花の白のかなしさ　　木下　利玄

泥つきの薯キャベツなど並びたる市場の隅に野芹もおけり　　中山　礼治

生きの緒の白根束ねて芹を摘む生死もゆらに水流のなか　　安永　蕗子

枯れ萱のなかにほのかに水湧きて春の愁いのごとき芹萌ゆ　　馬場あき子

白き根の浮きつ沈みつ流れくる洗いこぼしの芹のひとひら　　玉井　清弘

夕食にわれの食ひしは母が手を汚してつみて来し冬の芹　　外塚　喬

少年を訪ひ来し少女髪長く野芹の香つんと放てり　　秋山佐和子

## セロリ

欧州原産のセリ科の一、二年生野菜。特有の強い香りと歯ざわりのよい茎は直立して分枝し、高さ60～90センチ、縦の稜すじがある。葉は羽状複葉。十六世紀末薬用として朝鮮を経て渡来し、昭和になってから食用として畑で栽培されるようになった。セルリ、オランダミツバともいう。

生《なま》のままセロリきざみて粕《かす》にあへかをり高しと粥すすりつつ　岡　麓

健やかにいのちある日やセロリーを噛みてをりたり薫しるきを　久方寿満子

セロリーの肉太き茎の匂ふ朝冬の眼のごとき少年に逢ふ　浅田　雅一

セロリ噛む舌上にさへ科《とが》ありてゆふべおのれに耐へがたきかな　雨宮　雅子

サキサキとセロリ噛みいてあどけなき汝《なれ》を愛する理由はいらず　佐佐木幸綱

自転車のカゴからわんとはみ出してなにか嬉しいセロリの葉っぱ　俵　万智

## せんきゅう〔川芎《せんきゅう》〕

中国原産のセリ科の多年草。根茎を鎮静・沈痛剤とするため古く渡来、北海道や奈良県などで栽培されている。茎は円柱形で直立、高さ30～60センチ。葉は二回羽状複葉。秋、枝先に散状に白色の小花を開く。

川芎の葉を揉《も》めば発《た》つ葉の香この香は知れり母のにほひなり　植松　寿樹

## せんにんそう〔仙人草《せんにんさう》〕

林の端や川岸の荒れ地などに多く見られるキンポウゲ科のつる性多年草。葉柄がまがりくねって他物にからむ。夏、葉腋から円錐花序を出し、白花を多数上向きにつける。

アーチに絡むセンニンソウ白じらと花けぶり若き二人の肩並べゆく　新津　澄子

## ぜんまい〔薇《ぜんまい》〕

山地の谷ぞいに多く、大群落をなすゼンマイ科のシダ。地下茎は大株になり、葉は集まって出、高さ0.5～1メートルにのび、冬に枯れる。早春、ふつうの葉が出る前に胞子葉が出、若葉は渦巻状になる。これを干して食用とする。

むらさきの綿かづきたる薇の芽に春の日は光をなげつ　岡　麓

薇はわたを被りて萌えにけりぜんまいをみればこころうれしも　結城哀草果

ぜんまいの全《また》く開きて木群《こむら》なすこの寂しさを見下《みお》ろしにけり　宮　柊二

あさなあさな廻って行くとぜんまいは五月の空をお

し上げている　　　山崎　方代

## せんりょう〔千両《せんりやう》〕

暖地の山林に自生、正月の生花として栽培されるセンリョウ科の常緑低木。茎は少し枝分かれし、高さ70センチ位。長だ円形の緑葉を対生。夏、黄緑色の花が枝先に短い穂状につき、のち肉質の小球形の実を結び、冬に赤色、まれに黄色に熟す。

乱れふる雪に千両の朱《あけ》の実がおぼろとなりてゆくまでを見つ　　　吉田　正俊

千両はそれらしからぬ花ながら冬の実のいろ目によみがへる　　　小林　周義

千両の新芽立つ葉はちかぢかとブロック塀に触るとすらしも　　　醍醐志万子

## そば〔蕎麦《そば》〕

中央アジア原産のタデ科の一年草。古く渡来。やせ地でもよく育ち、ソバ粉を作るため栽培され、春まきの夏そばと夏まきの秋そばがある。米、麦とならぶ日本人の大切な食糧。高さ0.6～1メートルの中空の茎は分枝し、その先に白、淡紅色の花をつける。のち三角形の黒い実を結び、多量のデンプンが含まれ、高血圧症に効くルチンを含む。ソバ殻は枕の詰物とされる。島木赤彦の「風のむたに」は風と共に。

さや〳〵し蕎麦の花畑風のむたに動くを見れば我《あ》もゆるゝがに　　　島木　赤彦

山の上に二升ばかりの蕎麦みのり野分《のわき》の中を妻のいで行く　　　土屋　文明

小さき岩大きなる岩そのままに耕して蕎麦の花は貧しく　　　山下　陸奥

かげもなく焼けし都の壕あとに蕎麦がま白し秋日ひそかに　　　中河　幹子

若狭なる多田庄村のここにして蕎麦はしろじろと花をつけたり　　　岡部　文夫

松虫草うすゆき草と数へきてしづかに白しソバの畑は　　　中野　菊夫

日かげ畑まばらに白き蕎麦の花と朱《あけ》細き茎と霧に吹かるる　　　武川　忠一

白き布をのべたるごとき蕎麦の花ふるふると動く近くに見れば　　　大西　民子

新蕎麦の香りよろしみ秋の店に昼酒を酌む目のうるむまで　　　佐佐木幸綱

## そよご

モチノキ科の常緑小高木。本州中部から九州の山地にはえ、庭に植えられる。高さ2～3メートルで枝は灰色、葉は卵状だ円形でやや光沢がある。風で葉がザワザワ音をたて戦《そよ》ぐためこの名がある。六、七月白色の小花を開き、実は長い柄のある球形で十、十一月に赤く熟す。フクラシバ。

鶫《つぐみ》来てそよごの雪を散らしけり心に触るるものの静けさ　島木　赤彦

## そらまめ〔空豆《そらまめ》・蚕豆《そらまめ》〕

西アジア原産といわれるマメ科の一、二年生野菜。季節感のある食べものとして喜ばれて来た。高さ40～80センチの茎は直立、葉は羽状複葉で互生。春、葉腋に白または淡紫色の大形で紫黒色の斑のある蝶形花をつける。さやは円筒形緑色で三～五個の種子を包み、熟すと黒変する。種子は扁平で大きく緑色、熟すと褐色になる。さやが空に向かって立つのでこの名があるという。

ゆくりなく拗《ち》切りてみつる蚕豆《そらまめ》の青臭くして懐しきかも　長塚　節

蚕豆を皿に弾《は》じきて新しき季節を喰《く》らふこの簡素はも　吉植　庄亮

つぎつぎに莢を払ひてそら豆のふつくらとした大粒小粒　長沢　美津

莢くろきそらまめの実のいくばくに執しをりつつ春また過ぎむ　鈴木　英夫

そら豆の花雨にぬれゆく道を来てしきりに恋ひし若き日の母　岡野　弘彦

蠶豆《そらまめ》のぶあつきさやを人質のごときみどりと夜半にし膽《まも》る　玉城　徹

なにゆゑとなき悲しみの兆しつつあを柔らかきそら豆洗ふ　黒田　淑子

## だいこん〔大根《だいこん》〕

中央アジア原産といわれるアブラナ科の一、二年生野菜。中国を経て古く渡来、多汁多肉の根を食用とする。根は大きく白色が多いが紅、紫などもある。葉は根ぎわに群生し、倒皮針形で羽状に裂け、ごわごわした毛がはえる。春1メートルほどの茎を出し、白、淡紫色の四弁花を総状に開く。代表的品種は練馬、守口、宮重、四月、春福、桜島、みの早生《わせ》、聖護院、四十日、白上りなど。たくあん、味噌漬など保存食にも用いられ、秋冬の代表的野菜。だいこ。古名大根《おほね》。すずしろ（正月の七草に用いるときの名称）。

直直《すくすく》と美濃早生大根《みのわせだいこ》土をあげてそだちよければ引く日近づく　岡　麓

夕されば大根の葉にふる時雨《しぐれ》いたく寂しく降りにけるかも　斎藤　茂吉

はだら雪かきてわが掘る赤大根土のなかにてわか葉あたらし　前田　夕暮

宗次郎に／おかねが泣きて口説き居り／大根の花白きゆふぐれ　石川　啄木

中国種の短き大根埋《い》けけるが春紫の小花やさしき　窪田章一郎

つかの間の祈りにも似てそこはかとすずしろの芽がほぐれてゆく　山崎　方代

聖護院大根の首うす青く男の右手その首つかむ　岡部桂一郎

夜があけて日はまたのぼり大根は白い首根をせりあげてゆく　加藤　克巳

二日分と言ひて大根二寸ほどの配給受けし代もありしもの　安立スハル



眉刀自女《まゆとじめ》師走の厨の眉刀自女わが切る白き大根《おほね》のひかり　馬場あき子

すっぱりと葉を切りすてし大根の首のあたりの薄きみどりよ　水野　昌雄

青首大根のみづつぽき首を掻き落す生きるといふはただごとならず　角宮　悦子

吹き過ぎる赤城颪《おろし》を抜かれねば首に受けおり野良の大根　田中　佳宏

だいこんの花のなだりを見あげつつわが喜びの極まらむとす　大島　史洋

## たいさんぼく〔泰山木《たいさんぼく》〕

北米原産のモクレン科の常緑高木。明治初年に渡来し、公園、庭に植えられる。葉や花が大きいので大盞木、大山木、泰山木という。五、六月枝先に強い香気のある白色六弁の大きな花を開く。花の直径15〜20センチ。葉は長だ円形革質で長さ20センチ内外。幹の高さ20メートル位。岡山巌の「らうたけき」は上品な。河村崎陽子の「盌」は水を盛る器。

おほいなる蕾をひらく泰山木の花はこもらふ香を吐きにけり　今井　邦子

何かたじろぐ思ひに見たり泰山木の蕾尨大にしてうたけき白　岡山　巌

やうやくに一つの道を選びたり泰山木の白妙まぶし　熊谷優利枝

泰山木の喬き梢にて輝くは天の盌《もひ》かも　水かあふれむ　河村崎陽子

つややかに陽を打ち返す今年葉に守《も》られ泰山木の初花　石本　隆一

さながらに巨人の寂しさいつの間に散りたる庭の泰山木は　今野　寿美

制服の少女ら爪先立ちで去り泰山木がさらりと匂う　岸本　由紀

## だいだい〔橙《だいだい》〕

インドシナからヒマラヤ地方原産のミカン科の常緑小高木になる柑橘。果実はだいだい黄色の球形250グラム内外。冬に熟したものを正月の飾り物とし、果汁を橙酢として料理に用いる。果皮はやや厚く苦味がわずかにあるためママレードにされる。果実を採取しないでそのままおくと翌年ふたたび緑色になるため代々《だいだい》の意を表わすという。高さ3メートルほどの木は枝葉が密にしげり、枝にとげがある。五月に芳香がある白色五弁花を開く。小池光の「たまゆら」はかすかに。

山かげの橙の実よ黄の色の明るくなれりあたる夕日に　宇都野　研

わが窓の一つ橙雨の日はしほたれ晴には夕日に燿く　土屋　文明

ただ一つ下れる去年の橙あり木の実は孤独といふこともなく　土屋　文明

煮えそむる鍋たのもしく待つ皿へ橙《だいだい》の香の高きを搾る　植松　寿樹

顔洗ふ我の手許に色はじく霜つく朝の葉ごめの橙《だいだい》　太田　青丘

よるの庭繁みなる木はだいだいか実の一《ひと》つ、二《ふた》つ息のたまゆら　小池　光

## たけ〔竹《たけ》〕

イネ科の木質多年生の茎をもつ竹類。普通に見られるのは孟宗竹《もうそうちく》、真竹《まだけ》、淡竹《はちく》(呉竹《くれたけ》)、黒竹《くろちく》など。観賞用に庭に植えられるが、たけのこの栽培や建材用に竹林（篁《たかむら》）で群生する。その年に生えたものを若竹、ことし竹、新竹といい、特に細くてしなやかな竹は弱竹《なよたけ》と呼ぶ。茎肌が濃緑色で

光沢のある美しいものを琅玕という。七夕の飾りにする小形のものは小竹《ささ》と一般にいう。初夏新葉が生えると古い葉は落ち、秋にはまた青々と枝葉を茂らせ、若竹も成長する。馬場あき子の「一客一亭《いっきゃくいってい》」はただ一人を客として催す茶事。亭主は客に懐石料理を給仕し茶の点前をしながら相伴するので、主客ともに茶事の巧者である。高嶋健一の「半夏生」は夏至から十一日目で今の七月二日ごろ。この日には毒気が降るといい野菜を一切食べず、また竹節虫が生じる時といい竹の子を食べない風習が残る。佐佐木幸綱の「むらぎもの」は心にかける枕詞。

伸び伸びて伸び極まるや浅緑新枝《にひえ》を拡げ揺らげり若竹　　都筑　省吾

篁のうちに音なく動く葉のありて風道の見ゆるしづけさ　　佐藤佐太郎

深々と雪とざす庭に直ぐ立ちに竹いち早く積雪おとす　　山本　友一

あたらしく冬きたりけり鞭のごと幹ひびき合ひ竹群《たかむら》はあり　　宮　柊二

息づまる竹の直立おのおのに妥協を離《か》れし単純さもつ　　大神善次郎

竹林《ちくりん》のしづけさを来て径はまた竹林に入る線路を越えて　　葛原　繁

篁の奥のくらがり青々と直ぐなる意志の幹立ち並ぶ　　武川　忠一

年々に聴きなれし竹の落ち葉なれ雨かと醒めし妹が問ふ　　大西　民子

竹の葉むら上下《じやうげ》にゆるく動く見つつ幻にピアノ打ちて鳴る音　　国見　純生

山峡の里の竹群ほそき葉の搏ちうたれつつ風に光れる　　春日真木子

若竹の秀はみづみづと伸びたてりぬきいづることかくも自然に　　市橋千加子

竹とわれと一客一亭しぐれおり世にふるは激しきこころならずや　　馬場あき子

半夏生《はんげしやう》またぬぐり来て琅玕《らうかん》のうへはてしなく澄むあけのそら　　高嶋　健一

春香《しゆんこう》をふふめる風を孕むゆえ琅玕《らうかん》は鳴る竹の林に　　石田比呂志

竹に降る雨むらぎもの心冴えてながく勇気を思いい

しなり　佐佐木幸綱

雨あつめせつなきまでに撓《たわ》みゆく竹群の背の弓となるまで　前川佐重郎

人ひとり恋ふるかなしみならずとも夜ごとかそかにそよぐなよたけ　永井　陽子

## たけにぐさ〔竹似草《たけにぐさ》・竹煮草《たけにぐさ》〕

本州から九州の山野の荒れ地や裸地によくはえるケシ科の大形多年草。高さ1～2メートルで全体に粉白色を帯び、傷つけると黄汁を出す。有毒だが煮て害虫にさされたときに塗ると効果がある。茎は太く直立して中空。葉は長さ30～40センチ。夏、枝先に円錐花序を出し、多数の小さな白花を密集してつける。盛夏に強い。葛原妙子の歌は昭和20年に作られたもので「異変」は竹似草の異様な茂りと敗戦という事件をさす。

竹似草しらしら白き陽を翻《かへ》す異変といふはかくしづけきか　葛原　妙子

竹煮草しらじらとして靡《なび》く道試歩する妻と踏切を越ゆ　五味　保義

竹煮草のびし穂立もいつしかに樺色だちて花すぎんとす　佐藤佐太郎

竹煮草影そよぎあふ側《わき》をすぎ暑しとおもふ製材の音　宮　柊二

あらくさの中にぬきいでて花白きたけにぐさまたあらくさのうち　林　安一

## たけのこ〔筍《たけのこ》・竹《たけ》の子《こ》〕

タケ類の地下茎に生ずる若芽。一般に食用とするのは孟宗竹、他に真竹、淡竹があり、中部・東北地方の篠竹《すずたけ》がある。三月中旬から五月までが最盛期で、先端が地上に出たころ掘り出し、時をおかずに食べると香りがあり、柔らかく美味。吸物、煮物、あえもの、たけのこ飯などにする。京都附近は太くて柔らかい筍の名産地。古名たかんな。

はしきやし今日の筍《たけのこ》手に持ちてその香《か》さへよしわれ一人《ひとり》居り　斎藤　茂吉

春過ぎて夏来にけらし筍のみづみづし根の紫の疣《いぼ》　北原　白秋

縁の下に筍見ゆれ竹の根はこのあたりまで根を張りつらむ　杉浦　翠子

たけのこの皮剝《は》ぐ音のひとしきりくりやにありてな

がきたそがれ　木俣　修

円空仏ほどの筍《たかんな》掘りて来て尻しろきまま転《まろ》ばせてあり　大滝　貞一

## たちあおい〔立葵《たちあふひ》〕

中国原産のアオイ科の多年草で普通二年草として切花、花壇用に栽培される。茎の高さ2メートル位で直立し、全株に毛を密生。丸い葉は長柄があり、浅く五〜七裂、互生する。六〜八月、葉腋ごとに大輪の花をつけ、下方から次々に開く。花色は白、黄、桃、赤、紫など、八重咲きもある。

立葵登りつめたる花鋭しこの世の夏にふかめゆく紅《べに》　久方寿満子

赤紙の届きし杳《くら》き日の記憶われに呼びつつ立葵咲く　島本　正斎

丘の上の天主堂の庭の昼たけて咲き昇りゆく立葵のはな　川合千鶴子

ふるさとの山のふもとの畑なかの立葵にはいつも日が差す　大西　民子

口つぐむわれに見よとぞ咲きのぼるいただきに咲く立葵のはな　玉井　清弘

—たで

垂直の茎のめぐりを立葵咲きのぼりたる日々さゐさゐと　御供　平佶

水無月の二日二夜の雨ののちかーんと真赤き立葵咲く　今野　寿美

## たちばな〔橘《たちばな》〕

日本原産の小柑橘。樹高3メートル内外で枝は密生し、とげがある。葉は小形。初夏、枝先に白い五弁花を開く。果実は小さな扁球形で6グラム内外。十一月下旬から十二月に黄熟するが果肉は苦く酸味が強いので生食できない。日本橘。「花橘」は橘の花をほめていう語。

病みて臥す窓の橘花咲きて散りて実になりて猶病みて臥す　正岡　子規

橘《たちばな》花のかをりの深きおぼろ夜はひとりなやみて物をこそ思へ　中村　憲吉

忘れゐし香なりと思ひ寄りゆけば花橘《たちばな》の咲きゐたるなり　大塚布見子

## たで〔蓼《たで》〕

路傍や水辺にはえるタデ科の一年草の柳蓼（真蓼、本蓼ともいう）をさす。高さ40〜80センチ。夏から秋に細長い花穂を出し、まばらに赤みを帯びた小花をつける。全草に特有の香りと辛みがある。葉が柳に似ているのでこの名がある。この変種青蓼（藍蓼）は葉を細かく切るか、すりつぶして酢とあえ、アユ料理のタデ酢とし、また、いって汁の実などとする。紅蓼の芽は刺身のつまに用いる。いずれも畑で栽培される。

たでの花ゆふべの風にゆられをり人の憂《うれひ》は人のものなる　佐佐木信綱

わが歩む小野《をぬ》のうへにて蓼の花咲くべくなりぬ夏をはりけり　斎藤　茂吉

白々と蓼のしげりに風ふけば秋はまぢかき戦場が原　四賀　光子

道のべの残暑のひかりくれなゐの蓼は同じ穂の咲き替るらし　佐藤佐太郎

野分だつ雨をともなふ風となりてはやくつがへる蓼の花むら　遠山　繁夫

## たにうつぎ〔谷空木《たにうつぎ》〕

海岸付近の山地の斜面に多く、庭にも植えられるスイカズラ科の落葉低木。広だ円形の先端がとがる葉は対生。五、六月新しい枝の葉腋に、はじめ白色で次第に紅紫色に変化する花を多数開く。花冠は鐘状漏斗形で先が五裂、筒部は急に細まる。

夕光の葉むらのはしをもれ出づるほのくれなゐのたにうつぎの花　玉城　徹

夏山にならんとぞするこの谷のうつぎの花に道のほこりあり　板宮　清治

## たぶのき〔椨木《たぶのき》〕

本州から九州の暖かい沿海地にはえるクスノキ科の常緑高木。幹は太さ1メートル高さは13メートルになり、枝の先に葉が集まり、こんもりした丸みのある樹冠をもち、多数集まって森林となる。四、五月に新葉とともに小枝の先に黄緑色六弁の小花を多数、円錐形につける。実は平たい球形で六、七月に黒紫色に熟す。犬楠《いぬぐす》ともいう。八丈島では樹皮を黄八丈の染料にする。

椨《たぶ》いくつ太《ふと》ぶととしてここにあり生家の跡のしづかなりけり　岡部　文夫

たぶの樹の茂る塀沿いに雪深く残る鎌倉をひと日歩みぬ　金井　秋彦

春落葉しじなりしのち改まる青葉に花序の匂ふ犬楠　北沢　郁子

犬楠の花に眼をよせみつめたり早くも黒き実の入り

てゐる　北沢　郁子

街の音絶ゆることなし蟬鳴きてたぶの木むらはここに古りたつ　石川　恭子

百年の瘤去年《こぞ》の瘤たぶの木はひとかたまりの一樹となりぬ　三枝　昂之

**たまねぎ〔玉葱《たまねぎ》〕**　ユリ科の二年生野菜。西アジア原産といわれ、明治の初め欧米から渡来。肥大した扁球形の鱗茎は刺激臭がある。肉・煮込料理の味をよくし、一年中使用する主要な野菜。オニオン。石川不二子の「さもあらばあれ」はどうなろうともよい。

玉葱をまた芽吹かせし七曜を一軀守勢の日日といふべく　雨宮　雅子

玉葱の苗を植うべき日和なり書かむ手紙はさもあらばあれ　石川不二子

かたくなに吊されている玉葱ら月夜するどくかがやきをもつ　玉井　清弘

荷車に春のたまねぎ弾みつつ　アメリカを見たいって感じの目だね　加藤　治郎

**たまりくす**　ギョリュウ科の落葉小高木。中国原産で江戸中期渡来、観賞用に庭や鉢に植えられ、切花にもされる。小枝は糸のように細く、緑葉は小さい針形で先がとがり、枝をおおって重なり合う。花は二回咲き、淡紅色五弁の小花を多数、総状に密につける。春は実を結ばないが、初秋は新枝に実を結ぶ。御柳《ぎょりゅう》。

朝かげに房たれてにほう淡紅のタマリクスの花いまのうつつに　宮地　伸一

**たらのき〔楤《たら》の木《き》〕**　山野にはえるウコギ科の落葉低木。幹は直立し、高さ4メートル位。春、茎頂にかたまって出る若芽をたらの芽と呼び、天ぷら、あえものなどにして食べると独特の風味がある。山菜の王として珍重されて、現在は耕作されている。茎や若葉には大小の鋭い刺がある。葉は互生し、枝先に集まって傘のように広がる。八、九月茎頂に大形の円錐花序をつけて白色五弁の小花を多数開く。実は小球形で十、十一月黒熟する。

春ごとにたらの木の芽をおくりくる結城のたかし吾は忘れず　正岡　子規

春蘭けし山峡の湯にしづ籠り楤《たら》の芽食《を》しつつひとを思はず　斎藤　茂吉

木曽川の岸に生ひたる楤《たら》の木の刺《とげ》あらあらし繋りたりけり　尾山篤二郎

房々と萌《も》えたるたらの一つ芽を思ひきはめて折りとりにけり　土屋　文明

わづかなる土のよろこび枝たわめ年の一度のたらの芽をもぐ　小市巳世司

春浅き山よりきたり楤《たら》の芽をくれてゆきたる人を忘れず　岡野　弘彦

奥多摩の山に採《つ》みけむたらの芽をわれは食ひけり三夜さつづけて　玉城　徹

すでにして土地の訛にものを言ふ子と山径に楤《たら》の芽を採る　柏崎　驍二

たら山のたらの木林のたらの芽がみなこつち向きどんつくどんつく　河野　裕子

## たらよう〔多羅葉《たらえふ》〕

モチノキ科の常緑高木。暖かい山地にはえ、寺や庭にも植えられる。高さ10メートルほど。葉は厚く大形の長だ円形、縁に鋸歯がある。五月ごろ黄緑色四弁の花を葉腋に多数密生して開く。実は球形で秋に赤熟。古く経文をこの葉に書いたといわれる。

多羅葉《たらえふ》の葉を採りて文字刻みたり黒くにじむは楔形《せつけい》のごと　扇畑　忠雄

## ダリア

メキシコ原産のキク科の多年草。十八世紀末欧州にわたり改良され、さまざまの花型の多数の品種ができた。日本へは一八四二年オランダ船により渡来し、テンジクボタンと呼んだ。普通、夏から秋に茎頂に赤、紫、白、黄などの色の変化の多い頭花を開く。花の大きさは巨大輪で25センチ、小輪で6センチ。葉は対生、一～三回の奇数羽状に深く裂ける。花言葉は白花が「親切を感謝」黄花が「喜びに満ちる」という。切花や花壇用に春に球根を植える。

君と見て一期《いちご》の別れする時もダリヤは紅《あか》しダリヤは紅《あか》し　北原　白秋

憤りじつと堪《こら》へてまたたけばくれなゐだりあぎざぎざに見ゆ　岡本かの子

おもかげに顕《た》ちくる君ら哨煙の中に死にけり夜のダリア黒し　宮　柊二

ダリヤの葉いちめんに黒くこげただれむごたらしき

がわれを取りまく　加藤　克巳

大輪ダリア黄酒《ホワンチュウ》よりこく咲きて湖《みづうみ》の匂ひわれを過ぎゆく　太田　絢子

冬のダリアの吐血の真紅　おほきみの辺《へ》にこそ死なざらめ死なざらめ　塚本　邦雄

鮮紅のダリアのあたり君がゆかずとも戦争ははじまつてゐる　塚本　邦雄

抱へゆく農婦のダリア一、二本こぼれ岬に地蔵盆来る　馬場あき子

自らの花の重みに折れしダリア身ひとつに壕出でしかの夏　志野　暁子

故しれぬ焦らだちに身もあつき夜を白きダリアを剪るべくたてり　蒔田さくら子

ダリア畑に遊びし日あり露ふくむ青くさき花夏くれば想う　大塚　善子

## たんぽぽ〔蒲公英《たんぽぽ》〕

キク科の多年草で日本に自生するのは約二十種。関東、中部地方南部には関東タンポポが、近畿以西には関西タンポポが、春に黄色の花を開く。また関東地方以西、特に四国と九州に春、白色の花を開く白花タンポポが見られる。西洋タンポポは欧州原産の帰化植物で春から夏にかけ黄花を開きつづける。日本タンポポとの区別は花序の基部にある総包の外皮がそり返っていることでわかる。道ばたでロゼット状の羽状に裂けた葉間より頭を上げて咲く姿には親しみがあり、花後に、褐色の実を白色の冠毛がつつんだ傘状の穂を口で吹く遊びも楽しい。すみれとともに春の野山の代表的な野草。

春の日の夕かげりてもあかるきに早くもつぼむ蒲公英の花　岡　麓

多摩川の砂にたんぽぽ咲くころはわれにもおもふひとのあれかし　若山　牧水

蒲公英の黄花かがやく窓のそと授業しつつ吾が眼ふとしとまりぬ　植松　寿樹

幸福は瞬間でよし蒲公英《たんぽぽ》の冠毛《くわんもう》が五月の庭を飛びゆく　結城哀草果

何もせぬ一日は楽しゆくりなく軒下に咲ける白花たんぽぽ　吉田　正俊

雄花雌花の区別も知らにたんぽぽの絮まふ空よふりかへさせて　太田　絢子

岐《わか》れ路《ぢ》に墓石ならび蒲公英《たんぽぽ》の咲くあはれさも旅なれ

ば見つ　礒　幾造

分教場跡の芝生に咲きてゐる日本種蒲公英《たんぽぽ》花のすがしさ　由谷　一郎

道の辺に踏まれても踏まれても花かかぐる蒲公英も夜は星と語らむ　築地　正子

草むらの底にみひらくこの春のたんぽぽの花も妹は見ず　大西　民子

心あるごとく我にまつはりしたんぽぽの絮は線路こえゆく　逸見喜久雄

ふうっと白き絮毛を飛ばしたり父の墓石のそばのタンポポ　山形　裕子

たんぽぽのぽぽのあたりをそつと撫で入り日は小さきひかりを収《しま》ふ　河野　裕子

海のぞみ高みに無住の寺ありて咲き誇りたる西洋たんぽぽ　安田　純生

タンポポのひとはなごとに宿りゐる父のたましひ母のたましひ　永井　陽子

たんぽぽの穂が守りゐる空間の張りつめたるを吹き崩しけり　栗木　京子

我々に聞こえざるゆえタンポポにタンポポ語なしと決めし我々　田中　章義

## ちがや〔茅萱《ちがや》・茅《ちがや》〕

原野や山地、堤防に群生するイネ科の多年草。長い地下茎から束生する茎は高さ30〜70センチ、節に白毛がある。早春、葉に先立ち円錐形の花穂を生じ、銀白色の軟毛に包まれる。若い花穂を茅花《つばな》といい、甘味があって食べられる。葉は四、五月頃生じ、幅1センチ長さ30〜60センチで細長く立つ。茎、葉で屋根を葺く、茅葺屋根。尾崎左永子の「青茅原《あをちはら》」は茅のたくさん生えている夏の原。

大空に燃ゆる火の山仰ぎつゝ茅萱《ちがや》わけゆく阿蘇の裾原　佐佐木信綱

雪原に茅萱の枯れのわびしさをこの暁にひとり来てみつ　岩波香代子

ふたまたに水分かれして流れゆく茅《ちがや》ましろき川土手に来つ　須藤　若江

青茅原光乱して押しわたる風のかたちが一瞬みゆる　尾崎左永子

## ちごゆり〔稚児百合《ちごゆり》〕

丘陵などの林中にはえるユリ科の多年草。茎の高さ15～40センチ。平行脈のある狭長だ円形の葉を数個互生。春、茎頂に白色で淡緑色を帯びた花が下向きに一、二個咲き、六枚の花被片は先がとがる。球形の液果は黒熟する。花が可憐で小形なのでこの名がある。

ちご百合の花も愛でしや西行《さいぎょう》の捨て身のこころ分りはじめつ　川口美根子

こまごまと森の下生え見つつゆくちごゆりの硬《こは》くなりたる葉など　石川不二子

**ちしゃ〔萵苣《ちしゃ》〕** 欧州原産のキク科の一、二年草。明治時代に渡来し、多くの変種があるがヘッディングレタス（タマチシャ）が一般的な野菜として畑で栽培されている。大形の球・だ円形の葉は地ぎわから束生し、生長すると結球し、葉表は平滑でやわらかい。サラダとして生食する。萵苣《ちさ》。レタス。サラダ菜ともいう。夏に枝がこまかく分かれ、各先端に淡黄色の頭状花を円錐花序につける。

この日頃にはかに薹《たう》の立ちそめて萵苣《ちさ》の葉をつむ日に照らされて　佐藤　志満

ゆらゆらにレタスの鉢植をかかへたり夜来むとして雨来むとして　森岡　貞香

地下食品売り場の光を掬いつつ萵苣《ちしゃ》を男のてのひらに載す　梅内美華子

**ちどめぐさ〔血止草《ちどめぐさ》〕** 本州から九州の日陰の庭や路傍などにはえるセリ科の多年草。茎は糸状で地上をはい、節からひげ根を出してはびこる。葉はまだらに互生し、長柄のある丸形で約1センチ、縁は浅く裂け、上面は光沢がある。夏から秋に葉腋から花柄を出し、十個内外の白色花をつける。冬には暖地では常緑だが寒地では殆ど枯れる。葉を傷口にはり、血止めに用いたので、この名がある。

血止草のいつしか占めて芝を掩ふふかく寂かなる侵略の果　成富美津子

夕かげのただよふ土手に血止め草つやつやありてふるさと遠し　林　安一

**ちゃ〔茶《ちゃ》〕** 葉を飲料とするツバキ科の常緑低木。茶は漢代の中国ですでに飲用され、日本には奈良時代に伝来し、鎌倉時代以後各地に広まったといわれる。静岡、京都の宇治、埼玉の狭山などが名産地で、一般に温暖多雨の気候を好む。高さ1メートル前後、木質は固く樹皮はなめらか。葉は濃緑色のチューリップ—

長だ円形で厚い。初秋から冬に白色五弁花が下向きに咲く。実は扁球形で暗褐色の種子が入っている。葉は五月頃から三回摘まれる。ウーロン茶、紅茶、日本茶の原料。

霜どけに真昼の道はぬかりつつ茶の花白く咲きて匂へり　三ケ島葭子

わが母の今日は出で立ち茶を摘むにわれもわが児も出でて摘みつつ　古泉　千樫

茶の花の実となる季《とき》の残り花うつむく白きこの残り花　武川　忠一

ひとつ咲きふたつ咲き継ぐ茶の花に母の悲願を読む母の死後　築地　正子

生き急ぐほどの世ならじ茶の花のおくれ咲きなる白きほろほろ　馬場あき子

作業終へて抱へ帰りゆく籠のうちなまの茶の葉の匂ひがあまし　石川不二子

茶の花のほのかな気配　遠く在りし人は死ののちくきやかに顕つ　永田　和宏

茶の実鳴るイロニーなどもおもほえてツァラトゥストラをうたはず過ぎき　牛山ゆう子

## チューリップ

四月から五月ごろまで花壇で咲きつづけ、鉢植、切花にもされるユリ科の球根植物。原産地は明らかでないが中央アジアから地中海沿岸に野生していたものをトルコで栽培、十六世紀に欧州に渡り、オランダを中心に品種改良が盛んに行われた。チューリップはペルシャ語でターバンを意味し、花の形が似ているからだという。一重・八重咲き、花茎高性、矮《わい》性、早生・晩生、花弁が裂けたり襞のできる変種などがある。広皮針形の葉間から伸ばした茎頂に白、黄、赤、紫など鮮明な色彩の花を昼間開き、夕方には閉じる。春を象徴する可愛い花で、洋花の代表的な花。

でたらめの音譜の如く並びゐてチューリップの首やさしく揺るる　福田　栄一

いのちの火守れる如くチューリップ花ひらきつつまた夕べ閉づ　福田　栄一

明快な赤白黄《きい》とチューリップお伽噺のように咲くなり　岡部桂一郎

乱れつつ咲き残りゐしチューリップにとどめのごとき雨降りしきる　川合千鶴子

チューリップの茎すうーつと伸び十三本花の原型の青きふくらみ　馬場あき子

チューリップの花咲くような明るさであなた私を拉致せよ二月　俵　万智

桃色のチューリップ買いて三月はかなしき恋にもぶつからず過ぐ　梅内美華子

チューリップの花も好きですが本当はあの青く強い茎がいいのです　上田　茜

## ちょうじ〔丁字《ちやうじ》・丁子《ちやうじ》〕

モルッカ諸島原産のフトモモ科の常緑高木。乾燥した蕾は古くから有名な香料で、紀元前からギリシアや漢に知られ、日本では正倉院御物に見られ、十五世紀ヨーロッパではこの香料を求め争奪戦が起こった。春に咲く花は蕾のときは白色、やがて淡紅色（これを乾燥する）、そして淡紫色の筒形四弁花を開く。花弁は落ちやすく、強い芳香がある。

留守居して独りわがゐる障子戸《しやうじど》に丁字の花のにほひ来るなり　太田　水穂

十日咲けば白き丁字の匂ひ失せ春たけなはは病めどたのしき　中野　菊夫

## ちんぐるま

バラ科の常緑小低木。本州中部以北の高山草原や湿原に群生する。細い茎はよく分枝して地を横にはい、先端を直立させる。葉は七～九枚の小葉からなる羽状複葉、深緑色で光沢がある。夏、茎頂から10センチ位の花茎をだし、白色五弁花を一つ開く。秋に葉は紅葉する。花後に結ぶ実がおもちゃの稚児《ちご》車（風車）に似ているのでその名がある。イワグルマ。

真逆《まさかさ》まに下る斜面に花咲けりいちげこざくらふうろちんぐるま　来嶋　靖生

## つが〔栂《つが》〕

関東から九州の山地にはえる常緑高木。庭木や盆栽用にもされる。幹は直立して高さ30メートルになり、樹皮は深く縦に裂ける。葉は小枝の左右に並び、線形扁平、先は少しくぼむ。四月に開花し雄花は黄色、雌花は緑紫色でともに小枝の先に一個ずつつく。だ円状卵形の球果は十月ごろ褐色に熟す。栂《とが》。川田順の「足曳《あしびき》の」は山へかける枕詞。

山上の日光《ひかり》は寂し栂《つが》の木の黒き茂りに入り行かむとす　島木　赤彦

足曳の山の苔深くおほへども張りふくれたる栂の根

は見ゆ　　　川田　順

大栂《おほとが》の林にとほる雨くらし稲づまは過ぐる下谷《したたに》の霧
　　　中村　憲吉

平明に日は差し及ぶ雪の上青き影するは栂ばかりなり　　　生方たつゑ

曝《さ》れし栂の一樹と我と立たしめて雪は岩の秀《ほ》を光り過ぎゆく　　　小市巳世司

## つがざくら〔栂桜《つがざくら》〕

本州、四国の高山の岩上などにはえる。葉がツガの葉に似て花が桜のようなのでこの名がある。ツツジ科の常緑小低木で、茎の下部は横にはい、高さ10～20センチ。夏、小枝の先に数本の花柄を出し、小さな鐘形の白～淡紅色の花をつける。青の栂桜は本州以北の高山帯の水湿地に群生し、高さ30～50センチ。花は壺形の淡黄色で夏に開く。「千島風露《ちしまふうろ》」は本州以北の高山帯で夏、紅紫色の花をつける。

草の上の清き光に花を待つ青のつがざくら亦《また》千島《ちしま》ふうろ　　　松村　英一

## つき〔槻《つき》〕

本州から九州の山地にはえるニレ科の落葉高木。高さ30メートルの幹は直立、多数枝分かれする。四、五月新葉と同時に淡黄緑色の小花を開く。庭木、街路樹にされる。欅《けやき》の変種。

おとろへの気色見えざり高槻のながき暑凌ぎし繁《しじ》の青き葉　　　窪田章一郎

土なべてコンクリートのおほふ都市に老槻なほも幹肥りゐむ　　　窪田章一郎

この丘の南なだりに槻群れてひねもす冬の梢かがやく　　　扇畑　忠雄

槻の花吹かれ溜りし坂の上年どしに掃く年どしの幸　　　扇畑　利枝

冬空を浄くさえぎる槻の枝童女になりて病む母は呼ぶ　　　武川　忠一

槻の木の翼の如きひろがりを仰ぎゆく夜の呼吸《いき》深くして　　　三国　玲子

## つきみそう〔月見草《つきみさう》〕

白い花が夏の夕方に咲くのが本来の月見草。北米原産のアカバナ科の二年草で江戸時代には栽培されていたが現在あまり見られない。近縁のマツヨイグサ、オオマツヨイグサをいうことが多い。マツヨイグサは南米原産のアカバナ科の多年草。線形の葉を互生し、高さ70センチ位。川原や土手、空地、路傍などで五〜七月、鮮黄色の柄のない花を夕方開く。オオマツヨイグサは北米原産のアカバナ科の二年草。川原や海岸の砂地にはえ、六、七月の夕方に黄色大形花を開く。茎は太く高さ1メートル、長だ円状皮針形の葉を互生、根生葉はロゼットを作り越冬する。待宵草《まつよひぐさ》。大待宵草《おほまつよひぐさ》。竹久夢二の宵待草の歌で有名になった。

ところ嫌はずはびこる琉球月見草咲きてかがやく春深むらし　吉田　正俊

おひおひに夕暮れてくらくなる渚浜待宵の黄は星に似る　佐藤佐太郎

朝かげに色燃ゆるごと月見草ひらける花の純黄に冴ゆ　宮　柊二

そのあたりにありたる鉢に種とびて待宵草は寒の日芽吹く　佐藤　志満

月見草ものいはずして開くとき一重の四弁しろたへの白　二宮　冬鳥

蝕甚の闇に声して月見草一寸ほどの芽を出せる宵　太田　絢子

月満ちて千年が過ぎ月欠けて千年が経ち月見草咲く
—つくし　三木　アヤ

おほまつよひの群落にまじるこまつよひただ一本といへどいきほふ　石川不二子

しろたへのベンツかがよひ月見草ことしは咲かぬ小さき空地　安田　純生

## つくし〔土筆《つくし》〕

スギナの新しい茎が出る前の三、四月に筆のような形をした褐色の胞子茎が生じ、頭部からたくさんの胞子を出す。これがツクシで、ひたし物などにする。野道や川の土手などに沢山生えて春の摘草の主役。古名つくづくし。

くれなゐの梅ちるなへに故郷につくしつみにし春し思ほゆ　正岡　子規

もたげたる土筆の先をつむ孫は祖父の手つきのまねしたりけり　岡　麓

あづさゆみ春は寒けど日あたりのよろしき処つくづくし萌ゆ　斎藤　茂吉

縋《すが》りくるどの手も未だ小さくて母は切なし土筆の野道　中城ふみ子

言葉こそ義をゆびささんため土筆こそ無智放逸をゆびささんため　原田　禹雄

利根川の堤の土筆《つくし》摘みいし日その後遥かに土筆を摘まず　佐佐木幸綱

年どしに遇ひがたくなりて今年食みし細身の土筆七本がほど　藤井　常世

**つげ**〔**黄楊《つげ》・柘植《つげ》**〕　関東から九州の暖地の山地にはえ、庭木、生垣にも植えられるツゲ科の常緑低木。小枝は四角形。長さ2センチほどのだ円形の葉は革質で光沢があり、対生する。三、四月に淡黄色の小花を小枝の葉腋に群生する。材は緻密で、くし、印材、版木、定規などにする。

石の階つげのま垣も趣を成しくる月日奥津城といへど　太田　青丘

うづくまりてしばらく空し黄楊小花《つげをばな》わが目の前に散りこぼるなり　山口　茂吉

葉のひまに星のごとき花咲ける黄楊《つげ》いつさかりとも知らず過ぎをり　佐藤佐太郎

櫃《ひつ》形に黄楊の樹ならびて檣《かき》なれば遠く密集する雲もあり　森岡　貞香

**つた**〔**蔦《つた》**〕　ブドウ科のつる性落葉木。岩壁、石垣、山林にはえ、紅葉が美しいので庭木や盆栽にされる。若枝の巻きひげの先に吸盤があり、石や木にまつわる。葉は柄が長く三裂または五裂する。六、七月に黄緑色の小さな五弁花が集まって咲き、秋に球形の液果が黒熟する。なつづた。つたかづら。古名あまづら。

秋風の嵯峨野をあゆむ一人なり野宮《ののみや》のあとの濃き蔦紅葉　佐佐木信綱

夏ながらしぐれの雨のここちして蔦の花ちる木がくれのやど　金子　薫園

空濠の高石垣にはふ蔦の葉は落ちつくして蔓ばかり這ふ　川田　順

此の宿の古木にからむ蔦紅葉あけのきはみをもみいでにけり　今井　邦子

石階に這ふ蔦かづら秋まけて伸びやまぬ芽のはやももみぢぬ　植松　寿樹

大杉の梢《うれ》にまつはる蔦かづら空の明りはここに青みて　田谷　鋭

だれか巨木に彫りし全裸の青年を巻きしめて蔦の蔓は伸びたり　春日井　建

壁面をおほへる蔦にひつそりとあたま擡《もた》ぐる先端み

ゆる　小池　光

庭の隅蔦のひとすぢ本当の緋にもみぢして病む世界《よ》支へつ　宮里　信輝

## つつじ〔躑躅《つつじ》〕

ツツジ科ツツジ属の低木〜小高木で山野に自生する。多くの栽培種が庭や公園に、また生命力が強く、排気ガスにもよく耐えるので街路に植えられる。小枝を多く出し、春から夏に先端の五裂した美しい花を開く。霧島つつじ、久留米つつじ、大紫、琉球つつじなどの品種が多い。玄海つつじは落葉樹で花は葉より早く咲く。

葉の未《いま》だ萌え出ぬ諸枝《もろえ》花として茜《あけ》翳したり玄海躑躅　都筑　省吾

貴布祢にて買ひしつつじは一株に紅白淡紅《とき》の花咲けりあはれ　野村　清

夏あさく街路樹のさくころとなりむらさきつつじわれを富ましむ　佐藤佐太郎

花なれば狂ひ咲くとも愛でられて卓に置かるる初秋の躑躅　斎藤　史

清らなる意志のごとくに返り花つつじの花の鮮《あたら》しき白　武川　忠一

夜にひそむつつじの白き花などの楽しむべきものわが世に無限　浜田蝶二郎

家めぐり躑躅の花の咲くころとなりてひねもす門田畦塗る　梅田　敏男

萌えわたる柞《ははそ》が緑つばらにて八潮躑躅のしみみにぞ咲く　片山　貞美

時じくの躑躅の花を憐れみぬ新冬の日々いまだ咲きつぐ　長沢　一作

墾かれし田のめぐり白きうつぎの花まれまれにしてつつじの紅　石川不二子

## つばき〔椿《つばき》〕

北海道を除く各地に分布するツバキ科の常緑高木。代表的な花木で庭木、生花に用いられる。自生種の代表的なものは海岸地方に分布するヤブツバキ、積雪地帯の山中にはえるユキツバキなど。葉は濃緑色で光沢があり、円錐形の樹形となる。花期は普通二〜四月で、早咲きは十一月から咲き、おそ咲きは五月まで咲く。自生種の花は紅色で半開する。園芸品種の花は白、濃紅、また白と紅のたて絞りや斑紋の入ったもの。花型には一重、半八重、八重、千重、牡丹咲き、獅子咲き、二段咲き、

## つばき—

唐子《からこ》咲き、抱咲《かかえざ》きなどがある。種子からツバキ油をとり、材は折尺や楽器、農具などにする。葉が厚いので厚葉木、また葉に光沢があるので津葉木ともいう。椿は春に花が咲くため日本で作った文字。玉城徹の「いそのかみ」は古《ふる》へかける枕詞、尾崎左永子の「たまきはる」も枕詞で内《うち》へかけている。馬場あき子の「玉椿」は椿を美しくいう語、または白玉椿（白い花の椿）の別称。

妻が蒔《ま》きし椿《つば》の実椿《つば》の木となりて濃紅《こべに》白たへ花あまた咲く　窪田　空穂

山川のみ冬の瀞《とろ》に影ひたす椿は厚し花ごもりつつ　北原　白秋

静かなる椿の花よ葉ごもりに咲きてひさしき椿の花よ　若山　牧水

椿の実はじけし殻が残りたり時雨のしづく留めし枝先　松村　英一

つばきの首だけが膳に置かれたり花の概念をかへてゐにけり　加藤　将之

つくろわぬ垣根に低く咲くいのち冬くれないの椿こよなし　坪野　哲久

初花を見出づるごとし春雪を凌ぐ椿の果てのくれなゐ　窪田章一郎

ただひとつ昏れゆく心ぽったりと土に椿のくれないは落つ　岡部桂一郎

梢高く騒ぎて椿落ちてくるわが目より一枚の光りこぼれぬ　太田　絢子

くれなゐの椿一輪を地《つち》に見るわが十日ほど身を苛《さいな》みき　千代　国一

耐へがてに落ちし花首二つ三つ花溢れつつ昏し椿は　川合千鶴子

椿のはな何時か落つると見てをれば恰も落ちぬ紅色無言　河野　愛子

風音のとよみしづまる椿の森こずゑの花は日に乾き咲く　岡野　弘彦

竹垣の内外《うちそと》となく向き向きに土に散らばる椿の花は　大西　民子

はやち風ふきすぐるたびいそのかみ古木《ふるき》のつばきあかあかとして　玉城　徹

藪つばきうしほに沁みて空ありきひしひしと船のあつまる朝《あした》　山中智恵子

たまきはる内の光を明かすごとひらく椿の花のしろたへ　　尾崎左永子

玉椿吾子女《あこめ》と呼べばはらと落つひかりのやうな思ひさびしも　　馬場あき子

びつしりと紅椿咲き何ゆゑぞ爪の先までちりちりさびし　　稲葉　京子

八月を簡潔に青き実を結ぶ椿ありつやつやの危機よ　　佐佐木幸綱

心臓のあたりつめたき水深ありつばき花咲く坂をのぼりて　　小池　光

つねにつよき心に君は恋ひたくて白玉椿つらつらに見き　　米川千嘉子

## つばな〔茅花《つばな》〕

茅萱《ちがや》の若い花穂のことをいう。早春、葉の出ない前に茎の頂きに出る円錐形の花穂で、甘味があり、食べられる。長《た》けると小穂の基部からでる白い長軟毛に包まれて、けばだつ。

しらじらと茅花《つばな》ほけ立つ草野原夕日あかるく風わたるなり　　古泉　千樫

里川の岸に茅花のほほけ穂のさやぎなびけど酢漿草《かたばみ》はまだ　　尾山篤二郎

茅花《つばな》ぬきて食ひし穉《をさな》き日を想ひ貧しき故郷を恋ひつつおもふ　　山口　茂吉

石垣に茅花《つばな》光りて風ありき父ありき東京にわれは育ちき　　尾崎左永子

つんつんとつばな生ひたる野のひかり夢まぼろしとして母は老ゆ　　馬場あき子

谷行の荊棘《おどろ》がなかに長けゆきてあはれ茅花の黄のひかりはや　　高嶋　健一

さわさわと揺るる茅花《つばな》をめぐりつつインターチェインジの弧を加速する　　永田　和宏

## つめくさ〔爪草《つめくさ》〕

各地の平地にはえるナデシコ科の一、二年草。茎は根もとから分枝し束生、高さ2〜15センチ。線形の葉を対生する。三〜七月に葉腋から長い花柄をのばし、白色の五弁花を開く。実は広卵形で熟すと五裂し、小形の種子は小突起が密生している。葉の形が鳥の爪に似ているのでこの名がある。

つめくさの花のほのかに赤かりき子雀の群飛び立ちし野に　　中原　才子

## つゆくさ〔露草《つゆくさ》・鴨跖草《つゆくさ》〕

各地の平地に群生するツユクサ科の一年草。茎はよく枝分かれし、下部は地面をはい、上部は斜上して長さ30センチ。卵状皮針形の葉が二列に互生する。六～十月、緑色の二つ折り包葉の間に青色の二弁花を開く。名は露を帯びた草の意から。つきぐさ、ぼうし花、螢草《ほたるぐさ》ともいう。ムラサキツユクサは北米原産の多年草で明治初期に渡来、花壇に植えられる。初夏に咲く花がツユクサよりも大きい紫色の三弁花で、茎頂に十数個群生し、次つぎと咲き一日でしぼむ。高さ70～100センチになるオオムラサキツユクサには紫の他、白、青、赤色もある。

水浅黄はな繁く咲くつゆ草の一列《ひとれつ》つづき籠もる水音　窪田　空穂

鴨跖草《つゆくさ》に冷やき雨ふるこのあした夕刊と朝刊と濡れてとどきぬ　北原　白秋

ふるさとにわれは旅びと朝露につつみて悲しき螢草のはな　古泉　千樫

朝あさの道に露けき鴨跖草《つゆくさ》やありがたく生きる我を思ふも　中村　憲吉

鴨跖草の瑠璃《るり》いろ霑《ぬ》るる花群にしののめごろの光ただよふ　筏井　嘉一

鴨跖草《つきくさ》は庭にみだれて暑き日の少かりにし夏ゆくらしも　山口　茂吉

門のべに朝々咲ける鴨跖草《つゆくさ》の花をわが子よ起《お》きぬけに見よ　前川佐美雄

露の身のせめて一滴まぎれなき露草の花の青あらしめよ　久札田房子

《世に知らずなまめかしきものなりけれ》つゆくさもむらさきつゆくさも　原田　禹雄

またたくは瑠璃のたばしり秋あさき露草むらは朝となりたり　雨宮　雅子

星くずの瞬きし夜の朝に咲くとりわけ深き露草の紺　長谷川　正

露草のつゆけき藍を見てをればいつよりとなきわれの希薄さ　竹安　隆代

## つりふねそう〔釣舟草《つりふねさう》〕

低い山地、丘などの谷間の湿地にはえるツリフネソウ科の一年草。茎は太く、直立して分枝、高さ50センチ位、節に赤味がある。葉は狭い菱形、縁に鋸歯がある。夏から秋、短い花柄の先に紫紅色に紫色の斑点のある花を横向きにうなだれて数個開く。名は花形による。

釣舟草の花見まく欲り咲きそめく秋まで生きむ命を祈《ね》ぎつ　林　光雄

**つる〔蔓《つる》〕**　植物のうち、他物によじ登ったり地上を長く走る茎をいう。よじ登るために、とげ、かぎ、かぎ毛、巻きひげなどをつかう。

我《わが》ままな女こもりて我ままに延びゆく草の蔓を見て居り　岡本かの子

蔓草のからみあいあるはひょろり伸び木洩れ陽諧謔飄《ひょう》々自然　加藤　克巳

**つわぶき〔石蕗《つはぶき》〕**　本州中部以南の海岸にはえるキク科の多年草。観賞用に数品種ある。葉は腎臓形で厚く、濃緑色で光沢があり、長柄がある根生葉。花茎は高さ30～75センチで分岐し、十～十二月黄色の頭状花をつける。名は、蕗に似て光沢のある葉、ツヤブキの転化という。石蕗《つは》。

秋草のしどろが端《はし》にものものしく生《いき》を栄ゆるつはぶきの花　伊藤左千夫

石蕗《つはぶき》の蕾ふつふつとあげくるに今年の秋とわかるる思ひ　長沢　美津

たそがれは石蕗の花に早く来て今日を終らん檜葉垣のうち　堀江　伸二

黄に輝く花を掲げてつはぶきの目に立ちてくる頃の日和や　太田　青丘

ひとときに色ともしたるつはぶきが常世《とこよ》のもののごとくかがやく　二宮　冬鳥

花と花のはざまの季《とき》とあゆみ来て黄の石蕗の花にわが遇ふ　阿部　十三

父母のありてかなしき思案する冬のますみのつはぶきの花　馬場あき子

つはぶきの花は日ざしをかうむりて至福のごとき黄の時間あり　小中　英之

日当らぬ庭に給える灯《ひ》のごとく茎たてて黄につわぶきの咲く　大塚　善子

わが時間にかかはりのなき石蕗の花ここ水上《みなかみ》にかがやけるかな　伊藤　一彦

**ていかかずら〔定家葛《ていかかづら》〕**　本州から九州の山野に多く、庭にも植えられるキョウチクトウ科の常緑つる性木本。気根のある茎は太いもので直径4センチ位、長さ10メートルにもなる。長だ円形の葉は対生、長さ3〜6センチ、上面は光沢のある深緑色。初夏、葉腋に白花が集散状に数個つき、花冠は五裂し巴形にねじれる。香気があり、やがて黄変する。花後、円筒状の実をつける。名は、能楽の、歌人藤原定家にちなみ、式子内親王の墓にからみついた葛が内親王と深い契りを結んだ定家の執心によることから来ている。

歌人の定家葛といふ名すら時代移りし花の咲くかな　岡　麓

定家葛の盆の白花さきそめて帰りきまさむ人まつこころ　福田たの子

**でいご〔梯梧《でいご》〕**　インド、マライ地方原産のマメ科の落葉高木。沖縄、九州では庭木や街路樹とする。高さ10メートル以上、幹はこぶがあり、樹皮は灰白色、若枝にとげがある。六月若枝の先に真紅色の細長い蝶形花を数十個穂状につける。豆果も大きく長さ約30センチ。これに似たブラジル原産のアメリカデイゴの方が寒さに強く、日本では高さ約2メートルで、花は大きくて丸みがあり、六〜八月鮭肉色に開く。海紅豆《かいこうず》ともいう。

梯梧《でいご》の花咲きのぼりゐる炎天に聞きしは呻きはたや嗚咽か　太田　青丘

たち返り咲けば黒炎《くろひ》の海紅豆《かいこうづ》消《け》ゆく戦後と言ふにはあらず　安永　蕗子

戦場に近くあり経し南国の緋の海紅豆いまだも香し　安永　蕗子

海紅豆の花咲きそめし湖岸の道行きゆきて憂ひを送る　長沢　一作

吹き上げてデイゴの朱《あけ》に咲くちからああ太陽の息の太さに　馬場あき子

ふふみたる梯梧《でいと》は赤き色を秘め夏あさあけの雲に出向ふ　平山　良明

**てっせん〔鉄線《てっせん》〕**　中国原産のキンポウゲ科のつる草で寛永年間に渡来した。つる性の茎は細い木質だが強くて冬も枯れず、2〜3メートルにのび、葉腋から複葉を対生する。六、七月葉腋からでた長柄の先に、直径5〜8センチの花を一つつけ、白または淡紫色の六弁花を平開する。紫紅色、ピンク、白色、青色の直径10センチ以上の花はクレマチスとの交配種で、晩春から夏に四〜八枚のがく片を平開する。庭に植えて他物にからませ、また鉢植、切花にして観賞する。

ありとなき蔓《つる》を支へに空にうかび咲き重なれる鉄線の花　窪田　空穂

テッセンはただ一輪咲き柵にすがり息づくごとくむらさき深し　中野　菊夫

紫のてつせんの花を愛《を》しみこし夏のときめき終らむとす　宮　柊二

佇ち嘆く露の干ぬ間の秋霖に咲きてしろしろ鉄線の花　浜　梨花枝

浮き雲の迅き動きを鉄線の白花が捉へ照り翳りする　加倉井只志

鉄線のむらさき濃きが咲き残り雨に古代の色揺らぐなり　野北　和義

**てつどうぐさ**〔鉄道草《てつどうぐさ》〕　北米原産のキク科の一、二年草。明治初期に渡来、路傍や荒れ地に普通に見られる。高さ0.5〜1.5メートルの茎は直立、皮針形の葉を互生、全体に粗毛を生じる。八〜十月小さな白色の頭花を円錐状につける。実には白い冠毛がある。姫昔《ひめむかし》よもぎが植物名。

土手を占めぞくぞく立てる鉄道草初夏の光のくるめきさし入る　窪田　空穂

鉄道草ほきさかりたる屋根の下に人ひそやかにすみて灯《ひ》ともす　前田　夕暮

むらがれる鉄道草を杖にうち煙だちゆく種おびただし　熊谷　武至

ひめむかしよもぎ枯れ伏し雪の野に声咽ぶべし　母なる狐　斎藤　史

廃《すた》れみち鉄道草に鳴く虫とひびき合ひつつ満天の星　角宮　悦子

**てまりばな**〔手毬花《てまりばな》〕　スイカズラ科の落葉低木で本州から九州の山野にはえる藪手毬の園芸品。高さ3メートル位になり、葉は厚く毛があり互生。四、五月若枝の先に花冠が五裂した多数の白色花が球状に集まって咲く。その様子が手毬のようなのでこの名がある。大手毬《おほてまり》。宇都野研の「子が毬にもが」は子の毬に欲しいなあ。

雨がへる手まりの花のかたまりの下に啼くなるすず

しき夕　与謝野晶子

むらがりて真白き花の珠と咲くおほでまり花子が毬にもが　宇都野　研

**てんつき**〔点突《てんつき》〕日当たりのよい草地、やや湿ったところにはえるカヤツリグサ科の一年草。高さ30センチ。葉は茎より低い。夏から秋、上端が分枝した茎より花茎をだし、狭卵形で褐色の小穂を多数つける。

時を忘れ人を忘れて影落す今日の水べのてんつきの花　内田　紀満

**とうかえで**〔唐楓《たうかへで》〕中国原産のカエデ科の落葉高木。高さ15メートルになる。葉は対生し、薄く光沢があり、上端浅く三裂し、裏面は白っぽい。四、五月小枝の先に淡黄色五弁花を散房状につける。庭木、街路樹に植える。

とうかえで森の繁り葉ゆらゆらに繁り葉を透くゆうぞらのいろ　阿木津　英

**とうがらし**〔唐辛子《たうがらし》〕熱帯アメリカ原産のナス科の植物。香辛料として温帯で栽培されている一年草。茎は分枝し、高さ60〜90センチ。葉は互生し、長柄のあるだ円形。夏、葉腋に柄のある白色小花一個を下向きにつけ、筆の穂のような実がなる。はじめ緑色、のち紅熟し、辛みが増してくる。他に分枝しないで茎上部に長柄のある葉が集まり、細長いくちばし形の実を上向きに集めてつけるヤツブサという観賞用の品種もある。赤い実を漬物に入れたり、乾燥粉末にして七味唐辛子など香辛料とする。葉唐辛子は青唐辛子ともいい、若い茎、葉、実をいっしょに煮て食べるとあまり辛くなく風味がある。

つゆじもは幾夜降りしとおもふまで立てる唐辛子のくれなゐ古りぬ　斎藤　茂吉

霜がるる唐辛子の葉を食ひにけり蝗《いなご》のごとき青さ香《か》ぞ　土屋　文明

くれなゐの唐辛子灯にきざみゐて夜のてのひらを熱しとおもふ　生方たつゑ

葉の落ちて実のみのこれる唐辛子滅ぶるものの赤《あけ》の寂《しつ》かさ　千代　国一

漬ものの葉を洗ふ時あざやかに赤き唐辛子水に流しぬ　馬場あき子

ひとつだけ言いそびれたる言の葉の葉とうがらしが

ほろほろ苦い　俵　万智

吊し置く赤唐がらし鷹の爪といふより魔女の鼻のやうなり　堀　真由美

## とうがん〔冬瓜《とうがん》〕

熱帯アジア原産のウリ科の一年生野菜。古くから畑で栽培され吸物、煮物などにして食べる。つる性の茎は長く巻きひげで他物にまきついてはい、葉は掌状で浅く五裂する。夏に黄色の花が開花し、実は緑白色の円形、だ円形で重さ7～10キロにもなる。はじめ軟毛があるが熟すると落ち、ろう質の白粉をかぶる。晩夏に収穫。種は薬用。とうが。かもうり。

立春に近き日われ等集りて越冬冬瓜の水炊きを食ふ　竹中　皆二

われが畑につくりてとれしものなれど冬瓜は白くほのかに青き　石井　利明

冬瓜はさわやかに空っぽの音をたて一人二人にたたかれている　鳥海　昭子

おほいなるこの冬瓜の抱きごこちなみだぐむまでおもひて過ぎつ　小池　光



## どうだん〔満天星《どうだん》〕

ツツジ科の落葉低木で四国に自生するが普通は庭木、生垣にして観賞する。直立する幹は高さ1～2メートルでよく分枝し、葉は枝先に輪生状に互生する。四月新葉とともに白色壺形の小花を散形状に下向きにつける。丸く刈りこまれた樹形は美しく、また秋の紅葉が見事である。植物名をドウダンツツジという。更紗《さらさ》どうだんは本州、北海道の山地にはえ、花は鐘形で淡黄色に紫紅色の条線があり、総状花序に下向きにつける。若芽、新葉も花に劣らず美しいので庭木にされる。

春梅雨《はるつゆ》の止むとしもなき満天星のうつむく花に明らけく降る　福田たの子

石《いわ》ばしる垂水《たるみ》のほとりしぶきあびさらさどうだんたわわに咲ける　加藤　克巳

言ひつのる言葉を堰きて丈低き満天星《どうだん》の垣くれなゐ深し　富小路禎子

往還に見て忘れゆく辻の花更紗どうだん花ふりこぼす　藤井　常世

つくつくと赤き芽立りて満天星《どうだん》の赤き芽勁くひかりて立てり　阿木津　英

## とうにんどう〔唐忍冬《たうにんどう》〕

本州東海以西の海岸に近い林の縁に自生、スイカズラ科のつる性低木。若樹は絹毛が多くて紫褐色、古樹になると褐色で樹皮が縦に裂けはげる。葉は短い柄があり革質。七月葉腋に花柄を出し、二〜四個の薄黄色の花を直立する。木立忍冬《きだちにんどう》。

袖垣の唐忍冬の花咲くや過去はふたたび眼前《めのまへ》に見ゆ　岡　麓

## とうもろこし〔玉蜀黍《たうもろこし》・唐蜀黍《たうもろこし》〕

南米アンデス山麓原産のイネ科の一年草。広く畑で栽培され、食用、飼料として重要な穀粒を収穫する。高さ2〜3メートルの茎は太く円筒形、葉は長大で基部は茎を包む。七、八月茎の先端にすすきの穂に似た大きな雄花が生じ、雌花は葉のつけねに苞に包まれた絹糸状赤色の長い花柱をだし、受精後、萎縮して褐色になる。種実は30センチ位の軸面に密生、色は白、黄が代表品種。焼きとうもろこしは初秋の味覚である。唐黍《たうきび》。唐黍《もろこし》。蜀黍《もろこし》。

唐黍《もろこし》の焦げしを嚙めば幼き日幼きかをり胸に湧きくる　窪田空穂

唐黍《たうきび》の花の梢《こずゑ》にひとつづつ蜻蛉《あきつ》をとめて夕さりにけり　長塚　節

行けど行けど玉蜀黍《たうもろこし》の穂の光り富士あらはにも夕焼したり　前田夕暮

しんとして幅広き街の／秋の夜《よ》の／玉蜀黍の焼くるにほひよ　石川啄木

玉蜀黍はな抽《ぬ》きしかば蜻蛉《あきつ》きてひつたりとすがりみじろがざれや　坪野哲久

忘れゐたりし唐もろこしのそよぐ音明るき家にひねもす坐る　扇畑忠雄

とうもろこし吾が家を埋めて穂の立てば湧く熱雷の昏れて激しく　近藤芳美

高遠の城あとくれば音清くたうもろこしをもぎて人をり　川辺古一

うつつには許せざるものあるゆゑにぼろぼろとむく秋の唐黍《もろこし》　佐藤通雅

## ときそう〔朱鷺草《ときさう》〕

日当たりのよい湿原にはえるラン科の小形の多年草。高さ20〜40センチの茎は直立し、途中に皮針形の葉を一枚直立する。初夏、茎頂に淡紅色の半開する花を一個やや横向きにつける。花色を朱鷺の羽のトキ色になぞりこの名がある。

朱鷺草のくれなゐまじる草の原霧のながれはここまでは来ず　松村　英一

## とくさ〔木賊《とくさ》〕

シダ植物トクサ科の多年草で本州中部以北の湿地にはえ、観賞用に庭に植えられる。地下茎から多数群生する棒状中空の茎は濃緑色で直立し、高さ1メートル内外となり、3～4センチごとの節には黒色さや状のごく小さな葉を輪生する。夏、茎頂に長だ円形の胞子穂をつける。茎はケイ酸をふくみ、表面に溝があってざらつくので、細工物を磨くのに使用した。

白き猫庭の木賊《とくさ》の日たむろに眼はほそめつつまだ現《うつろ》なり　北原　白秋

嘆きつつ過ぎゆく暇も心に持つ木賊植うる庭の空想を捨てず　吉田　正俊

折れて伸ぶる木賊一群中空《ちゆうくう》の思想といふを如何に束ねむ　安永　蕗子

われの見ぬ間《ま》にまたすいと伸びたてる木賊はわたくしのよき傍観者　築地　正子

足もとの小さき湿地に力得て百年の世を見たる木賊ら　馬場あき子

ゆふかげの中に木賊は群立てる青銅の針のごとき寂けさ　杜沢光一郎

やはらかに霧は生れつつ路地うらの青き木賊のややに女女しき　角宮　悦子



## どくだみ〔蕺草《どくだみ》〕

本州から九州の平地、路傍の陰地にはえるドクダミ科の多年草。根茎が地中をはい、30センチ内外の茎は卵状ハート形の葉を互生し、全草に臭気がある。六、七月、花弁のような四枚の白い総包の上に、淡黄色の小花を多数穂状につける。全草を煎じて利尿、駆虫剤とし、生の葉を化膿、創傷にはる。十薬《じふやく》。十字科の花。

どくだみの花のにほひを思ふとき青みて迫る君がまなざし　北原　白秋

わが家の庭の空地にはびこりて白の十字のどくだみの花　竹中　皆二

どくだみはここに花さき人間のかかわるところ月つよく差す　坪野　哲久

蕺草《どくだみ》の十字の花序がきは立ちてただに愛しもその白

のいろ　鈴鹿　俊子

まっくらな電柱のかげにどくだみの花が真白くふくらんでいる　山崎　方代

どくだみの花のしげみに梅雨のあめ花をゆりつつふりそぐなり　石黒　清介

どくだみの群落白きところよりなだるるごとき心となりぬ　安永　蕗子

てのひらの傷いたみつつ裏切りの季節にひらく十字科の花　塚本　邦雄

つくばひは苔むしてゐつ隙間なく十薬《じふやく》は生《お》ひて花かかげゐつ　大西　民子

水音の澄むに寄り来し川の辺にどくだみの花の一群にほふ　島本　正斎

十薬の花うつものは木の雫時おきてまた花動きたり　石川不二子

怒気多くなりゆく日々の蒼ざめる心臓に似て茂る蕺草《どくだみ》　西村　尚

## とけいそう〔時計草《とけいさう》〕

ブラジル原産のトケイソウ科の多年生のつる草。一七二三年に渡来、観賞用に温室内で鉢植え、地植えにするが、暖地では戸外でも越冬する。巻きひげで他物にからみつき、葉は掌状で深く五裂する。夏、直径8センチ位の大形の花を太陽に向かって開き、微香がある。花は白色か淡紫色の花弁、がく片がともに五枚、糸状の副花冠は紫、白、紫に色分け、円盤状に多数並び、花の中央に雄しべと雌しべが時計の針のようにのびる。受難の十字架にも似るのでパッションフラワーともいう。

時計草の一番大きな花とりきてわれにくるるよ誕生日なれば　米田　登

## とさみずき〔土佐水木《とさみづき》〕

四国の山地に自生するマンサク科の落葉低木。庭木にして観賞する。高さ2～3メートル、葉は卵形で先がとがり、縁に鋸歯がある。三、四月葉の出る前に淡黄色五弁花が七～八個穂状に垂れて咲く。十、十一月実が褐色に熟し、二裂して中から細長い種子を出す。

裏日本の縁《へり》に沿ひて北上せる土佐水木《とさみづき》とふつつましき花　河野　裕子

## とちのき〔栃《とち》の木《き》・橡《とち》の木《き》〕

トチノキ科の落葉高木で各山地にはえ、庭木、街路樹に植えられる。高さ30メートルにもなり、冬芽はよく粘つき、対生する葉は大形の掌状複葉鋸歯がある。五、六月若枝の先に大形の円錐花序を出し、白色で紅色を帯びた四弁花を多数開く。倒円錐形の実は九、十月に熟し、三裂して赤褐色のつやのあるクリに似た種子を出す。種子をさらして食用、材を建築、器具とする。

橡の太樹をいま吹きとほる五月《さつき》かぜ嫩葉《わかば》たふとく諸《もろ》向《む》きにけり　斎藤　茂吉

とちの芽のものものしくも粘液を吐けるを愛す坂の夕日に　鹿児島寿蔵

しづかなる若葉のひまに立房《たちぶさ》の橡《とち》の花さきて心つつまし　佐藤佐太郎

たましひのやうやく休息《やす》むときを得て千の掌《て》の葉を捨てし栃の樹《き》　斎藤　史

地に落ちていのち探れるものどものひとつ栃の実拾ひあげたり　島田　修二

戸隠の橡の実拾い大き葉のさ青をひろう朝歩みきて

——とべら

田井　安曇

## とねりこ

モクセイ科の落葉高木。本州中部から北部の湿った山野にはえ、田の畔にも植えられる。幹は直立し6メートル位、大きいものは15メートル位になる。三、四月新葉に先だち前年枝の先に円錐花序をつけ、淡緑色の小花を開く。葉は対生し、長だ円形で鋸歯のある小葉五、六枚の羽状複葉。樹皮を秦皮《しんぴ》といい解熱剤とし、材は緻密で家具、運動具などに用いる。

ふる里へいつ帰り得むとねりこの花ふりこぼす夕べの風よ　稲葉　京子

## とべら〔海桐花《とべら》〕

トベラ科の常緑低木。本州から九州の海岸にはえ、庭木や生垣に植えられる。幹はよく分枝し、こんもりと茂り、高さ2〜3メートル。葉は長倒卵形で厚く、やや光沢があり、枝の上部に集まってつく。五、六月集散花序を頂生し五弁花を開く。花は白から黄色に変化し、芳香がある。球形の実は晩秋熟して三裂、赤い粘った種子を出す。節分に枝を扉にはさんだため「とびらの木」から名がある。漢名海桐。

風避けて小鳥の籠る樹がありぬ海桐花《トベラ》は常より饒舌である　小林　靄

## トマト

南米原産のナス科の一年草。十七世紀初め観賞用に渡来し、明治後期に野菜として栽培されるようになった。高さ2メートルのよく分枝する茎は竹の棒で支え、葉は五〜九枚の小葉からなる羽状複葉で鋸歯がある。茎葉ともに短毛があり臭気がある。夏、数個の黄花を開き、果実は成熟すると赤色になるが、黄色、白色の品種もある。高温を好み、霜には弱いが品種により一年中出まわる。生食のほか、ジュース、ケチャップ、ピュレー、ソースなどにする。赤茄子《あかなす》ともいう。

赤茄子の腐れてゐたるところより幾程《いくほど》もなき歩みなりけり　斎藤　茂吉

庭のすみに妻が作りし赤茄子《あかなす》は幾つ取りけむ今日にて終る　川田　順

くらくなりし坂のぼりつつ地にトマト売るところありトマトおびただし　森岡　貞香

天然を阻む頭脳に惑はされ冬のさなかにトマト色づく　竹中　温

八月のケチャップ農場収穫のトマト火達磨となりて転がる　馬場あき子

鎌倉に喰《くら》ふピラフの一皿のげに健やけき赤茄子のいろ　塩野崎　宏

薄く切る皿のトマトよ血の匂う日の輝きもかかる色なる　平井　弘

秋日《しゅうじつ》の近づくおそれふと来たる　赤きトマトをたべおえし午　三枝　浩樹

赤茄子の茎はらはれて秋となる世の中どこか傾きながら　今野　寿美

俺は何から逃れたいのかテーブルにトマトの種が流れ出したら　加藤　治郎

庭に出て朝のトマトをもぎおればここはつくづくふるさとである　俵　万智

## とらのお〔虎《とら》の尾《を》〕

サクラソウ科の多年草で丘陵地にはえるオカトラノオとノジトラノオ、湿地にはえるヌマトラノオがある。高さ50〜100センチの茎は丸く、基部にはしばしば赤味がある。長だ円形皮針形の葉は互生する。夏、茎頂に長さ10〜20センチの上方が傾いた花序を出し、多数の小さな白い花を総状に密につける。ヌマトラノオの花序は直立し花は小さい。花穂が獣の毛に似るのでこの名がある。

虎の尾の乱れこぼるる花粉《はなこ》あり美しくして吹きよせられぬ　吉田　正俊

ひと流れの水をへだてて虎の尾の白き花房ゆらゆらと立つ　長沢　美津

## とりかぶと〔鳥兜《とりかぶと》〕

キンポウゲ科の多年草。山野に自生するヤマトリカブトは観賞用として古くから栽培もされている。高さ1メートル内外で掌状に深く裂けた葉を互生。秋、茎頂に深紫色の高さ3センチ内外の花を多数円錐状につける。がく片五枚のうち上側の一枚が兜状となる。有毒でアイヌ人は矢に根の汁をぬりクマ狩りに用いた。

草の葉に斬られし夏もとく過ぎて水分《みくまり》あたり咲く鳥兜　斎藤　史

とりかぶともつとも蒼く繁る日に毒草園の幕舎が低し　安永　蕗子

自然林くだりて薬草園の一区画咲き残るエゾトリカブト紫の冷ゆ　新津　澄子

—どろのき

## トルコききょう〔トルコ桔梗《ききやう》〕

北米原産のリンドウ科の越年草。切花、花壇、鉢植にされる。高さ30～60センチの茎は直立し、葉を対生する。夏に淡紫色のほぼ鐘形の花を開く。白やピンク色、八重咲きもある。

灯を消せば朝の微光に浮きてみゆるトルコ桔梗あり仕事終りぬ　中野　菊夫

百本の土耳古桔梗を携へしかかる時間の濃密あはれ　安永　蕗子

憂きこころ慰めがたく卓上のトルコ桔梗も項傾《うなかぶ》しけり　蒔田さくら子

## どろのき〔どろの木《き》〕

本州中部以北の深山の渓谷などにはえるヤナギ科の落葉高木。樹皮は暗灰色で幹は直立、高さ15メートル前後。葉は卵形で裏面は白く、縁に鈍鋸歯がある。四～六月葉に先立ち暗紫緑色の尾状花穂を垂れる。材はマッチの軸、箸、経木、パルプとする。白楊《どろ》。泥柳。銀どろは南欧から中央アジア原産で庭木、街路樹とされ、葉の裏面が銀白色。

白楊《どろ》の花ほのかに房の揺るるとき遠くはるかに人を

こそ思へ　土屋　文明

昨日見てこころに沁みし銀白楊《ぎんどろ》の葉うら白きを残像とする　太田　青丘

**なぎ〔梛《なぎ》・竹柏《なぎ》〕**　近畿以西から九州の暖地の山野にはえ、寺院や庭にも植えられるマキ科の常緑高木。樹皮はなめらかで高さ20メートル。平行脈のある葉は対生し、広皮針形で厚く光沢があり、特徴的。五、六月開花、雄花穂は黄白色の円柱形、雌花は緑色で葉腋につき、球形の実は十、十一月青緑色に熟す。

檜《のき》の上にさやぐ梛の木春を経て音やはらかし古葉散りつつ　若山喜志子

伊勢の海《み》を熊野の海《うみ》と続ければ即ち来り生ひし梛《なぎ》の木　尾山篤二郎

原稿の束を置き来《こ》し安らぎに寒かぜよせて竹柏《なぎ》の葉を賞づ　鹿児島寿蔵

**なし〔梨《なし》〕**　五、六月に間引き作業を終えたあと、直径10センチ、球形の成熟した果実が夏から秋に収穫される。果肉は石細胞が多く独特の舌ざわりと水分を多く含む。主要品種は二十世紀、長十郎、新興、今村秋、幸水、豊水、特大の新高など。西洋梨は欧州中南部から小アジアの原産で明治初期に渡来。倒円錐形で果肉は日本梨に比べ石細胞が小さく柔らかい。追熟させて食べる。ありのみ（梨が無しと同音のため忌んだ反語）ともいう。

梨子《なし》はむと富士にむかひてひらきたるわが口を吹く初秋の風　前田　夕暮

幻の児にたうべよとむく梨の汁したたりて寒夜ただ一人　五島美代子

日本の梨淡くして透きとほる肌に貼りたる黄金《きん》のれいつてる　葛原　妙子

梨の実の二十世紀といふあはれわが余生さへそのうちにあり　佐藤佐太郎

誘惑のごときかなしみ洋梨《ラ・フランス》にふと生殖のにほひのたちて　宮　英子

卒然と悲劇と思ひつ洋梨はミロのヴィナスのトルソのかたち　築地　正子

二十世紀すでに了りし錯覚に梨畑均《なら》さるるを見てをり　塚本　邦雄

秋の灯に影濃く置ける洋梨のまろやかならぬ形たのしも　　岡野　弘彦

このうえは大まじめなる悲しみもなくてさぶさぶ梨の実を食ふ　　阿木津　英

赤梨の武蔵の当麻長十郎もののはじめに残る名ぞよき　　今野　寿美

## なしのはな〔梨《なし》の花《はな》〕

バラ科ナシ属で日本ナシは野性のヤマナシを古くから改良したもの。高さ6メートルに達する落葉高木だが、果実を収穫するため棚仕立てで栽培される。葉は大きな卵形で先端がとがり縁に細かい鋸歯がある。四月ごろ葉と同時に白色五弁花が五～十個散房状に開く。梨花《りくわ》。中国では李花と梨花は春を代表する花。

夕ぐれの光のなかに咲き静む梨の花純白《しろ》しこころゆくまで　　今井　邦子

梨のはなしろたへながら点々と花粉つけたる赤き芯みゆ　　岡部　文夫

われの掌《て》のあたたかなれど触れしめず梨花きらめきて散る日つづけり　　斎藤　史

摘花終へ帰る夕べは梨棚に盛りの花は平らに白き



中嶋　庸喜

うちつけに涙いできぬ渕の上に枝さしのべて白き梨花ある　　清原　令子

ゴルゴダをいづこと知らず梨の花咲く遠景を腕にかこみつ　　小中　英之

## なす〔茄子《なす》〕

インド原産のナス科の一年生の野菜。古く中国を経て渡来、地方により丸ナス、卵形ナス、長ナスなど多くの品種が栽培される。一般に温床で三カ月ほど育成された苗を定植し、よく分枝する茎が高さ60～100センチになる六月ころから九月まで、葉腋に淡紫色で先端が五裂する花を下向きに開く。のち紫紺、黒紫色の実が秋まで収穫される。焼いたり煮たり、揚げたり、漬物にする。鴫焼《しぎやき》はとくに美味である。胡瓜とともに代表的な野菜。なすび。

食卓の茄子の漬物むらさきに朝々晴れて百舌鳥《もず》のなく声　　太田　水穂

葉も花も実も紫の茄子ばたけつやつやしもよ朝露帯びて　　窪田　空穂

つかの間の陽ざしを吸ひてプランターに茄子の花一つむらさき深む　　山田百合子

山峡のせまき平《たひら》に植ゑ並めて茄子は短きむらさきの茎　木俣　修

いびつなる茄子の山盛りを灯のつきし涼しき店に買ひて戻りぬ　岡山たづ子

苗植ゑて廿一日目の起きぬけにわが独り言「茄子の花が咲いた」　太田　絢子

しんかんと七月いたり母がため茄子もてつくるむらさきの馬　塚本　邦雄

梅雨ばれを風動きつつ紫のかげしじに濃き茄子の一うね　玉城　徹

妹の送りよこせる信濃路の太れる茄子を輪切りにしをり　松坂　弘

朝露のしじますがしき空間に貴《あ》てなるごとく茄子は実れり　小中　英之

ゆうぐれに澄む茄子畑かなしみのしずくとなりて茄子たれており　玉井　清弘

こんなにも秋茄子の色冴えてゐる世にいま何が新しいと言ふ　今野　寿美

## なずな〔薺《なづな》〕

日当たりのよい路傍や畑に見られるアブラナ科の二年草。葉は羽状に深く切れ、根元の葉はほとんど地面に接し束生する。春先、花茎を立て白色四弁の小花を多数総状に綴り、倒三角形で扁平の三味線の撥《ばち》に似た実を多数つける。春の七草の一つ。若葉を七種粥に用いる。ぺんぺん草《ぐさ》。三味線草《ぐさ》ともいう。木下利玄の「まだき」はもうすでに。

土の上かそかにうすくかげつくるなづなの花はさかりすぎつつ　前田　夕暮

なづななづな切抜模様を地に敷きてまだき春ありこのところに　木下　利玄

街裏の畑《はた》に薺《なづな》をつむをとめ素足うつくしくたもとほりをり　結城哀草果

「よく見れば薺花咲く垣根かな」日本の心をここに見るなり　太田　青丘

丈ひくく匂ひなづなの群がれる処を過ぎていづ辺に行かむ　遠山　光栄

ま白きが日に歌ひつつ畦の上の薺《なづな》田溝のたね付け花ら　玉城　徹

暖かく冬移りつつ道の辺にはや花咲きてなづな勢ふ　米納　三雄

## なつくさ〔夏草《なつくさ》〕

夏に繁茂する草をいう。青々としてまた猛だけしく、炎天の下では圧迫されるほどの草いきれを感じる。斎藤史の「みだりがはしき」は乱雑な、みだらな。岡野弘彦の「醜《しこ》めく」は非常に強くてみにくく見える。

焼はらに茂りおひそふ夏草のちからをたのみ生きゆかむとす　土岐　善麿

一谿は樹を切りをへてすたれたる径《みち》あはれなり夏草の照り　穂積　忠

夏草のみだりがはしき野を過ぎて渉りかゆかむ水の深藍　斎藤　史

夏草の茂みのなかに焼けトタンわづかに見えて人の住むらし　太田　青丘

夏草の醜《しこ》めくものを踏みしだき踏みしづめゆくわれは独りぞ　岡野　弘彦

## なつみかん〔夏蜜柑《なつみかん》〕

山口県原産の柑橘。暖地で果樹として栽培されるが、観賞用に庭木にもする。高さ3～5メートル、分枝して広がり、葉柄には小形の翼がある。六月、葉腋に香りが強い白花をつける。果実は300～350グラムの大形、皮が厚くざらざらする。秋にだいだい黄色を帯びるが翌年の四、五月に収穫するため、冬のあいだ樹上の果実は鮮やかに彩る。生食、ママレード、砂糖漬にする。酸味の強い果実を生食すると爽やかな初夏を感じたが、最近は、市場に殆ど出ない。甘夏は川野系ナツダイダイの減酸されたもの。ネオ夏蜜柑は小粒の果実にヒ酸鉛をかけて酸味を抜いたもの。

夏蜜柑ひとつ貰ひて持ちてある思ひはかなく汽車動くなり　島木　赤彦

暗緑の葉がひにかくれ現れて黄に照る大き夏蜜柑はよ　窪田　空穂

夏蜜柑の樹にちかづけば匂ひくすし。／しろき花ふかく葉にこもりさく。　石原　純

紀の国のはざまの店に夏みかんむさぼり食《は》みてなほゆかんとす　木俣　修

夏蜜柑の黄の実いまだもゆたけきに早きつぼみは開かんとす　佐藤佐太郎

父の墓の石柵に乗り夏みかんの汁飛ばす汝よ愉快なる子よ　森岡　貞香

事件などそう簡単におこらないものねと強くむく夏

みかん　　　俵　万智

## なつめ〔棗《なつめ》〕

アジアから南欧原産のクロウメモドキ科の落葉小高木。庭に植えられる。高さ6～10メートル、枝にしばしばとげがあり、小枝が一節に二、三本束生する。卵形の葉はややつやがあり三主脈が目立ち、秋に小枝とともに落葉する。六、七月葉腋に淡黄色の五弁の小花を密につける。だ円形の小さな果実はなめらかで九、十月黄褐色に熟す。生食、乾して菓子、料理、薬用にする。

子供らがつかまるによき棗《なつめ》の樹幹すべらかに年ふりにけり　　三ヶ島葭子

わが愛はいまだ徹せず甘酸ゆき棗を噛みてゐる日曜日　　峯村　国一

つくづくと我も見上げぬ色づける棗の実をば子供ら仰ぐ　　土屋　文明

塀の上にあをき棗の生《な》りたわみ川辺しづかにてけふ町は祭　　植松　寿樹

梅雨あけしともなく淡き日のさして棗の黄花軒先に咲く　　佐藤　志満

おどろきて見ぬ青き棗の快活なる揺れやうは　あなたであらむか　　森岡　貞香

棄てられし墓に実れる青棗熟るるを待てり鬼女のごとくに　　竹下奈々子

## なでしこ〔撫子《なでしこ》〕

本州から九州の山野にはえるナデシコ科の多年草。茎は数本束生、高さ50センチ内外で直立、広線形の葉を対生。茎葉ともに粉緑色で、茎の上部がまばらに分かれ、七～九月に淡紅色の花を一個ずつ開く。花弁の縁が糸状に細かく切れて可憐な美しさを感じる。河原撫子《かはらなでしこ》。秋の七草の一つ。

君が家《や》につづく河原のなでしこにうす月さして夕《ゆふべ》となりぬ　　与謝野晶子

有耶無耶の関跡わかず風さやぐ山笹のなかあはれなでしこ　　前川佐美雄

なでしこの透きとほりたる紅《くれなゐ》が日の照る庭にみえて悲しも　　佐藤佐太郎

浜風の吹きくるなへに夢のごといくむらそよぐなでしこの花　　玉城　徹

万葉の遠きむかしもかくの如咲《ゑ》まひ見せしかなでしこの花　　大塚布見子

わが庭に泪ながらに点りける阿蘇のなでしこ含浄《がんじよう》の紅《こう》　石田比呂志

撫子のはなみな濡れて雨に垂るかかる形のやさしさもあり　田野　陽

## ななかまど〔七竈《ななかまど》〕

山地にはえるバラ科の落葉高木。高さ6～9メートル。葉は小葉五～七対の羽状複葉で、晩秋の紅葉が美しい。五～七月小枝の先に白色五弁の小花が複散房花序に開く。小球形の実は十、十一月真赤に熟して群がってたれさがり、冬枯れの山野を鮮やかに彩る。

山松のあらしのなかにもゆる火のほのほふきあがる七かまどの葉　太田　水穂

ナナカマドの実が雪かづきしんしんと疼けば刃物いつしんに砥ぐ　西川　青涛

北海道の苗木移せしななかまど二十年《はたとせ》経れど紅葉をせず　野村　清

ななかまどに花咲き初めぬ手を垂れる如きがあはれまして梅雨のあめ　春日井政子

信州より庭に移せるななかまど青葉となりて土に影置く　相野谷森次



隧道を出《いで》てななかまど咲く駅よ其の日に帰る旅もさびしく　近藤　芳美

若木なるななかまど咲く人の庭雨ふる路地にその房を嗅ぐ　田谷　鋭

ななかまど葉も実も朱く色づきて岩手花巻秋雨の降る　中西　輝磨

ななかまど燃ゆる林をわがゆけばさにづらふ少年の頬映るがに　谷川　健一

たえまなき自動車道のひびきあびてナナカマド枝の若葉ほぐるる　板宮　清治

ナナカマド燃ゆる並木を行きたりし癌と自ら知る父に添ひ　清原日出夫

神掛けて実も葉も赤き七竈《ナナカマド》心を見せむやまとことのは　石井　辰彦

## なのはな〔菜《な》の花《はな》〕

種子から油を採るアブラナ科一、二年生の作物。欧州からシベリア原産といわれ、中国から古く原種が渡来、いくつかの種類を含む。温暖で肥沃な地を好むが適応性が広く各地で栽培される。茎葉はなめらかで、花蕾とともに野菜として食用する。春、茎の上部で分かれた小枝には総状花序に多数の黄色小花を開き、切花にされて桃の花とともに弥生の節句に飾られる。また、暖地で一面に咲く菜の花畑は早春の風物詩である。種子から菜種油をとる。菜種。油菜。

遠つあふみ大河ながるる国なかば菜の花さきぬ富士をあなたに　与謝野晶子

ピアノの音《ね》澄みて高まりゆくときに菜種咲く野をわれは思へり　柴生田　稔

闇のなかに菜種にほへる棚田ゆき季《とき》のやはらぎを幸《さいはひ》とせり　生方たつゑ

まだ寒き如月《きさらぎ》すゑつかた菜の花ひたしの味をたのしむ　長沢　美津

焼山の高きなだりをおほひたる菜の花おぼろ春ふけにして　佐藤佐太郎

ここしばらくは死を思ふなく過ぎんかと菜の花にふる雨を見てをり　佐藤　志満

紋白《もんしろ》蝶が二つ来ており菜の花の畑は露のかわくあとさき　岡部桂一郎

月昏き菜の花の畑《はた》みな小さき妖精たちの黄の貌《かほ》揺れて　田谷　鋭

妹と母の待ちゐむ父の忌に菜の花あまた買ひて帰らむ　大西　民子

菜の花が黄の断片と見ゆるまで遠き頂を人耕しき　前田　芳彦

しろき日の崩れつつあり菜畑は花ゆりあげてひかりを吸へり　春日真木子

くわんくわんと半鐘鳴りて菜の花のめくるめく村出口喪ふ　片山　静枝

はろばろと父に遅れてたどりつく菜の花明る岬の村に　高嶋　健一

振りむけばなくなりさうな追憶の　ゆふやみに咲くいちめんの菜の花　河野　裕子

**なら〔楢《なら》〕**　ブナ科の小楢、水楢をいい、ともに山地にはえる落葉高木。小楢は高さ17メートル、古木の樹皮は縦に割れる。葉は倒卵形で先がとがり、裏面が灰白色で鋸歯がある。四、五月に雄花は黄褐色の小花を多数尾状に垂れ下げ、雌花は葉腋に数個つく。長だ円形どんぐりの実は、十月に褐色に熟す。水楢は高さ30メートル、樹皮に深い裂目がある。葉柄が小楢より短く、鋸歯は大形で鋭く、どんぐりは大きい。小楢は東日本でシイタケのほだ木とされ、ともに材質が硬いので器具、船舶用材、建築材とされる。

日ざかりの暑さをこめて楢の木の一山は蟬のこゑとなりけり　太田　水穂

朝を注《つ》ぐ紅茶の色の楢の葉のなほ落ちやらず春立つといふに　若山　牧水

静心ひとめをいとひ秋山の楢葉《ならは》もみぢの根を踏み登る　若山　牧水

これが米をつくる百姓の／食いものかと／楢の木の実を／ころがしてみる。　渡辺　順三

朝の谷の路細りゆくところにて楢若葉あふぎ戻るを常とす　吉野　鉦二

みづみづと楢の新芽のことごとく輝く朝を口かるくゐる　佐佐木由幾

わらじ虫ふかく眠らせ楢の木の葉の暖かさ土に降り積む　石本　隆一

水楢の林にくらくまもられてわれ立てりけり黄葉《もみじ》流るる　阿木津　英

## なんきんはぜ〔南京櫨《なんきんはぜ》〕

—なんじゃもんじゃのき

中国南部原産のトウダイグサ科の落葉高木。関東以西の暖地に植栽され、街路樹とされる。高さ15メートル、葉は互生し、菱形状卵形で先が長くとがり、秋に美しく紅葉する。五、六月若枝の先に黄色小花を多数総状に開く。扁球形の小さな実は秋に熟し、晩秋に裂けて白い蠟に包まれた種子を裸出する。

あらかたを断ちて想へば冬天に南京櫨のうづのしら珠　安永　蕗子

虐殺につゆかかはりはあらざれど南京櫨《なんきんはぜ》の実の瑠璃まみれ　塚本　邦雄

葉の落ちしなんきんはぜは花餅のごとき白き実風なく光る　黒田　淑子

## なんじゃもんじゃのき〔なんじやもんぢやの木《き》〕

関東地方で近辺に見られない巨木や珍しい木をさしていうが、特に明治神宮外苑のヒトツバタコは有名である。ヒトツバタコはモクセイ科の落葉高木で高さ10メートルになり、樹皮は灰黒色。葉は対生、だ円形で厚い。五、六月新枝の先に裂片の細かい白い花を円錐状に開く。だ円形の実は秋に黒熟し白粉をかぶる。

生れは甲州鶯宿峠《おうしゅくとうげ》に立っているなんじゃもんじゃ

の股からですよ　　山崎　方代

## なんてん〔南天《なんてん》〕

東海道以西に分布するメギ科の常緑低木。庭木、切花、鉢植にされる。葉は群生して高さ2メートル内外に直立、葉は細かく分かれて茎頂に集まり、冬に紅葉。六月、枝の先に白色小花を円錐花序に多数開く。秋から冬に球形の液果が鮮紅色に熟して美しい。実が白色のシロナンテン、淡紫色のフジナンテン、葉変わり品のキンシナンテンなどがある。南天は「難を転ずる」といわれている。

南天のしげみに降りてつもらねばくれなゐの実は雪にぬれをり　　尾山篤二郎

南天の実はくれなゐににほへれどここの焼跡に来る鳥もなし　　木俣　修

日常の瑣事ながらあした安まりて南天の白き花屑を掃く　　相野谷森次

一度だけ本当の恋がありまして南天の実が知っております　　山崎　方代

南天の朱実は雪の雫して元日の陽を鮮しく浴む　　富小路禎子

日のささば色あざらけく照り出でよ雪にひそめる南天の赤　　来嶋　靖生

## にがな〔苦菜《にがな》〕

各地の山地にはえるキク科の多年草。茎は細く、高さ40～70センチ。細長い葉で根出葉は柄が長く、茎葉は茎を包む。五～七月茎上が分枝し、黄色の頭花を散状に開く。茎葉をちぎると苦味のある白い液汁を出す。

窓の外《と》は甍《いらか》ばかりのわびしきに苦菜《にがな》ほうけて春行かんとす　　長塚　節

陰もなき土原を来て有刺鉄線の下苦菜は乏しき絮《わた》をつけたり　　五味　保義

## にしきぎ〔錦木《にしきぎ》〕

山野に自生し、庭木、生垣にされるニシキギ科の落葉低木。高さ2～3メートル、枝分かれしてこんもりと茂る。枝にはコルク質の発達した翼《よく》がある。葉は対生し、小だ円形、秋に美しく紅葉する。五、六月葉腋に淡緑色四弁花を数個開く。十、十一月褐色に熟した実が裂けると朱赤色の仮種皮に包まれた種子を出し、紅葉とともに美しい。翼の大きく発達したものほど価値が高い。

よひに掃きてあしたさやけき庭の面にこぼれてしるき錦木の花　長塚　節

黄葉《もみじば》のリョウブに隣るニシキギの紅《くれない》に触り夕べを在りぬ　田井　安曇

**にっこうきすげ**〔日光黄菅《にっくわうきすげ》〕　日光など本州中部以北の高原の草地にはえるユリ科の多年草。葉は根際から二列に扇形にでて線状。初夏、40～80センチの花茎をのばし、オレンジ色のユリに似た花を数個つけ、日中に開いて一日でしぼむ

季に早く南斜面の草中に黄にきらめくは日光黄菅　大越　一男

**にら**〔韮《にら》〕　中国南部から東南アジア原産といわれるユリ科の多年草。自生もするが葉を食用に畑でも栽培される。春先、根茎より赤紫色の芽を群生、葉は扁平な線形で特有なにおいがするが柔らかく栄養価が高い。八、九月花茎を出し、白色の小花を多数集めて開き、のち実を結ぶ。

みすず刈る南信濃の湯の原は野辺の小路《こみち》に韮の花さく　伊藤左千夫

韮の葉の霜枯るるさまもおもむろにて冬至に近き日の沈みゆく　土屋　文明

韮《にら》の芽の萌《も》えしを告《つ》ぐる子に従《つ》きて見に来つれ畑《はた》のその赤き芽を　前川佐美雄

下りたちて吾が見るものは柵をへだて二うね輝く韮の葉のつゆ　清水　房雄

一つらの韮枯れ立ちて耀へるはかなき光黒実を抱く　千代　国一

韮の花地の星と咲く朝原にひとすぢの水ながれゆくかも　山中智恵子

平凡にしか生きられぬ幸福に足りゐて選ぶ春韮の束　大塚　陽子

崖畑を高き道路の下に見つ二うね揺らぐは韮の玉花　阿木津　英

**にりんそう**〔二輪草《にりんさう》〕　林や小川の縁などに春だけはえるキンポウゲ科の多年草。高さ15センチ位。掌状に三裂する葉は根生し、四、五月20～30センチの花茎を出す。頂上に三枚の総包葉をつけ、その中心から二本の花柄をのばし、五枚の花弁状のがくからなる白い花を一つずつ開く。

庭苔の青にうづもれふふみたる二輪草の蕾小さきくれなゐ　五味　保義

風なきに揺るる二輪草咲き初めて花は空気に光に触るる　黒田　淑子

むさし野の二輪草こそつつましき一輪は父一輪は母　新井　貞子

二輪草が残雪のごとき白さにて群《むれ》咲き今日の晴をよろこぶ　石川不二子

## にれ〔楡《にれ》〕

ニレ科の落葉高木で春楡、秋楡をいう。春楡は高さ25メートルを越え、葉は倒卵形で基部が左右不同、厚く表面がざらつき、縁に鋸歯がある。三、四月葉の出る前、前年の枝に黄緑色の小花を密につける。実はうちわ状の翼があり、六月に淡褐色に熟す。秋楡は葉が小形で九月頃淡黄色の花を開く。エルムは春楡と秋楡、またアイヌ人が樹皮で厚《あつ》司《し》を織るオヒョウをさす。ともに街路樹、公園樹とされる。

此園のエルムの大き木蔭には書《ふみ》よむ子らを涼ましめたり　尾山篤二郎

秋風に似て吹くかぜと思ひつつ吾はたたずむ楡の木の蔭　松村　英一

叫ばんか　かの抽象のかの雲の楡のまうへのたまらなき朝　加藤　克巳

大楡の新しき葉を風揉めりわれは憎まれて熾烈に生たし　中城ふみ子

かけのぼる階より見えて静かなる大いなる手のごとき楡の木　大塚　善子

ねむりたいわたしがねむりたい楡にもたれてをりぬ夕かたまけて　永井　陽子

夕闇の藍ふかむころ男《を》の身より女身に変はる楡一樹あり　栗木　京子

楡わかば陽を照りかへし降りこぼしわれは光のモザイクを踏む　小島ゆかり

## にわとこ〔接骨木《にはとこ》〕

本州から九州の山野にはえるスイカズラ科の落葉低木。庭木にもされる。高さ3～5メートルで成長が早い。枝には柔らかく細い随がある。葉は対生し、長だ円形の三～五対からなる奇数羽状複葉。三、四月新芽と同時に若枝を出し、先端に淡黄白色の小花を多数開く。球形の実は六、七月赤く熟す。

春浅み接骨木《にはとこ》の芽《め》のふくらみてさ青き見ればものの恋しも　古泉　千樫

にはとこの新芽を嗅げば青くさし実《じつ》にしみじみにはとこ臭《くさ》し　木下　利玄

にはとこはほぐれんとしをり透明にちかきその花かすかに揺れて　田谷　鋭

接骨木の芽ぶきはしるしみづからをせばめて生くるほかなき日々に　大西　民子

## にんじん〔人参《にんじん》〕

欧州、北アフリカから中央アジア原産といわれるセリ科の一、二年草。古く中国から渡来し、畑で栽培される主要な野菜。三回分裂する羽状複葉の根出葉をだし、夏、花茎上に白色五弁の多数の小花を傘状に開く。食用とされる根はふつう倒円錐形で肥厚し、だいだい黄色を帯びる。東洋系と西洋系の品種があり、長根のものと短根のものとがある。滝野川、金時などが有名。三寸は年間収穫できる。特有の芳香と甘味がある。長塚節の「すなはちに」は同時に。

暑き日の照る日のころとすなはちにかさ指し開く人参の花　長塚　節

種馬かとほきところをみつめつつはりはりと冬の人参噛める　塚本　邦雄

ニンジンを地精と呼ぶは何ゆえか前髪のような緑葉ゆれて　栗木　京子

花にんじん手を振るように吹かれおりかなしい眉は消してしまおう　梅内美華子

## ぬるで〔白膠木《ぬるで》〕

山野にはえるウルシ科の落葉高木。高さ5メートル位、葉は大形の羽状複葉で中軸にはひれがある。小葉は三〜六対で毛が密生、縁にあらい鋸歯がある。秋に美しく紅葉する。八、九月黄白色の五弁花を開き、球形の実は十、十一月に紫赤色に熟し、表面には白粉を生じて塩からい。葉にできる虫こぶから五倍子《ふし》をとり、タンニンの原料として薬用、染料などに用いる。

おしなべて白膠木《ぬるで》の木の実塩ふけば土は凍《こほ》りて霜ふりにけり　長塚　節

たちまちにぬるで紅葉に乱れ降る霰《あられ》の音のあはれさやけし　五味　保義

峠路のぬるでは深く紅ければ頬にやはらに夕陽はもゆる　馬場あき子

## ねぎ〔葱《ねぎ》〕

中国西部原産といわれるユリ科の野菜。畑で一、二年草として栽培される。長い円筒状の葉は中空で先がとがり、地中で多数の葉鞘が茎状をなし、白色でやわらかい。夏に高さ30～60センチの花茎をだし、頂上に白緑色の小花を球状に多数開く（葱坊主という）。関東では地中の軟白部を食べる根深《ねぶか》葱が多く、関西では柔らかい緑葉を食べる葉《は》葱が多い。群馬の下仁田葱は全体に短いが太くて甘く鍋物に向く。全体に特有の香りと辛味があり、冬期がもっとも美味であるが年間出回る。薬味、鍋物、あえ物と日本食に欠かせない野菜である。長葱。一文字《ひともじ》。

春さめのふた日ふりしき背戸畑のねぎの青鉾並み立ちにけり　伊藤左千夫

一もじの葱《ねぎ》の青鉾ふり立てて悪歌《わるうた》よみを打ちてしやまん　正岡　子規

ゆふ日てる向うのぼりの浜畑《はまばたけ》葱《ねぎ》の坊主の立ちの寂しさ　古泉　千樫

見ゆるなき一つの星を指すゆゑにするどきならん冬葱の秀《ほ》は　真鍋美恵子

葱坊主立ちて明るき葱畑大いなる春はいずこにか去る　岡部桂一郎

なほつづく不信と思へ白葱を水に晒らしてこの夜も終へるか　安永　蕗子

脱衣せる少女のごとき白き葱水に沈めて我はさびしゐ　中城ふみ子

葱の花しろじろと風に揺れあへり戻るほかなき道となりつつ　大西　民子

生活は貧しきものと思ひゐし戦中戦後香にたちし葱　馬場あき子

一夜さの雪を払ひし葱の秀のげに清らなる意志のごとしも　稲葉　京子

ねぎの束の光る土間より風は来てひえびえと父母の住む家にほふ　小野興二郎

葱のさ青夕木枯しが研ぎゐたり遂げがたく忘れがたき心の領土　田村　広志

ほとばしる水に打たする深谷葱ふとぶとと緊る皓さことほぐ　中西　洋子

葱畑に葱のとがりのあをあをし霜をよぶ大地の微動を知るか　小池　光

## ねこやなぎ〔猫柳《ねこやなぎ》〕

山野の川べりにはえ、庭にも植えられるヤナギ科の落葉低木。高さ2メートル位。早春、葉の出る前に尾状花穂を上に向け白絹毛を密生する。この蕾が春光にかがやくと美しい。生花にはこれを用いる。開花するとほうけた状態になる。花穂が猫の尾に似ているのでこの名がある。また川べりにはえるので川柳《かはやなぎ》ともいい、春を待つ人々の心を和ませる。

猫柳薄紫に光るなり雪つもる朝の河岸の景色に　北原　白秋

下《しも》つ枝《え》は水にひたりて川柳ほつ枝《え》ゆれをり雨の日ぐれを　木下　利玄

くれなゐの苞わりし猫柳の純白がきらめきかへす北風のなか　山田　あき

朝の日に水きらめきて流るれば猫柳光り春のよろこび　安田　章生

射す如く煙るが如き猫柳の岸辺に我執もはかなくて立つ　中城ふみ子

あたたかさうな春のコートをまとひたる猫柳茴香橋のたもとに佇ちぬ　青井　史

## ねじばな〔捩花《ねぢばな》〕

芝生などの日当たりのよい草地にはえるラン科の多年草。広線状の葉を茎の下半分に数枚つけ、晩春から夏、高さ10〜40センチ位の茎頂に淡紅色の多数の小花を一列にらせん状につける。ねじれた花序の様子からこの名がある。捩摺《もぢずり》ともいう。

捩摺《もぢずり》はそよろと咲けり東京の外れのせまき庭の片隅　君島　夜詩

ねぢばなに花見顔なる雀子と憂ひを頒つほどのしづけさ　太田　青丘

もぢずりの一茎淡く咲きいでて夏夕ぐれの音無き時間　鈴木　英夫

家持の古りしみかげ社移されゐていまだ稚きもぢずりの花　扇畑　利枝

門のわきに妻の見つけしねぢばなをあはれなればと鉢に移せり　吉野　昌夫

野のしめり仄か集めて花潤む紅《べに》の細かき捩れ花など　石本　隆一

朱鷺《とき》いろのあえかな螺旋《らせん》芝なかにつんとつきたてねぢばなの咲く　杜沢光一郎

振摺の花をよく知る少女《をとめ》なり村を出できて夜は学びつつ　柏崎　驍二

右ねぢれ左ねぢれのねぢり花ねぢ切れ果つるこころにぞ見し　永井　陽子

## ねずみもち〔鼠黐《ねずみもち》〕

関東以西の暖地の山野にはえるモクセイ科の常緑低木～小高木。庭木や生垣に植えられる。高さ2～3メートルの幹は灰褐色で直立、分枝する。葉は対生、だ円形で厚く光沢がある。六月新枝の先に白色の小花を群生、長だ円形の実は十一、十二月紫黒色に熟し、ネズミの糞に似ている。

鼠黐咲く露地に夕餉のもの提げて帰りゆく逸脱のあらぬ日常　金井　秋彦

## ネーブル

オレンジの一種で濃いだいだい黄色の皮はむきにくい。果頂に臍《へそ》（ネーブル）があるのでこの名がある。芳香が高く、果汁が多い。果樹は明治二十二年に渡来、暖地で栽培されているが、主産地カリフォルニアのワシントンネーブルが代表品種である。

ネーブルを食めばネーブルの匂いする身のはかなくてひと日臥しおり　山埜井喜美枝

かをりにも水脈《みを》あるならむネーブルをむけば屋内這ひゆく　佐藤　通雅

## ねむのき〔合歓木《ねむのき》〕

マメ科の落葉高木で川沿いの崖、雑木林にもはえるが庭木として観賞する。葉の開くのが他の木よりおそく五月になり、葉は大形の二回羽状複葉、小葉は刀形で細かく、夜間には葉を垂れて閉じるためこの名がある。六、七月小枝の先に散形状に紅色の花をつけ、日没前に開花する。多数の雄しべが糸状に飛び出して紅色から淡紅色に変化して美しい。豆状のさやの実は九、十月に褐色に熟す。合歓《ねむ》。合歓《ねむ》。合歓《ねぶ》。合歓《かうか》。渡辺順三の歌は昭和五三年内灘村砂丘地米軍砲弾試射場反対のときのもの。築地正子の歌は芭蕉の俳句「象潟や雨に西施が合歓の花」をふまえたもの。

親しきはうすくれなゐの合歓《ねむ》の花むらがり匂《にほ》ふ旅のやどりに　斎藤　茂吉

ほのあかく花はけむりし庭の合歓《ねむ》風そよぐなり現《うつ》し実《み》の莢《さや》　北原　白秋

たもとほる夕川のべの合歓《ねむ》の花その葉は今はねむれ

るらしも　古泉　千樫
川霧にもろ枝翳《さ》したる合歓《ネム》のうれ　生きてうごめく
もののけはひあり　釈　迢空
まだ眠り解かぬ葉上に淡紅《うすべに》の房立てて合歓《ねむ》の花のや
さしさ　若山喜志子
ほのかなる合歓《ねぶ》の花咲く夏恋しあまたの人を知りて
来しかな　今井　邦子
ねむの花／うすくれないのやさしきを／手にとると
きも砲はとどろく　渡辺　順三
この坂の合歓《ねむ》木のねぶるを月にみき細《こま》かき葉らの閉《へい》
合《がふ》かなし　坪野　哲久
昼間みし合歓《かうか》のあかき花のいろをあこがれの如くよ
る憶《おも》ひをり　宮　柊二
黄昏の雨にささやさや合歓の花咲くとも西施は笑はざ
りけむ　簗地　正子
合歓の花紅刷毛ほどの夕蘂《ゆふしべ》に夏の睫毛は深みゆくか
も　山中智恵子
ねむの木のこのほのかなるねぶりぎわ水は走りてゆ
うやみにゆく　田井　安曇
梅雨のあめ日毎にそそぎ谷々は花さく前の合歓うつ
くしき　石川不二子
きぬずれの無韻のさやぎベランダの一歳《いっさい》合歓《ねむ》は微風
に揺れて　道浦母都子
合歓の花そよろそよろのくれなゐにをりふし灌ぐ月
光の水　武下奈々子

## のいばら〔野《の》茨《いばら》〕

山野や河岸などに多いバラ科の多年草。枝にはとげがあり、だ円形の小葉五〜七枚からなる羽状複葉。葉裏と柄には軟毛がある。晩春、短い枝の頂に2〜3センチの白色五弁花を円錐状に開き、芳香がある。花後、球形の実をむすび、赤く熟す。野薔薇《のばら》。古名うばら。与謝蕪村の「愁ひつゝ岡にのぼれば花いばら」は郷愁の名句、ありふれた雑草にも美を見いだすのが詩人、短歌にもすぐれた抒情歌が多い。大塚布見子の「蜾蠃《すがる》」は蜂。虻

野いばらの花摘みさしてふと仰ぐ大空はまことはる
けかりけり　岡本かの子
野いばらの咲き匂ふ土のまがなしく生きものは皆そ
こを動くな　前川佐美雄
野いばらの実に雨ふれりありふれしやさしきものに

今日は衝《う》たるる　斎藤 史

ふる雪に野茨の赤きつぶらみは雪うさぎの眼なり汝を置き来し旅　森岡 貞香

野いばらの白き小花に大いなる蜾蠃《すがる》きてをりうなりあげつつ　大塚布見子

赤き実をなくして冬に耐えてゐし野茨《のばら》の白き花咲きそめぬ　馬場あき子

欺されていしはあるいはわれならずや驟雨の野茨折りに駈けつつ　寺山 修司

## のうぜんかずら〔凌霄花《のうぜんかづら》〕

中国原産のノウゼンカズラ科のつる性落葉木本。花が美しいので庭木とされる。茎は気根で他にからみついてのぼる。葉は羽状複葉を対生。夏に先が五裂したやや唇形漏斗状の朱だいだい色の花を総状に多数開く。

虻《あぶ》は飛ぶ、遠いかづちの音ひびく真昼の窓の凌霄《のうぜん》花《かづら》　佐佐木信綱

火のごとや夏は木高《こだか》く咲きのぼるのうぜんかづらありと思はむ　北原 白秋

人の性《さが》また花の性《さが》四、五輪づつあひよりて咲くのうぜんかづら　大西 民子

咲きのぼるのうぜんかづらの色さえて一人住ひの家ひそかなり　藤岡 武雄

杉の木を縛していのち旺んなる　のうぜんかづらむらむら朱き　穂積 生萩

角を曲れば凌霄花《のうぜんかずら》の溢れいし記憶にあえる　はずの空白　久々湊盈子

## のぎく〔野菊《のぎく》〕

野に咲く菊をいい、野路《のぢ》菊、野《の》紺《こん》菊などをさす。野路菊は四国、九州の海岸近くの山や崖に十、十一月頃白色まれに淡黄色で中心が黄色の小花を開く。菊の基部は倒れ、上部は斜上して枝が多い。野紺菊は本州から九州の山野に八〜十一月、淡青紫色で中心が黄色の小花を多数散房状に開く。他に油《あぶら》菊、泡《あわ》黄金《こがね》菊、磯菊などは黄色の小花を開き、山白《やましろ》菊、沢白菊などはヨメナに似た白っぽい小花を開く。この他にも各地に自生する野菊は多く、素朴な花は秋の野山を抒情ゆたかにいろどる。

よき友にたより吾がせむこの庭の野菊の花はいや咲きにけり　古泉 千樫

乱れあひまたしんしんと野菊さけりわが顔流れゆく

ごとき陽の中　　森岡 貞香

のぢ菊の一むら白き吾があたり立ち行き妻は草むらに入る　　近藤 芳美

野紺菊殖ゆるを疎み抜きたるに思はずも咲く三四年経て　　佐藤 志満

つつぬけに虚心を揺する野紺菊沁みるひかりにわが癒されて　　牛山ゆう子

**のげし**〔野芥子《のげし》・野罌粟《のげし》〕路傍や畑にふつうに見られるキク科の二年草。茎の高さ50〜100センチで全体がアザミに似るがやわらかくちぎれば白汁がでる。四〜七月に黄色の小さな頭花を開く。鬼野ゲシは野ゲシより全体に大形で茎が太く、高さ120センチになり、葉がかたくてこわい。いずれも花後に白色の冠毛のある実を結ぶ。

限りなく野げしの穂絮とぶ午後のこころの渇きいふこともなし　　尾崎左永子

いっせいに柵まで伸びてオニノゲシの花が見下ろすベランダの花　　花山多佳子

**のこぎりそう**〔鋸草《のこぎりさう》〕本州北部から北海道の山地の草原にはえるキク科の多年草。茎の高さ50〜100センチ、葉の縁がのこぎりの歯のように鋭い切れ込みがある。七〜九月茎頂に白色花を散房状に密につける。

秋草のわきて渚にせまり咲く鋸草に血はしぶきけむ　　橋本 洋子

**のびえ**〔野稗《のびえ》〕本州から九州の溝辺などやや湿地に見られるイネ科の一年草。形に変化が多く、高さもまちまちだが普通70〜100センチ。葉は線形で細かい鋸歯がある。夏から秋に茎の頂に円錐花穂をつけ、緑色の小花を開く。犬稗《いぬびえ》。

さびさびて今は光らぬ野稗の穂親しかりにし人も死にせり　　北原 白秋

秋さびしもののともしさひと本《もと》の野稗の垂穂《たりほ》瓶《かめ》にさしたり　　古泉 千樫

減反の標識を立てに来しわが田茂りし野稗すでに穂をもつ　　山崎 正男

**のびる**〔野蒜《のびる》〕林や草原、土手などにはえるユリ科の多年草。春、地下の白色球形の鱗茎より高さ40〜60メートルの茎と線形の葉を数枚生じる。五、六月茎頂に散形花序を出し、淡紅色六弁の小花を多数開く。球形の鱗茎と若い茎葉は、あえ物などにして食べると、ネギより濃い独特の野性の香りがする。

汝《なれ》は芹つめわれは野蒜《のびる》を摘《つ》ましとむきむきにしてあさる枯原　若山　牧水

おのがじし伸びたる茎に一つづつ玉うちあげて咲けり野びるは　若山喜志子

葱苗より長くなよなよ露をもつ野びるは植ゑし数にはあらず　土屋　文明

道のべに野蒜《のびる》の青きむらがりはやはらかにして土に靡けり　佐藤佐太郎

山国は食《しょく》の乏しさ千曲堤《づつみ》の野蒜《のびる》を掘るも洒落《しゃれ》にはあらず　斎藤　史

よろこばず嘆かず嫩葉《わかば》の世界より少しの野蒜下げて帰れり　馬場あき子

安房の波のひかる響みのなかに揺れ春の野蒜は迷ひをしらず　日高　尭子

## のぶどう〔野葡萄《のぶだう》〕

山野にはえるブドウ科の落葉つる植物。長柄のある葉はハート形で三～五裂する。七、八月淡緑色の小花を開き、秋に白、紫、青色などの球形の小さな実を結ぶ。食べられない。土屋文明の「野葡萄《えび》」は植物名をエビヅルといい野ブドウに似ているが球形の実が房状となり黒熟して食べられる。他に山葡萄はつるが太く角ばった葉で、実も少し大きくて紫黒色に熟し食べられる。ジャムなどにもする。

のぶだうのみのりてあらむふるさとやしなののくにのこほしかりけり　大井　広

山の上《うへ》は秋となりぬれ野葡萄《えび》の実の酸《す》きにも人を恋ひもこそすれ　土屋　文明

野葡萄の熟れてゆく昼　状況をまつしぐら指す矢印の朱《あけ》　西勝　洋一

## のぼたん〔野牡丹《のぼたん》〕

ノボタン科の常緑低木。不耐寒性なため温室で栽培されるが寒さに強い改良品種もある。幹は分枝し、葉は卵状だ円形で数状のはっきりした縦脈がある。枝葉に褐色の粗毛を生じる。夏、七センチほどの紫色五弁花を枝先に日中開く。

ほぐれゆく蕾のさまはいまだ見ずこの野ぼたんの深き紫　大悟法利雄

朝咲きて夕べは散らふノボタンを心しづむるよすがとぞする　吉田　正俊

約束を守らねばならぬやうに咲きてその日に散るのぼたんの花　長沢　美津

ひとやすみしてゐる如き野牡丹が十二月に入りつぎつぎ開く　佐藤　志満

一日にて花散り終る野牡丹の散りて久しきその濃紫　野北　和義

野牡丹の葉は紅葉して芝生の中いただきになほ咲きつぐ紫　吉村　睦人

野ぼたんのけふ咲きましたと書きしかど手紙のかなたまだ夏にして　辺見じゅん

## のぼろぎく〔野襤褸菊《のぼろぎく》〕

欧州原産のキク科の一、二年草。明治初年渡来、道ばた、畑にはえる。茎は柔らかく多数分枝し、高さ30センチ位。頭花は黄色の筒状花からなり、その様子がボロきれの集まりに見えるためその名がある。春から夏に多く開花するが一年中咲くこともある。

地に低く狐のぼたん野襤褸菊咲きしあたりに我を立たしむ　角宮　悦子

## のり〔海苔《のり》〕

食用とする柔らかな葉状の藻類で、干しのり（浅草のり）にされるアサクサノリ、アマノリ、アオノリをいう。多くは養殖で、海苔粗朶といっている篊《ひび》を浅海に組み立て、海苔を付着させる。生成した海苔は摘みとり刻んで四角の簀《す》に流しこみ、天日か火力乾燥する。採取と乾燥は十二月から四月まで行なわれる。他に淡水産の川海苔などもある。

ひき潮につづく海苔篊《のりひび》の黄にひかる海のしづかさひろびろとして　佐藤佐太郎

## パイナップル

熱帯アメリカ原産のパイナップル科の二年草。沖縄、奄美諸島で栽培されるが、果実は多く輸入品。葉は剣状で厚い革質、ロゼット状に束生し、その中から抜き出た花茎に淡紫青色、淡紫紅色の花が肉穂花序をなして咲く。果実はだ円体状の集合果で、食用部分は花托の肥大したもの。果汁が多く甘味と酸味があり、生食、かん詰にされる。

慰霊祭の中ほどにして供へ置くパインアップル缶に夕陽射し来《く》も　宮　柊二

## ハイビスカス

アオイ科の常緑低木で鉢植用に温室で栽培される。沖縄では仏桑花、琉球むくげといい、庭木に植えられている。葉は濃緑色で卵形、あらい鋸歯が縁にある。夏から秋にムクゲに似た漏斗状の五弁花を葉腋から一つずつ開く。色は赤だが、黄、だいだい、紫紅、桃、白などもある。

何にためらいありて訪わざりし歳月を眼に沁みてハイビスカスの花鮮やけく　近藤　芳美

冬越えしハイビスカスの咲ける紅ひと日ふた日の勢見るべく　千代　国一

島人の犠牲の上に　今日を在って　仏桑花のくれない　ただならぬ。　井伊　文子

夕波の音静かなる今日のホテルハイビスカスの低き生垣　細川　謙三

仏桑花くれなゐふかく咲き垂るる首里王城の池をめぐれり　岡野　弘彦

由布島はあやにつややに仏桑花咲きて水牛は人乗せて行く　馬場あき子

## はいまつ〔這松《はいまつ》〕

本州中部以北、北海道の高山帯にはえるマツ科の常緑低木。幹は屈曲して地面をはい、よく分枝して四方に広がる。樹皮は黒褐色。葉は五本ずつ束生して枝に密につく。六、七月開花、松かさは卵状だ円形。盆栽などとする。

はひ松のかげ深みつつなほ照れる光寂しも入日のなごり　島木　赤彦

## ばいも〔貝母《ばいも》〕

中国原産で庭などに植えられ、鱗茎を薬用として栽培され、野生化も見られるユリ科の多年草。茎の高さ30〜80センチ、葉は二〜三枚ずつ数段に輪生、広線形で先端が反曲する。四、五月茎頂に4センチ内外の鐘形の花を下向きに数個開く。六枚の淡緑色花弁の内側に紫色の網目があるため編笠百合ともいう。

さびしらに咲ける貝母の花をいけてこよひの暗き灯火《あかり》にむきぬ　岡　麓

## はぎ〔萩《はぎ》〕

マメ科のハギ属の落葉低木または草木。茎の下部は木質化し、枝は細く多数分枝する。葉は三枚の小葉からなり柄がある。花は夏から秋に葉腋からでた総状花序につき、蝶形の紅紫色、また白色にしだれて咲く。庭に植えて観賞する。山萩は山地に自生し、花は紅紫色。日本海沿岸の山地に自

生して庭にも植えられる宮城野萩は紅紫色ときに白色の花を開く。秋の七草の一つで、季節感の漂う日本古来の花。

ききわけもなき我に似て咲きつのる垂り枝の先の萩の花むら　若山喜志子

紅《べに》すこしほのめきゐし萩けさの風に流るる如く花ひろがれり　五島美代子

ゆふ風に萩むらの萩咲き出せばわがたましひの通りみち見ゆ　前川佐美雄

山萩を瓶《かめ》にゆたかに溢れしめその散る花を踏みてわが立つ　扇畑　忠雄

咲きつぎてときながかりし萩の花今すがすがと青き実結ぶ　佐藤　志満

カーテンを引くこともなく灯の及ぶしげり冷えわたるまでに白萩　近藤　芳美

萩の秀《ほ》に白き蕾のともりたる心のゆらぎあしたより夜　二宮　冬鳥

白萩の咲き終れるを掃き寄せてこれよりとみに秋深からむ　野北　和義

音楽の消ゆるは花虻の去りゆけるしなしなとなりぬ萩のひとむら　森岡　貞香

白萩の咲けば咲くにぞ夕やみに列島深く撓みゆくなり　安永　蕗子

わが歩みに触れてくづるる萩ながら夕ぐれ園を華やかしをり　上田三四二

月光に紅《くれなゐ》こぼす萩の襤褸《らんる》自然《じねん》を曝す姥となりたし　富小路禎子

紅萩のなやましげにも咲きなだれいつにてもきはどし生《しやう》といふもの　蒔田さくら子

―はくうんぼく

## はくうんぼく〔白雲木《はくうんぼく》〕

エゴノキ科の落葉高木。山地にはえ、庭木とされる。高さ6～9メートルで、葉は円形で先がとがり、裏面が白い。五、六月に新枝の先に白色の花を総状に下垂して開く。実は卵形で九、十月に熟して裂け、褐色の種子を出す。白花の満開した様子が白雲のようで、この名がある。

葉を抽《ぬ》きて白雲木《はくうんぼく》の花の筋たるれば房のかたちととのふ　玉井　慶子

雲ながれ白雲木の花房のさゆらぐ景や風は演出家《プロデューサー》　玉井　慶子

夏あけの風たつ見えて空たかく白雲木の花ひかり咲く　大塚　善子

**はくさい〔白菜《はくさい》〕** 中国北部で古くから栽培され、明治八年頃渡来したアブラナ科の一、二年生の野菜。晩秋に結球して冬の漬物、鍋物などに欠かせない。春、花茎を出して十字状の淡黄色の小花を多数開く。山東白菜が特に美味。

白菜《はくさい》はみながら白し月の夜と霜の光にうづたかく積む　北原　白秋

かりがねのこゑきくときぞ白菜の玉むすぶ畑《はた》になみだ落としつ　前川佐美雄

白菜のあはく明るき黄の花に大地は酔へりわれは酔はぬを　岡井　隆

白菜が赤帯しめて店先にうっふんうっふん肩を並べる　俵　万智

**はくさんこざくら〔白山《はくさん》小《こ》桜《ざくら》〕** 本州の高山の湿った草地に群生するサクラソウ科の多年草。葉は少し多肉で上半に鋭鋸歯があり、根生する。夏、高さ5～20センチの花茎の上端に一～五個の淡紅色の花をつける。

芝倉岳に挑まむとするコルに来て見よ咲き乱る白山小桜　来嶋　靖生

**はげいとう〔葉鶏頭《はげいとう》〕** 熱帯アジア原産のヒユ科の一年草。秋の花壇を美しく彩る。葉の形は幅の広いもの、細長くよじれたものなど変化が多い。葉色は紅と紫、黄と緑の二色種と紅、黄、緑の三色種と紅、黄、緑、紫の四色種とがある。夏から秋に葉腋に淡緑、淡紅色の細かい花を密につける。雁来紅。かまつか。

秋ふけしこの花園の葉鶏頭霜夜霜夜に色まさりけり　結城哀草果

雁来紅《がんらいこう》燃えのきはまり地殻よりわななく声のまっぴるまなり　加藤　克巳

かまつかの目に染むばかり炎《も》えいでて木がくれに見ゆ無数の死者の　太田　一郎

かまつかの静かに朱けの深みゆく夕べゆふべの君の恋ひしさ　馬場あき子

丈高き葉鶏頭つづく庭ありてその紅《くれなゐ》はむしろ凄まし　蒔田さくら子

**はこべ〔蘩蔞《はこべ》〕**

畑や道ばたなどあちこちに見られるナデシコ科の一、二年草。茎は分枝して束生し、下部は横に伏して斜上する。卵形の柔らかい小葉を対生。春から秋、枝先に白色の小さな五弁花を開く。はこべら。また朝日を受けて盛んに開花するため、あさしらげ（朝開けの転）の名がある。春の七草の一つ。

はこべ草踏みて通れば青臭しかなしき春のにほひなるかも　若山喜志子

はこべらの白く小《ちひ》さき花咲けり萌え拡ごれる緑の中に　都筑　省吾

舗装路に生えし蘩蔞《はこべ》は伸びきりて花さへ咲かす春いそがしき　窪田章一郎

小溝には板をわたして畦みちに畦みちをつなげり見ればはこべら　醍醐志万子

**はしばみ**

カバノキ科の落葉低木でやや乾燥した明るい林にはえる。葉は広倒卵形で先が急にとがり、縁に重鋸歯がある。花は三、四月に新葉より早く小枝から黄褐色の雄花穂を尾状に下垂し、雌花がその下につく。球形の実は堅く、二枚の葉状総包に包まれる。角《つの》はしばみの実は総包が長い徳利状となる。ともに秋に熟して食べられる。

はしばみの実もいちじろくあらはれてきばめる木《こ》の葉《は》ややおちつくす　伊藤左千夫

はしばみの今年の花は風吹きて結ぼほるまで長くなりたり　土屋　文明

はしばみの青き角《つの》より出づる実を噛みつつ帰る今日の山行き　土屋　文明

つのはしばみ葉は色あせて虫食へどさがる実嬉し角《つの》あざやかに　小市巳世司

**ばしょう〔芭蕉《ばせう》〕**

中国原産で古くに渡来したバショウ科の大形多年草。関東以南では庭に植えられ、バナナに似た大きな広だ円形の葉を観賞する。夏、大きな包葉の内部に十五個内外の黄白色の花をつける。果実はバナナ状となるが食べられない。颱風に広葉が煽られてなびくさまは傷々しく、破《や》れ芭蕉という。

大き芭蕉葉かげにふかく花持つか地に目立ちてぞ苞《はう》をおとせる　中村　憲吉

葉ごもりに咲くと見えねど花芭蕉百日《ももか》あまりを散り

つづきけり　中村　憲吉

芭蕉葉はのきに植ゑしが夜のあめにあり処《ど》しらるる音いちじるし　中村　憲吉

しぐれ降る夕庭くらし破《や》れ芭蕉おもくゆすれて風たちそめつ　今井　邦子

移し植うる芭蕉運ばれ地のうへに横たへられて大きかりけり　長沢　美津

芭蕉葉の破れて立てる塀の内むかし関口芭蕉庵ありき　蒔田さくら子

## はす〔蓮《はす》〕

熱帯アジア原産のスイレン科の多年生水性植物。池、沼、水田で栽培され、観賞・食用とされる。夏の朝、水面を抜き出た茎上に芳香のある淡紅、白色の清楚な花を開く。花托は蜂の巣状をなし、その穴にできる実は種子を包み、これを食用とする。種子は泥炭層で千年以上も発芽力を失わないといわれる。秋の末には地下茎の先端に生じる蓮《れん》根《こん》を掘り上げ食用とする。風で破れた葉もこの頃には枯れて、折れたりへし曲がったりした長い柄のみが水面上に残る。「敗荷《やれはす》」といって敗残のさまにも美を発見する日本人の感性。はちす。

鑑真の寺に渡来の八葉《はちえふ》のはちす咲き出でて今日は雨なり　前川佐美雄

汚れたる沼と思ふに舟にゆく沖ひとところ白き蓮咲く　山本　寛太

服装のろまんちつくのごとくにも蓮葉のへりのふるふるうごく　森岡　貞香

紅蓮《べにはちす》咲けるかたはら花落ちて立てる花托の青うひうひし　葛原　繁

枯蓮の悉く折れうつむくは名も無き民の「喪の日」ならずや　佐藤美知子

み仏は坐りいまさねふくよかに開花遂げたる蓮を尊ぶ　蒔田さくら子

もうおどろかぬ齢《よはひ》となりて枯蓮の池の荒びを見つくして来つ　蒔田さくら子

花びらは尖りを持ちて二十四枚古代はちすの花はかろやか　大塚布見子

長江のほとりゆ来たる乾草の中より拾ふ蓮子《はすのみ》四つ　石川不二子

## はぜ〔櫨《はぜ》〕

植物名をハゼノキというウルシ科の落葉高木。関東以西に自生、実から木蠟を採るため栽培もされる。葉は大形の羽状複葉で、広被針形の小葉九〜十五枚からなり、枝先に集まる。山櫨は落葉小高木でハゼノキに似るが枝葉に毛がある。両者とも秋の紅葉が見事である。ともに触れるとかぶれる。

はらら散る櫨は落葉ぞおもしろき表《おもて》火のごとく裏べ寂《さ》びたる　北原　白秋

もみぢせる櫨の一もと炎えたちてひたひたと中洲に寄する秋の水　鈴木　蓁子

香貫山青すさまじく闌けたるを洩るくれなゐは櫨紅葉にて　玉城　徹

櫨並木とぎるる果てに光射しわが生《あ》れし日の晴天の見ゆ　栗木　京子

## パセリ

サラダ、スープの香味料として栽培される清浄野菜。地中海沿岸のセリ科の二年草で芳香があり、鉄分、ビタミンA・Cが豊富で、緑色の細かくちぢれた葉は肉料理には欠かせない。

プランターのパセリ摘みたるあかるさを顕たせて指はながくにほへり　今野　寿美

ざわざわと口に押しこむ縮れ毛のごときパセリは強き香を放つ　松平　盟子

—はたんきょう

## はだかぎ〔裸木《はだかぎ》〕

冬になって葉をまったく落とし、枯木のように見える木をいう。蕭条としているがどこか心ひかれる姿がある。

枯原の夜靄《よもや》のなかに影太く立つ裸木にあゆみ近づく　長谷川銀作

裸木の尖の樹氷が散る山の下に凍りて風のみずうみ　武川　忠一

裸木らが何の未来か支へゐる真昼間ゆきて耳たぶ寒し　中城ふみ子

百本目にわれを加えて裸木の続く林の日の中に立つ　青井　史

## はたんきょう〔巴旦杏《はたんきやう》〕

スモモの品種の一つ。果実は球形で先がとがるため、とがりすももともいう。果皮は白粉を帯び、はじめ深緑色で後に紅紫色になるものと、熟後も青いものとがある。果肉は黄色で甘い。

あな甘《うま》き巴旦杏《はたんきやう》かも口の中に甦《よみがへ》り来る童の日かも　窪田　空穂

巴旦杏花もおぼろに夕昏るるさびしき明日を恃まんとする　川口美根子

**はっか**〔薄荷《はくか》〕　各地のやや湿った土地にはえ、香料、薬用に栽培もされるシソ科の多年草。茎の高さ20~60センチ、だ円形の葉は対生、全体に短毛があり、傷つけると特有の香りを放つ。夏から秋、葉腋に淡紫色の小花を群れてつける。北海道北見地方が産地として有名。

ゆくりなく摘《つ》みたる草の薄荷草思ひに堪へぬ香《か》をかぎにけり　土屋　文明

窓ぎはに鉢の薄荷の二茎はひかる硝子を這ひのぼりをり　高橋　則子

**はないかだ**〔花筏《はないかだ》〕　各地の山林内にはえるミズキ科の落葉低木。葉は柄のある卵円形で先がとがり、縁に細かい鋸歯がある。五月、葉面の中央に淡緑色の小さな単性花をつける。実は球形で八、九月に黒く熟す。花をのせた葉を筏にたとえて名がある。実と若葉は食べられる。

くちなはとの対峙をときて歩みゆくみちに葉ごとに花筏咲く　後藤　直二

実となりし花筏の葉を手にとりてしばらくゆけり阿弥陀堂の坂　中井　正義

**はなしょうぶ**〔花菖蒲《はなしやうぶ》〕　水辺、湿地で栽培されるアヤメ科の多年草。自生の野花菖蒲を改良したもので、アヤメ、カキツバタとは剣状葉の中脈が著しく隆起する点で異なる。花色は紫、白、淡紅、それらの絞り、覆輪があり、花型にも八重咲き、獅子咲きなどあり、初夏に大輪を開く。東京堀切の菖蒲園は有名で、ここで江戸時代に江戸菖蒲が作られた。他に肥後菖蒲は花弁の幅が広くて豪華であり、伊勢花菖蒲は花弁がたれ下がり優美である。

独《ひとり》われ打寝ころびて白菖蒲《しろしやうぶ》ひらかむとする花に対《むか》ひぬ　窪田　空穂

花菖蒲かたき蕾《つぼみ》は粉《こな》しろしはつはつ見ゆる濃むらさきはも　木下　利玄

宇治川の山蔭にして菖蒲花《しやうぶばな》舟に植ゑしを水に浮けたる　中村　憲吉

濃艶に咲きて日に照る花菖蒲風ふきくれば紫に揺る　大岡　博

**はなすおう**〔花蘇芳《はなすはう》〕 中国原産のマメ科の落葉低木。庭に植えられ、切花にされる。一六九五年に渡来したという。高さ3～4メートル、四月ごろ枝の節に葉よりも早く、紅紫色の蝶形の小花が群がって咲く。葉はハート形で裏がやや白色を帯び、柄がある。豆形のさやの実は片側に狭い翼がある。

花蘇芳《すはう》かなしみひらくごとく咲きこころ誤たざれ一日は　高嶋　健一

塀越えて花咲く木見ゆちちのみの父が教へし名は花《はな》蘇芳《すはう》　蒔田さくら子

それぞれに秀に花をもつ木々の中紫荊《はなすおう》一樹の反逆の幹　島本　正靖

花蘇芳枝に咲き群れこまかなるそのかなしみは紫にして　松坂　弘

**はなだいこん**〔花大根《はなだいこん》〕 花の咲いた大根をいうが、薄紫色の十字の花を開く中国原産のアブラナ科の宿根草のこともいう。高さ30～90センチの茎は枝分かれして性質が強く、春にさきがけて咲き、やせ地でもよく成育し、香りが強い花となる。紫花菜、大アラセイトウ、ショカツサイともいう。

この春の花大根は株ふえて庭一面はそれのむらさき　宮　柊二

洗済の泡がおし押せてくる岸に花だいこんの紫並ぶ　久保田　登

**バナナ**　熱帯各地で栽培されるバショウ科の多年草に結ぶ果実。台湾、フィリッピンなどから果皮の青いものが輸入され、追熟して黄色になったものを食べる。芳香と甘味があり、栄養に富む。

みどりのバナナぎつしりと詰め室《むろ》をしめガスを放つはおそろしき仕事　葛原　妙子

黒ずみしバナナ積みあげ売れる見つ奇禍を待つごとき夜の街角　大西　民子

**はなにら**〔花韮《はなにら》〕 アルゼンチン原産のユリ科の球根植物。明治中期に渡来、鉢植、花壇に群植される。ニラに似た葉の間より三、四月に花茎を出し、六弁の白色または淡紫色の可憐な花を一個まれに二個開く。

はなにらのあたり暮れつつ抽んづる花二三輪揺るる

しろたへ　藤井　清

ハナニラは地へ伏ししままむれ咲けりうつうつとすぎし春のいく日　中野　菊夫

ひさびさの日の目も須臾の寒き曇り地を掩ふ花は今年花韮　小市巳世司

仕合せはなべて君より来る日々に花ひらきゆく花韮の道　近藤とし子

## はなみずき〔花水木《はなみづき》〕

北米原産のミズキ科の落葉小高木。大正初年に渡来し、庭、公園、街路に植えられる。葉は対生して広だ円形、秋には紅葉する。四、五月に四枚の大きな花のように見える白色、または淡紅色の総包片の上に、黄色を帯びた小花を球状に集めて開く。実は十月に赤く熟し、長だ円形で光沢があり、山法師のように集合体にならず、一つ一つ離れる。アメリカ山法師。

花水木のもみぢはいくらか異国的にいちやうの黄なる色に先立つ　柴生田　稔

花水木ここにかしこに花かかぐ　この町筋の直線的なる　佐佐木由幾

いきしちにいきしちにとぞ干《ひ》あがりて花水木の幹黒木となれり　春日真木子

花水木今日ひらひらと咲きゐたり憂ひを遠く送るごとくに　長沢　一作

花水木はなびら展べて咲く街に風漂へりたのめなきまで　尾崎左永子

夢ひとつ現《うつつ》ひとつと歌ひ来て花水木散る庭に酔ひゐつ　島田　修二

時おきて風にゆらぐは連禱のごとし真白き夕花水木　宮原　包治

夜の乳流るるそらへ赤き葉のはなみずきの木のびあがりけり　阿木津　英

## ははこぐさ〔母子草《ははこぐさ》〕

路傍や家の近くにはえるキク科の二年草。茎の高さ15～40センチで根もとから枝分かれし、葉とともに白軟毛におおわれる。四～六月に淡黄色の細かい頭花を開く。母子草《はうこぐさ》、御行《ごぎやう》（七種粥に用いるときの名）ともいう。春の七草の一つ。斎藤史の「父子草」はキク科の多年草で茎は枝分かれしない。暗褐色を帯びる頭花を開く。柴谷武之祐の「タチフウロ」は風露草の項参照。

タチフウロもゴギヤウも摘めばかそけくて夕陰り青き草ふみて来つ　　柴谷武之祐

これ見よといふやうな花ばかり愛されて森蔭の母子草父子草　　斎藤　史

草庭に小さき黄花点じゐる母子草とふ鬼みつけたり　　築地　正子

ははこ草花むら白く綿もちてそよぐを見れば秋ならむとす　　岡野　弘彦

母子草なずなの花の相寄れりうつむきあゆむこと多き日に　　穴沢　芳江

何処《いずこ》より来たりて生うる母子草かなしみ鈍くわが見下ろしぬ　　花山多佳子

## ははそ〔柞《ははそ》〕

小楢、水楢、櫟などをさしていう。これらは山に群生し、芽吹きや若葉、黄葉のときは美事である。雑木とも。

ゆふはやく酒をよびつつ山の端の雑木もみぢを見てたのしめり　　長谷川銀作

もろともに柞《ははそ》の若葉そよぐとき五月のひかり林泉《しま》にかがやく　　佐藤佐太郎

散りつくす落葉松林見つつ来て柞《ははそ》の山のもはらの黄葉　　片山　貞美

—はぼたん

## パピルス

ナイル川上流、パレスチナ、南欧原産のカヤツリグサ科の大形の多年草。観賞用として温室で栽培される。高さ2メートル以上になり、茎は緑色で太く、鈍い三稜がある。古代エジプトより紙が普及する八、九世紀まで、紙の原料として湿地や浅水地で盛んに栽培された。紙蚊帳釣《かみかやつり》ともいう。

剣状の細葉をのばしパピルスは今にして河辺のせせらぎを乞ふ　　春日井　建

## はぼたん〔葉牡丹《はぼたん》〕

原種は欧州原産のアブラナ科の植物でキャベツと共通の母種から作られた栽培変種。庭、公園に植えられ鉢植にされて冬の間楽しめる。葉の色に紅紫色系と白色系があり、また、ひだが波うち細かくちぢれる葉と、ひだがなく丸い葉のものとがある。年を越した春先、茎がのびて淡黄色の四弁花を頂に開く。

葉ぼたんはへだたりをりて見るゆゑか炎《も》えたつごときその牡丹色　　吉野　鉦二

冷えびえと霙が洗ふ戸の外の明るさ占めて葉牡丹はあり　　木俣　修

いささかにくれない刷ける葉ぼたんの渦のもなかにまきしめらるる　久々湊盈子

## はまごう〔蔓荊《はまごう》〕

海岸の砂地に群生するクマツヅラ科の落葉低木。茎は長く砂上をはい、砂中に深く埋もれてもすぐに砂上に枝を出す。高さ20～60センチの枝はしなやかで斜めに立ち上がり、卵形で裏面に毛のある葉を対生。折ると臭気がある。七～九月枝先に紫色の唇形小花を円錐状に密につける。実は秋に熟し、表面はコルク質で水に浮かぶ。東南アジア、オーストラリア、太平洋の諸島に分布。浜しきみともいい、実を蔓荊子《まんけいし》と呼んで薬用とする。

砂崩《く》えて埴《はに》あらはなる丘《をか》の上にしげる蔓荊雨にぬれたり　尾山篤二郎

はまごうの白き枯茎《かれくき》ほきほきとふみましし浜よ忘れざるべし　生方たつゑ

浜ごうのうす紫に夕照りの久しき道を過ぎて来にけり　小暮　政次

はまごうの花のむらさきおろそかに見過してのちに恋ひむものかも　石川不二子

## はまなす〔玫瑰《はまなす》〕

北海道と本州の太平洋岸の茨城以北、日本海岸の鳥取以北の海岸砂地に群生し、庭にも植えられるバラ科の落葉低木。枝は密に細かいとげがあり、葉は互生して枝の上部に集まる。夏、枝先に紅色の五弁花を開き、のち黄赤色球形の実を結ぶ。食べると梨の風味があり、花梨ともいう。

はまなすの紅《あけ》のかなしき花びらよ一日《ひとひ》咲き二日《ふたひ》咲き三日《みか》保たず　柴生田　稔

はまなすの実はおのづから紅《あけ》ふかき頃としなりぬ渚草叢《なぎさくさむら》　佐藤佐太郎

オホーツクの潮《うしほ》とどろく草丘《くさをか》にすがれんとして赤き玫瑰《はまなす》　宮　柊二

はまなすの紅一輪に砂山を馳けのぼりきて呼吸《いき》のはずみぬ　三木　アヤ

九十九里の潮の風受けここに咲く赤むらさきのはまなすの花　大塚布見子

潮風に丈低く咲くハマナスの葉の濃きみどり花びらの張り　大塚　陽子

**はまひるがお**〔浜昼顔《はまひるがほ》〕　海岸の砂地に群生するヒルガオ科の多年草。茎はつるのように砂丘をはい、また他物に巻きついてはいのぼる。葉は長柄があり、互生し、厚く光沢がある。五、六月に昼顔に似た淡紅色の花を上向きに開く。球形の実には黒い種子を含む。

浜昼顔咲きてきゐる汐鳴りのかなた原油の流されし海　苔口万寿子

ひとつひとつ花仰向けてあかねさす日を溜めて咲く浜ひるがほは　大塚布見子

**はまぼう**〔黄槿《はまぼう》〕　アオイ科の落葉低木。神奈川以西の本州から九州の暖地の海岸の河口付近泥地にはえる。高さ1～2メートルの幹は分枝し、七、八月枝先や葉腋に黄色五弁で中心が暗紅色の大きな花を開き、一日でしぼむ。

水涸れし日高川支流両岸に咲く黄槿《はまぼう》の黄花かがやく　岡野千佳代

**はまぼうふう**〔浜防風《はまぼうふう》〕　海岸の砂地にはえるセリ科の多年草。茎は短くて高さ5～10センチ、葉は砂上に広がり、厚く光沢がある。夏、茎頂に複散形花序を出し、小さな白花を密につける。香気と辛味があり、若葉の紫紅色の葉柄は刺身のつまにされる。略して防風ともいう。

そこにここに防風の花見えてをり風に砂動く磯山のうへ　鹿児島寿蔵

香のつよき浜防風の茎を嚙む島の磯回《いそわ》にゆきつかれつつ　木俣　修

海鳴りのひびく砂丘に葉の厚くハマボウフウのはな逞しき　青柳　猛

浜防風萌え出でし芽をつみゆくに素足に砂のいまだつめたし　水野　昌雄

**はまぼっす**〔浜払子《はまぼっす》〕　海岸にはえるサクラソウ科の二年草。高さ10～40センチの茎は基部から分枝し直立。全体に多肉で無毛、多少赤味がかる。初夏、茎頂に花穂を出し白花を開く。花穂は払子《ほっす》の形にのびる。

ベランダに咲く浜払子《はまぼっす》のびたちて森より生《あ》るる霧に濡れゐる　後藤　直二

**はまゆう**〔浜木綿《はまゆふ》〕　本州中部から九州、沖縄の海岸砂地にはえるヒガンバナ科の多年草。円柱状の鱗茎は高さ30～60センチ、厚く長い葉を束生し、冬も枯れない。八、九月葉間から70センチ位の花茎をのばし、十数個の香りのある白色花を傘状に開く。球形の実に含む種子は大きく、種皮が海綿質で水に浮いて広がる。浜万年《はまおもと》ともいう。

紀の海牟婁の渚に群れ生ふる浜木綿の花過ぎにけるかも　北原　白秋

浜木綿の花の夕べも円《つぶ》らなる実の伏す今日も我に安けし　土屋　文明

球根を植ゑし浜木綿咲きさかるそれのルーツはけだしや尾鷲　野村　清

浜木綿の花茎しかと伸びたちて天の火を待つ燭のごとしも　築地　正子

雪を経し庭の浜木綿蘇《かへ》るなし父に持ちゆく約束がある　御供　平佶

## ばら〔薔薇《ばら》〕

切花、花壇栽培、趣味など極めて観賞度の高い花木で、四季咲きの株バラとつるバラとの系列があり、品種が多く、色彩、花型、草姿は変化に富む。ローズといって世界的に愛されている。バラの栽培は古代オリエントでおそらく香料、薬用として始まり、ギリシア、ローマを経て欧州に伝わり、一方、中国でも古くから庚申バラなどが観賞用に栽培されており、それが一八〇〇年ごろに欧州に伝わり、欧州在来種と交配されて現在のバラができたという。薔薇《さうび》。

はらはらと黄の冬ばらの崩れ去るかりそめならぬことの如くに　窪田　空穂

風くれば薔薇はたちまち火となれり躍《をど》りあがらむうれしき風に　北原　白秋

花びらをかさねて淡き薔薇のいろゆらば消《き》ゆがに色さし匂ふ　今井　邦子

あかつきの庭に折り来しばら一輪なみだのごとき露を宿せり　林　光雄

祖父が継ぎて育てしバラの孫の孫今年も咲けり紅色のバラ　中野　菊夫

人はいま心飢えつつあらんとき薔薇の潔《きよ》らは揺るることなし　加藤　克巳

枝の先にありて薔薇《さうび》が紅《くれなゐ》の黒に変《か》はれり日の入りしかば　森岡　貞香

光しづまる日ぐれの庭に指白く動きて薔薇の花は切

られし　安田　章生

告げ難き悲しみ持つと知る母が薔薇切りて駅まで見送りくれぬ　大西　民子

ためらひもなく花季《はなどき》となる黄薔薇何を怖れつ吾は生き来し　尾崎左永子

ロマネスクもう望むべくなきことの一つにてまつしろき冬薔薇《ふゆさうび》　馬場あき子

紅薔薇の朽ちて散り落つる兆《きざし》して数日耐ふるをむごく見て居り　蒔田さくら子

ばらの木の交差枝切りて小枝切り平行枝切るばらの木のため　石田比呂志

ふくらみしつる薔薇の芽を指にふれけふ書き出しのことばをさぐる　篠　弘

青春はなおそれぞれに痛ましくいま抱きおこす一束の薔薇　松坂　弘

陽の下にわれを待ちゐし長身は薔薇の芽嗅ぐと不意にかがみぬ　河野　裕子

煮つめられ薔薇《ばら》がジャムとなるまでの薔薇の憂愁われは知りたり　松平　盟子

パソコンの横にバイオの薔薇は咲き日々しろがねの水を欲るなり　栗木　京子

そは春のゆめのエピタフかなしみの茎あらはなる薔薇を告げにき　加藤　治郎

いろいろにいろはにほへとちりぬるを薔薇は薔薇であつてあくまでも薔薇　紀野　恵

**はらん**〔**葉蘭**《はらん》〕　観葉植物として庭に植えられ、生花にも用いられる。中国原産のユリ科の多年草。葉は長さ40センチ幅12センチ内外の長だ円形で長い柄があり、普通は濃緑色だが縞斑《しまふ》、星斑の斑入りもある。若葉は巻いて出、春に筒状釣鐘形の紫褐色の花を、地表すれすれに立つ花柄に一つずつつける。

夕月は早くやどりぬ打水のなごり留めたる葉蘭の上に　落合　直文

何日《いつ》かわれの植ゑたるままに背丈ほど幼き葉蘭そだちてをりぬ　福田たの子

**はるじおん**〔**春紫苑**《はるじをん》〕　北米原産のキク科の二年草。大正年間に渡来し、野原や道ばたにはえる。茎は高さ30〜100センチでやわらかく、四〜六月に白色の舌状花と黄色の筒状花からなる頭花を散房状に開く。ヒメジョオンに似ているが葉の基部が茎を抱き、蕾はうなだれて紅色を帯びる。春女苑《はるじよをん》ともいう。高橋幸子の「ほうこ草」は母子草。

ほうこ草はるじおん春の覇者たちは討つべしとわれの戦国季節　　高橋　幸子

## はるりんどう〔春龍胆《はるりんだう》・春竜胆《はるりんだう》〕

日当たりのよい山野にはえるリンドウ科の二年草。春に花が咲くのでこの名がある。大形の根生葉がロゼット状につき、その間から花茎を数本のばし、三～五月茎頂に一つずつ青紫色の筒状花を日を受けて上向きに開く。

草枯《くさがれ》の土ひそやかに愛らしき春龍胆《はるりんだう》は眼をあきにけり　　島木　赤彦

龍胆龍胆春の龍胆雪間の龍胆わが病む部屋の窓の朝空　　若山喜志子

## パンジー

欧州原産のスミレ科の多年草で花壇や鉢植で十二月頃から咲きはじめ、三、四月が最盛期となる。大輪は花色が豊富で紫、青、黄、赤、白、濃褐色など、斑紋や覆輪もある。小輪は花数が多くて強健。パンジーは仏語 pensée（憩う、考える）で、花の様子がひとり考えこむ人間の顔に見えるからという。三色スミレともいう。

遊蝶花《パンジー》の一花《くわ》を過《よ》ぎりわれは暗む　遊蝶花はちひさきちひさき花なるを　　葛原　妙子

不様《ぶざま》なる茂みに変わりパンジーの小さくなりし花なれば愛す　　武川　忠一

パンジーとチューリップ咲きパンジーの黄チューリップの黄と同化せず　　沖　ななも

## はんのき〔榛《はん》の木《き》〕

湿気のある山野にはえるカバノキ科の落葉高木。水田の畔に植えて稲掛け用にしたり、護岸用に川岸に植えたりする。高さ15メートルに達し、長だ円形卵形の葉は先がとがり、縁に鋸歯がある。二、三月葉に先だち、枝先に暗紫褐色の雄花が尾状に多数にたれ下がり、雌花は枝の下部につく。松かさ状の実は十、十一月褐色に熟す。榛《はり》の木。

つくばねに雪積むみれば榛《はり》の木の梢寒けし花は咲けども　　長塚　節

おしなべて湖《うみ》昏るるとき寄生木《やどりぎ》の食ひ込みて立つ榛の幹は見ゆ　　真鍋美恵子

はんのきの蕾の紅《あけ》のジャケツ着てわれは羞しも 榛《はんのき》の下　石川不二子

ふるさとの榛の冬木は夕雲のあかねを常に背景とする　島崎　栄一

榛《はん》の木の林にひかり落ちいたりほほえみに象《かたち》あらしむるごと　永田　和宏

## ヒアシンス

ギリシア、小アジア原産のユリ科の球根植物。早春の花壇、鉢植、水栽培で花茎に小花を密につけて強い芳香を放つ。花色は青、紅、紫、白、黄など、八重咲きもある。細長い葉は束生して長さ10〜30センチ。ギリシア神話の少年の名よりこの名がつけられた。風信子ともいう。

ヒヤシンス薄紫に咲きにけりはじめて心顫《ふる》ひそめし日　北原　白秋

遠い空が何んといふ白い午後なればヒヤシンスの鉢を窓に持ち出す　前川佐美雄

偓促と物をかく夜もやさしけれ顔よせて見るヒアシンスの花　持田　勝穂

一茎に黄花咲き凝りひしめきつつ風信子《ひやしんす》といへり水に培《つちか》ふ　葛原　妙子

ヒアシンス真白き長根水に伸びくれなゐ色となりゆく花芯《くわしん》　窪田章一郎

ひやしんす水仙の葉むらしげりたる土ふみ立てば風の過ぎゆく　玉城　徹

ヒヤシンスのつぼみほのかに色づけば君への手紙の書き出しとなる　俵　万智



## ひいらぎ〔柊《ひひらぎ》〕

モクセイ科の常緑小高木。福島以南から九州の山地にはえ、庭、生垣などに植えられる。葉は対生し、卵形で厚い革質、縁に二〜五のとげ状の鋭い鋸歯がある。古木は多く鋭鋸歯がなくなる。十〜十二月葉腋に白色の小花を散状に開く。だ円形の実は翌年五、六月に黒く熟す。材は器具、印材とする。節分に柊の枝とイワシの頭を戸口にさすと悪鬼の目をつぶし侵入を防ぐという。

世田谷の奥の霜道ひひらぎの古き並樹に白き花咲けり　今井　邦子

柊の硬葉の垣に手をふれてあゆめば幼き日の夕ごころ　上田三四二

空《あ》き家となりてひひらぎ咲きゐしが委《くは》しく知らむことを願はず　大西　民子

柊は将棋の駒になるといふなるといふこと楽し花咲く　馬場あき子

ひいらぎのつましき花さえ咲くかぎり秋十方の光りを集む　川口美根子

柊の花はひそけく木机の斜光に読みし『多く夜の歌』　佐藤　通雅

## ひえ〔稗《ひえ》〕

アジア原産のイネ科の一年草。秋に収穫した種実を粥、餅、菓子などや小鳥の餌にする。強健で病虫害に強く、昔は救荒作物として広く栽培された。茎の高さ1～2メートル。八、九月ころ茎頭に淡褐緑色の花を円錐花穂に開く。青刈りの茎葉を飼料にする。米・麦・粟・稗・豆と五穀の一つに数えられた。

山原は荒れ寂びにけり稗稈《ひえわら》の日に干されたるひそけさをみよ　前田　夕暮

はつかなる平《たひら》拓きし峡の田に稗はゆたかに穂を垂れにけり　木俣　修

稲の穂よりも高く抽きいでし稗の穂が夕昏るるときのかなしみさそふ　轟　太市

亡びゆく作物として浅峡《あさがひ》に素朴なる穂を稗はたれにき　板宮　清治

## ひおうぎ〔檜扇《ひあふぎ》・射干《ひあふぎ》〕

日本南部に自生するアヤメ科の多年草で、庭に植えられ、切花用に栽培されている。広剣状の葉が左右交互に扇状に並ぶのでこの名がある。夏、葉間からのびた茎は枝を分け、枝先に赤黄色で内面に赤色の斑点のある六弁花を数個開く。朔《さつ》果を結び、秋に裂けると光沢のある黒くて丸い種子を現わす。この種子を射干玉《ぬばたま》と呼び、詩歌では「射干玉の」を黒、髪、夜、夢、月などへかける枕詞として用いる。

檜扇《ひあふぎ》の花は実となりさびしけど要《かなめ》ただしき葉のすがたあはれ　若山喜志子

花一つうれしくも咲く射干《ひあふぎ》のひ弱の茎に色淡き花　窪田章一郎

このあたり草生ふる隙《ひま》なきまでに野生檜扇《ひあふぎ》殖えて花咲く　佐藤　志満

秋づきて緊れる地《つち》に射干《ひあふぎ》の黒き粒実のこぼれつつあり　杜沢光一郎

わがこころ一つと念じいたるとき種子のいくつをこぼすヒオウギ　大塚　善子

**ひかりごけ〔光苔《ひかりごけ》〕** ヒカリゴケ科の微小なコケ。本州中部以北の洞穴や大樹の根もとなど薄暗く湿った所にはえる。糸状の原始体はほぼ球状の各細胞からなり、レンズのように弱光を発射し、全体としてエメラルド色に光る。

ひかりごけのように漏れいる図書館のあかりを見つめる君を見ている　岸本　由紀

**ひがんざくら〔彼岸桜《ひがんざくら》〕** 本州から九州の山中に自生するバラ科の落葉高木。桜類の中で最も長寿で、花期も早く彼岸の頃に咲くのでこの名がある。関東で多く見られるためアズマ彼岸、江戸彼岸とも呼ぶ。また、この一品種に枝がしだれ、優美な花を開く枝垂《しだれ》桜（糸《いと》桜）があり、福島県の三春滝桜の巨木、京都市の祇園枝垂など、各地に名木がある。

雨に濡れ彼岸桜の咲ける下木瓜《もとぼけ》はあまたの蕾ふふみぬ　都筑　省吾

木のもとに花びら散らず江戸彼岸老いてめでたく雨の中に咲く　窪田章一郎

夕光《ゆふかげ》のなかにまぶしく花みちてしだれ桜は輝《かがやき》を垂

―ひがんばな

る　佐藤佐太郎

近づけば枝垂桜は動く枝動かぬ枝のありてしづけし　佐藤　志満

生き弱るわれの心にたましひのしだれ桜の花ふりかかる　岡野　弘彦

三分咲き五分咲きと日々母に告げ枝垂桜を目に溢れしむ　山本かね子

**ひがんばな〔彼岸花《ひがんばな》〕** 古く中国から渡来したといわれるヒガンバナ科の多年草。本州から九州の田の畦や堤などに秋の彼岸ごろ、高さ30～50センチの花茎を立て数個の朱紅色の花を開く。六枚の細い花被片は強くそり、六枚の雄しべは長く突出する。葉は初冬に出て翌年四月に枯れる。白花は九州にはえる。紫色の栽培種もある。曼珠沙華《まんじゆしやげ》（梵語で天上の花）。狐花。死人花《しびとばな》。葉見ず花見ずともいう。木下利玄の「春《うすづ》ける」は夕日が地平線や山へ入っている。杜沢光一郎の「かくり世」は亡《な》き世。

現実の暴露《ばくろ》のいたみまさやかにここに見るものか曼珠沙華のはな　佐佐木信綱

春《うすづ》ける彼岸秋陽に狐ばな赤々そまりここはどこの

みち　木下　利玄

連想のつながりのごと曼珠沙華此処にも其処にもむからにも　尾山篤二郎

曼珠沙華の炎の色を見つめつつ息を凝らしてわが居たるかな　岡本かの子

彼岸花に立ちはさびしき師弟たり花は葉を知らず葉は花を見ず　加藤　将之

曼珠沙華葉を纏ふなく朽ちはてぬ　咲くとはいのち曝しきること　斎藤　史

あかあかとほおけて並ぶきつね花死んでしまえばそれっきりだよ　山崎　方代

うら庭とよぶ地面にてひめやかに細葉末枯るるまんじゆしやげのむれ　森岡　貞香

曼珠沙華ひとりはなやぐ寂しさの極みの色と知るまで生きて　太田　絢子

いたみもて世界の外に佇《た》つわれと紅き逆睫毛《さかさまつげ》の曼珠沙華　塚本　邦雄

人の祈りのかく咲きにけむみ墓近き白彼岸花ふれがたく過ぐ　小野興二郎

曼珠沙華むらがり咲けどかくり世にゆきてかへりこぬ父よ母よ　杜沢光一郎

秋ここに塩山ありて死人花あかしくらしとさだめがたしも　小中　英之

夏ゆけばいつさい棄てよ忘れよといきなり花になる曼珠沙華　今野　寿美

## ひし〔菱《ひし》〕

ヒシ科の一年生水草。池沼の泥中に根があり、水中の茎は長く、先端に葉が車座に集まってつく。葉は菱形で長柄があり、枝の一部が太くなって空気を入れ、常に水面に浮かんでいる。七～九月葉間から細長い柄をのばし、水面に白色四弁の小花を開く。実は扁平で両端にとげがある。日本特産の姫菱《ひめびし》の葉、実は小さく、実には四本のとげがある。実は食用となる。

うきくさの菱の白花《しらはな》白花とささ波立てり海平らかに　長塚　節

大奈閉《おほなへ》の池の堤《つつみ》を下り来れば小奈閉《こなへ》の池も菱採り小舟　川田　順

さむきわがくちびるを洩れ中国の菱採りの詩《うた》きこえけらずや　葛原　妙子

ふるさとを同じうすれば沼の菱花著けゐしと告ぐに

涙ぐむ　大滝　貞一

水の面をおほひて菱の花しろし言葉つつしみひとにしたがふ　久我田鶴子

**ひとりしずか〔一人静《ひとりしずか》〕**　丘陵の林内にはえるセンリョウ科の多年草。高さ20センチ位の茎は紫色を帯びて節があり、直立。頂に四枚葉を輪生状に対生。早春、茎頂から一本の花穂をのばし、多数の白い小花を穂状に開く。花には花被がなく、長い三本の花糸が白く目立つ。吉野《よしの》静。眉掃草《まゆはきそう》。

ひとりしづか白糸の花立てて咲く四月を待たむ妻なしわれは　松村　英一

一人静眉《ひとりしづかまみ》をひらける木の下にいまだしめれるきぞの夜の雨　土屋　文明

ひとりしづか松の根方に植ゑむかと思ふまで今の心やすけし　柴生田　稔

仕事好きと見做さるる身を悔やまねど銀線草《ひとりしづか》の花も過ぎゐる　大西　民子

せはしさに在り馴れし身は今日山に一人静の穂を見いでたり　伊藤　雅子

—ひなげし

**ひなげし〔雛芥子《ひなげし》・雛罌粟《ひなげし》〕**　欧州原産のケシ科の一、二年草。茎の高さ60センチ内外、葉は不規則の羽状に裂け、茎葉に毛が密生。五月頃花茎の先に薄くてしわのある四弁花を開く。蕾は下向き。花色は緋紅《ひこう》、白、ピンク、絞りなど、八重咲きもあり、花壇に植えられる。他にアジア東北部原産のシベリアヒナゲシ（アイスランド・ポピー）は切花用で、三～五月長い花茎の先に黄、だいだい、濃朱紅色などの花を開く。虞美人草《ぐびじんそう》。ポピー。コクリコ。

雛芥子のうす花びらの眼にたたぬこまかき絞《しぼり》のよるのしたしさ　岡　麓

ああ皐月《さつき》仏蘭西《フランス》の野は火の色す君も雛罌粟《コクリコ》われも雛罌粟　与謝野晶子

咲き出でし雛芥子の花くれなゐのひたすらにしてあはれなるかな　窪田　空穂

くもれるままつややけき空ひなげしの花の紅うるみ照らへり　岡本かの子

地震《なゐ》あとの日かげ寂しき昼さがり虞美人草《ぐびじんそう》の花散りてをり　松田　常憲

嘆かひも日を経て淡き夕まぐれ森閑と黄のひなげし在りき　安永蕗子

われの来しこの砂丘のひなげしにこころ点していたくやさしむ　青柳猛

憂きとより愁ひといはむこころかな細き雛芥子の茎束ねつつ　蒔田さくら子

雛罌粟《こくりこ》は今まつさかりこの家は無夫一婦なる不穏かくさず　入野早代子

**びなんかずら**〔美男葛《びなんかづら》〕　関東以西から九州の山地にはえるモクレン科の常緑つる性木本。庭木、生垣などにする。古い茎の外皮は柔軟な厚いコルク質、枝は粘液を含む。葉は長だ円形で厚く、裏面は紫色を帯びる。八月葉腋に淡黄色の小花を多数下垂して開く。小球形の実は丸い花托のまわりに多数つき、秋に赤く熟す。実葛《さねかづら》。

絢い交ぜの美男葛の蔓の上結晶淡き雪積りゆく　相野谷森次

**ひのき**〔檜《ひのき》・檜木《ひのき》〕　ヒノキ科の常緑高木で福島以西より九州の山地にはえ、最良の建材となるため植林もされている。葉は鱗片状で先が丸く、小枝に密に対生。四月枝端に花を開き、球果は秋に褐色に熟し、種子に翼がある。鋭円錐状の樹形が特徴的で、木曽地方の天然林は大きく美事である。古名檜《ひ》。

黒き檜《ひ》の沈静にして現《うつ》しけき、花をさまりて後《のち》にこそ観《み》め　北原白秋

日に向くは日のぬくもりのありにけり山の檜《ひ》苗にふれて我ゆく　頴田島一二郎

雪ふかき峡の檜原に入りきたり雪に裂かるる木の声を聴く　岡野弘彦

尾根に立つ檜の梢《うれ》を見上ぐれば蒼穹をゆく秋の帆柱　前登志夫

**ひま**〔蓖麻《ひま》〕　アフリカ原産のトウダイグサ科の油脂植物。日本では一年生で高さ2〜3メートル位、熱帯では多年生で10メートル近くなるという。葉は大形の掌状葉。花は秋に淡紅色の雌花が上、淡黄色の雄花を下に円錐状に密につける。球形の実はとげがあり、完熟した種子を蓖麻子《ひまし》と呼び、絞って油をとる。薬用、ポマードの原料。太平洋戦争中各家庭でも飛行機の燃料用に栽培した。唐胡麻《たうごま》。唐荏《からえ》。

道のべに蓖麻《ひま》の花咲きたりしこと何か罪ふかき感じのごとく　斎藤　茂吉

葉がくれの蓖麻のその花うすき黄をわれは愛せり人に言はねど　柴生田　稔

戦は過ぎけるかなと蓖麻《ひま》の花のこまかき紅《あけ》も心にぞしむ　佐藤佐太郎

感情の右端にけむる戦中の記憶は今に蓖麻《ひま》の木の丈《たけ》　築地　正子

## ヒマラヤすぎ〔ヒマラヤ杉《すぎ》〕

ヒマラヤ地方原産のマツ科の常緑高木。高さ25メートルの円錐状の樹形が美しいため、庭、公園に植えられる。樹皮は暗灰色で割れ、針状の葉は短枝にまとまってつく。十、十一月開花。だ円形の実は大きく、短枝の先に直立する。翌年十、十一月に褐緑色に熟し、中軸を残して飛散する。

枯芝に身じろぎもせず佇立《ちょりつ》せり冬の哲人ヒマラヤ杉は　葛原　繁

円錐のはさきに力ひきよせて裾ひろげたつヒマラヤ杉は　玉井　清弘

## ひまわり〔向日葵《ひまはり》〕

北米原産のキク科の一年草。盛夏の花で、高さ2～3メートルの直立する茎に、長柄のあるハート形の大きな葉を互生。茎の上部に直径10～30センチの頭花を横向きに開く。鮮黄色の舌状花の中心部（筒状花）は黄または紫褐色。種子は灰白色で食用、石けん原料などに用いられる。強健で日当たりのよい土地を好む。姫向日葵は茎が多数分枝し、各茎頂に直径5～10センチの頭花を開く。小向日葵は直径6～10センチの菊のような頭花を開き、八重咲きもある。大輪の花言葉はあこがれ。中央アメリカ、ペルーでは太陽神のシンボルとして尊重しているという。日の照る方に向かって花がまわるということから名がある。

向日葵《ひまはり》は金《きん》の油を身にあびてゆらりと高し日のちひささよ　前田　夕暮

かぐろくも円き花芯《くわしん》や向日葵の花みな了《を》へて西日暑かり　北原　白秋

大きなる蕋《しべ》くろぐろと立てりけりま日にそむける日まはりの花　古泉　千樫

顔寄せてやや動きたる向日葵の大きなる花は熱ある

をおぼゆ　中村　憲吉

向うむき雨中に咲ける日まはりの花を緊めたる真青のうてな　初井しづ枝

雷はらむ空気の重さ大輪のひまはり一つ音もなく燃ゆ　太田　青丘

一茎《けい》に一華《くゎ》かかげてひまはりの丈高し梅雨もすぎてゆくらし　佐佐木由幾

向日葵の面伏せてゐるかたはらを過ぎて文学のほとりにも出ず　築地　正子

遠雷にこたふるごとくしづしづと大向日葵の葉が動きたり　石川不二子

一粒の向日葵の種まきしのみに荒野をわれの処女地と呼びき　寺山　修司

星いでて空地に立てるいつぽんのひまはりぞ一黙示の如し　高野　公彦

採血車すぎてしまへば炎天下いよよ黄なる向日葵ばかり　伊藤　一彦

ひと夏の陽に食まれつつなほ高くひまはりは父のたてがみ保つ　小池　光

## ピーマン

唐辛子の甘味種で果実が大きいもの。短だ円形で縦に溝があり、淡緑、濃緑色で熟すと赤い色になる。カロチン、ビタミンCを多量に含み、いため物、揚げ物、肉詰などにする。ピーマンはフランス語。

なすとまとぴーまんばれいしよ野菜にも浮沈あることわれはたのしむ　入野早代子

未来とはたとえばこんなところにも二つに割れる赤いピーマン　俵　万智

## ひめじおん〔姫紫苑《ひめじをん》〕

北米原産の帰化植物で路傍、野原にはえる。茎の高さ30〜100センチで直立し、葉は膜質。全体に毛がある。六〜十月、白色舌状花と黄色筒状花からなる2センチ位の頭花を散房状に開く。春紫苑に似るが、蕾はうなだれず直立する。姫女苑《ひめぢよをん》。

心さびしき夕ぐれありてひめじをんの咲く花白し庭のおくまで　柴谷武之祐

ひめじをん群れ咲く見ればこの原のわが通ひ路の久しくなりぬ　柴生田　稔

ひめじをん白き群落に身をしづめ磁性まぎれなく北

を指す針　坪野　哲久

姫紫苑はうすもいろにはな咲くと告げくれし男の顔も忘れぬ　角宮　悦子

## ひょうたん〔瓢簞《へうたん》〕

日よけ棚に巻きついて夏の夕べに白い花が咲いたあと結ばれる青い実は中間がくびれ、葉の間に揺れ動くさまは初秋を覚える。成熟して果皮の毛が落ち、硬くなった実を十日ほど水に漬け、果肉をとり去って乾燥させ、酒器、賞玩用とする。ふくべ。ひさご。

月夜よし二つの瓢《ふくべ》の青瓢《あをふくべ》あらへうふらへうと見つつおもしろ　北原　白秋

胴くびれ熟れたる瓢《ひさご》いくつ垂りこの村に嫁してくる女無し　斎藤　史

あをあをと棚より垂るる瓢簞は幼き胴のくびれそめたり　福元　正実

## ピラカンサ

中国原産のバラ科の常緑低木。生垣、切花用にされる。高さ1～5メートルで枝は横に張り、短枝はとげ状になる。初夏、散房状に白色五弁花をつけ、秋から冬、赤だいだい色に熟した扁球状の実がかたまってつき、美しい。ピラカンサス。橘もどき。

日なた風日かげの風とまじりふくピラカンサスに沿う秋の道　高安　国世

ピラカンサ赤くなだるる所すぎ午後の疲労は笑ひとなり溢るる　松坂　弘

坂の道なかばのぼりし塀越しにピラカンサありてかがやきてゐつ　沼田よし子

ピラカンサの実を食べつくし鳥去りぬ鳥は森なりつばさもつ森　栗木　京子

## ひるがお〔昼顔《ひるがほ》〕

日当たりのよい平地にはえるヒルガオ科の多年草。長いつるは他の草や木に巻きつき、七、八月に淡紅色の朝顔に似た花を開く。日中開花して夕方しぼむ。五月ごろから開花するのは小昼顔で花が小さい。

めづらしく妻をいとしく子をいとしくおもはるる日に昼顔の花　若山　牧水

女生徒を連れてのがれしぼた山の裾はいちめんひるがほの花　大西　民子

図書館の帰路に気づけり雑草に縋れるごとく咲けるひるがほ　辻下　淑子

肺尖にひとつ昼顔の花燃ゆと告げんとしつつたわむ言葉は　岡井　隆

やさしさは常に他者より届くなりほのくれなゐの昼顔の襞　稲葉　京子

昼顔のかなた炎《も》えたつ神神の領たりし日といづれかぐはし　小中　英之

自が影にふとよろめきて落ちこみし暗いめまひのひるがほのはな　河野　裕子

ひるがほの胸もつ少女おづおづと心とふおそろしきもの見せに来る　米川千嘉子

## びろう〔蒲葵《びらう》〕

ヤシ科の常緑高木。四国、九州の暖地の海岸にはえる。幹の高さ20メートル位で葉はシュロに似て幹の先に群生。六月に黄白色の花を開く。球形の実は光沢があり、十、十一月褐色に熟す。庭木、街路樹にされる。

びらう樹《じゅ》の葉のさやぐ音ききつやと過ぎにし人をしのびつつ行く　佐藤佐太郎

蒲葵の闇出づれば海よ青潮といへどしろがねの光をはなつ　伊藤　一彦

## びわ〔枇杷《びは》〕

バラ科の常緑高木。暖地で果樹として栽培され、庭にも植えられる。高さ10メートル、葉は堅くて厚い長だ円形。秋に新枝の先端に花穂をつけ、十一月ごろから冬にかけて白い芳香のある花を円錐状に集める。球形の果実は黄色く熟し、五～七月に収穫。鹿児島、長崎、愛媛に多い茂木種、千葉の田中種などは甘味が強く、酸味がほどよく、水分が多い。

雨の日の室にちらばる枇杷のたね哀《かな》しきことを切《しきり》におもふ　金子　薫園

木の葉ちりし庭のあかりに咲くとなくいく日をさきてびはの花ちる　四賀　光子

枇杷の木に黄なる枇杷の実かがやくとわれ驚きて飛びくつがへる　北原　白秋

ふる雨の暗き空中に熟れそめし枇杷の木の実の黄なるただよひ　葛原　妙子

秋の日のさやけきころをつぼみ持つ枇杷の一木よ営々として　佐藤佐太郎

月光《かげ》は高きより射し葉の翳に枇杷の青実のあはれひしめく　白石　昂

銀色の枇杷《びは》の和毛《にこげ》に日の照りてもののいのちはかく輝かし　尾崎左永子

冬天にひびきてゆるき潮鳴りす天に枇杷の実生まれてゐたり　馬場あき子

葉がくれに枇杷の花咲きのぼるべき坂のおもてを陽は流れをり　雨宮　雅子

歳月のかなたに点る一語とも雪の虚空に枇杷の花咲く　高比良みどり

山国の二月三月ひそやかに枇杷の白花咲きつづき居る　石川不二子

夏至光《げしくわう》をまとふ枇杷の実とどきたる母に抒情のはるかなりけり　小中　英之

抱きゐる闇ふかきゆゑ枇杷の木もわれもひそけき花保つべし　藤井　常世

枇杷の実を食めば二つの種まろし世は見えがたき雨粒の底　三枝　昂之

晴天ナリ　電話の前でふくらかな枇杷の実ひとつ放り上げてみる　岸本　由紀

## ふうせんかずら〔風船葛《ふうせんかづら》〕

ムクロジ科のつる草。風船のようにふくらんだ小さな実が面白く、鉢植、垣根、切花とされる。つるは細長く数メートルになり、花は白色で小さく目立たない。八〜十一月、淡緑色の三稜球形の朔《さつ》果をつける。

実をつけし風船かつらもらひ持ち孫にやらんと妻はいとしむ　宮　柊二

風もなきに二つ下りて揺れてゐる浅きみどりのふうせんかづら　持田　勝穂

鳥瓜鬼灯《ほおずき》風船かずらなど埒なき軽さ実の懐かしさ　石本　隆一

## ふうちそう〔風知草《ふうちさう》〕

山地の谷の崖などに群生するイネ科の多年草。鉢植にされる。茎は繊細で高さ40〜70セン。細長い葉の表面は白っぽく、裏面は緑色だが、基部で表裏が逆になり、常に緑色の裏面を見せて下向く。斑《ふ》入り品も栽培されている。風知草《かぜしりぐさ》。裏葉草《うらはぐさ》。

水はながく光うしなはぬ夕にて風知草らはさときそよぎす　生方たつゑ

晩夏の日差し傾き風知草あわき影なす土より暮れぬ　須藤　若江

風知草のほそき緑の鳴りいづるかそけきさまにたたずみてをり　　水沢　遥子

**ふうらん**〔風蘭《ふうらん》〕　本州中部以西の樹上、岩上などにはえるラン科の多年草。江戸時代より観賞品とされ、園芸品種も多い。短い茎に密についた葉は長さ5〜10センチ、広線形で湾曲し、多肉で硬い。七月、葉腋から花柄をのばし、白花を三〜五個つける。花には湾曲した糸状の距《きょ》がある。

あさかげの暑きに清き風蘭の花よ相見む人は遠しも　　小市巳世司

**ふうろそう**〔風露草《ふうろそう》〕　フウロソウ属は日本に十数種類あり、高山や山地の草原にはえ、ときに山草として栽培される多年草。葉は掌状に深く裂ける。夏、長柄の先に紅紫、淡紅色のゲンノショウコに似た五弁花を開く。郡内《ぐんない》風露、千島風露、立《たち》風露、白山《はくさん》風露、三葉《みつば》風露、姫《ひめ》風露、他にも浅間《あさま》風露、備中風露、四国《しこく》風露など産地に基づき名が付けられている。

風露草の散りたる花の幾《いく》ひらか泉の上にしばしとどまる　　土屋　文明

真逆《まさかさ》に下る斜面に花咲けりいちげこざくらふうろちんぐるま　　来嶋　靖生

花の名を問へば風露《ふうろ》と答へたる飲み屋のひとがその夜ゆめに出づ　　高野　公彦

**フェニックス**　ヤシ科フェニックス属の総称。日本ではカナリア諸島原産のカナリーヤシが暖地で街路樹に植えられ、高さ20メートルに達する。室内装飾用鉢植もある。シンノウヤシはインドシナ、アッサム原産で高さ3〜5メートルの小形ヤシ。室内装飾用鉢植や葉を生花にする。葉は幹の頂に束生し、大形で羽状に全裂する。

フェニックス生ふる駅頭に桜島巨塊をあらく夕日に曝らす　　太田　青丘

**ふき**〔蕗《ふき》〕　キク科の多年草で山地の路傍にはえるが、野菜として畑に栽培される。初夏、きわめて長い葉柄の先に幅15〜30センチやや円形の葉をひろげる。この若い葉柄を煮て食べると大変に風味がある。しょう油で伽羅《きゃら》色（濃茶色）になるまで煮つめたものを伽羅蕗という。秋田蕗は全体が非常に大きく、葉柄2メートル、葉幅1.5メートルに達し、ややかたい。

山路来てひたすらひもじ蕗の葉に満ちあふれゐる光を見れば　北原　白秋

蕗の葉の円きひかりをみるときにみなぎりきたれあすのいのちは　坪野　哲久

風孕み蕗の葉ひろがるその下をコロボックルは通りぬけしと　太田　絢子

蕗の葉のその輪ひろげて重ねあふここにことなき卯月のひかり　安永　蕗子

蕗の葉を敷きたる上に新月のごとく光れる鮎置かれたり　安立スハル

蕗の葉を丸めて水を飲ませくれし父の思ほゆ谷に憩えば　鎌倉　広行

手すさびに折れば匂へる蕗の香のかなしかりけり折れば匂へる　紀野　恵

## ふきのとう〔蕗《ふき》の薹《たう》〕

早春、萌黄浅黄色の短い花茎を土中からもたげる姿は新鮮で、ことに雪の中から頭をもたげる姿は春近しの歓びである。摘んで汁物に入れるとほろ苦さと強い香りがし、焼いたり、あえものにして春の香を楽しむ。花茎はしだいにのびて包葉をひろげ、茎頂に頭花をつける。雄花は黄白色の筒状花、雌花は糸状の白い小花で実を結ぶ。蕗の花。

垣の外に出づるもおのづから稀にして今日見るは隣の蕗の花立ち　土屋　文明

さきがけて地を割りそめし蕗の薹あさ黄みどりのひとつを摘みぬ　長沢　美津

雪解けのこのせせらぎを聞くならし眼も醒むるがの蕗の薹かも　西川　青涛

蕗の薹てのひら青む光さしたのしき土に遊ぶひととき　坪野　哲久

満ちてくる思ひと言はむ蕗の薹開き初めても小腰をかがむ　加倉井只志

摘みとりし蕗の花芽を手にさげて安曇野を行く力なりけり　山崎　方代

蕗のたう軽きを一つ立春の天づたひにて送るドイツに　植木　正三

手にのせて小さけれども匂ひ濃き蕗のたう二つ春のかたまり　安立スハル

蕗のたうほろほろにがき香さへしてさやかに吾れの

手につまれけり　馬場あき子
ふきのたう香《か》はあらあらとたちのぼる闇深くして声もなかりき　佐藤　通雅
日のあたるこまかき土をもとめてはひらききりたる蕗の薹ふたつ　小池　光

## ふくじゅそう〔福寿草《ふくじゆさう》〕

キンポウゲ科の多年草で寒冷の山地に自生するが、多くは観賞用に栽培され、早春に黄色の花を陽を受けて開く。花後、茎が20～40センチにのび、羽状に細裂した葉をひろげる。フレームで促成栽培され、名前からおめでたい花として正月用鉢植にされる。江戸時代以来変種が多く作られ、花色がだいだい、白、緑や、変わった花型もある。元旦に用いるため、元旦草、さちぐさ他異名が多い。

福寿草を縁《さちぐさ》の光に置かしめてわが見つるとき心は和ぎぬ　斎藤　茂吉
紅梅に次ぐ白梅の散る下にむらがりむらがり咲く福寿草　植松　寿樹
福寿草のいま咲く鉢をあたらしき光に置けば戹のがるごと　吉田　正俊
福寿草黄の花のうえ宇宙としてしんかんとして露をはらえり　香川　進
福寿草　雪割草も咲き初めて屋上庭園わが小世界　浅田　雅一

## ブーゲンビリア

ブラジル原産のオシロイバナ科のつる性低木。明治中期に渡来、温室栽培される。分枝して伸び広がり、先の曲がったとげでからむ。六～八月に枝先に花が総状に集まって咲き、とくに三枚の濃桃色の包が美しい。白、紅紫、だいだい、淡黄色の品種もある。

雨やうやう乾きゆくがにしほたれ顔ブーゲンビリアの花咲く気配　紀野　恵
これっぽっちの人生なのに涙するブーゲンビリアの花の隣で　上田　茜

## ふじ〔藤《ふぢ》〕

マメ科のつる性落葉低木で、春のきらめく光にゆれて、紫の濃艶な花房や白の清楚な花房を垂れ、多数の蝶形花を開く。紫藤にはつる状の茎が長くのびて右巻に他物にからむ野田藤と、左巻にからむ山藤の二種があり、山藤は野田藤より花房が短いが蝶形花は大きい。いずれも自生するが、観賞用に白い花を開く白花《しろばな》藤ほかの園芸品種がある。豆果は大形で平たく、十月に熟す。ほかに夏藤という初夏に白花を開く自生種もある。藤の花のなびき動く様子が波のようなので、藤波ともいう。

生ける世のさびしくならば此所に来よ谷にたなびく藤波の花　土屋　文明

飛火野《とぶひの》は春きはまりて山藤の花こぼれ来《く》も瑠璃《るり》の空より　吉野　秀雄

揺れ揺れて百聯白き藤の花ひびきもあらず光にあそぶ　坪野　哲久

風かよふ棚一隅《いちぐう》に房花《ふさばな》の藤揉み合へばむらさきの闇　宮　柊二

咲き充ちし藤の花房池水に五月彩なしゆるるむらさき　岡山たづ子

藤房は春の瓔珞ゆらゆらに思はれびとでありし日揺るる　雨宮　雅子

花房を離《か》れし香りの筋見えて漂いにけり藤棚の下　石本　隆一

一会かと触るる藤房いのちにて命あらざるごときつめたさ　稲葉　京子

―ふたばあおい

白藤のせつなきまでに重き房かかる力に人恋へといふ　米川千嘉子

## ふじばかま〔藤袴《ふぢばかま》〕

関東から九州の川岸の土手などにはえるキク科の多年草。茎は多く集まって直立し、高さ1～1.5メートル。葉は対生し、ふつう三裂してやや硬く、佳香がある。八、九月茎頂に五個の筒状花からなる淡紅紫色の頭花を散房状に多数開く。秋の七草の一つ。

秋雨の小野に恋よぶ藤袴ひとり後れて小野に恋よぶ　釈　迢空

藤袴沢鵯《さはひよどり》に間種ありやなしや知らぬ世界はここにも広し　土屋　文明

藤袴炎夏のあとを淡き紫《し》の頭花の闌けて掌《て》にもやもやと　千代　国一

## ふたばあおい〔双葉葵《ふたばあふひ》〕

本州から九州の山中の林にはえるウマノスズクサ科の多年草。春、ハート形の長さ5～10センチの葉が根茎の先に二枚つき、花は葉間から出た花柄の先に半球形暗紅紫色に一つ下向きに開く。京都賀茂神社の祭に用いるので、賀茂葵の名もある。徳川家の葵の紋はこの葉を図案化したものである。

鉢おほふさみどり双葉のうち深く双葉あふひの花は咲きゐつ　原田　清

**ふたりしずか**〔二人《ふたり》静《しづか》〕　山野の林にはえるセンリョウ科の多年草。直立する茎は高さ30センチ内外、上部に四枚のだ円形の葉を対生する。四、五月茎頂にふつう二本の花穂を直立し、白色の花被のない花を開く。一本の花穂を立てる一人静に対しこの名がある。

フタリシヅカ漸く萌え出づわが庭にただ一つなるふるさとの草　吉田　正俊

根こぢこしふたり静に水注ぎ念ずるごとし玉をつづる花　千代　国一

妻も子も捨てて生くべき身の始末思ひてをれば二人静咲く　後藤　直二

**ふとい**〔太《ふと》藺《ゐ》〕　池などの浅水中にはえるカヤツリグサ科の多年草。茎は丸くて太く、粉緑色で高さ1〜2メートル。葉は退化して下方に茶色の鱗片状があるだけ。夏から秋に数回分枝する花穂をだし、赤褐色だ円形の小穂を多数つける。茎で、むしろ、敷物を編むため水田で栽培される。

太《ふと》藺《ゐ》一茎水中に剪《き》る　今生にわれを超ゆべき歌のまぼろし　塚本　邦雄

**ぶどう**〔葡《ぶ》萄《だう》〕　秋になると葡萄棚に房を下げる果実は多汁で甘ずっぱく、果皮の色は浅黄、緑、紫、黒など品種により異なる。甲州葡萄は小アジアから中央アジア原産の欧州種で露地で棚栽培され、同じ欧州種のマスカットは温室で栽培される。デラウェア、キャンベルスアーリーなどは北米原産のアメリカ種で露地で棚栽培される。種なし葡萄は薬品処理されたもの。生食、干葡萄、ワインを造る。ブドウ科の落葉つる植物で、茎は葉に対生する巻きひげでよじのぼり、葉は掌状に浅い切れ込みがあり、夏、新枝に円錐花序を出し、黄緑色の小花を開く。秋の収穫後のもみじは壮観であり、冬の枯蔓も風情を呈する。

沈黙のわれに見よとぞ百《ひゃく》房《ふさ》の黒き葡萄に雨ふりそそぐ　斎藤　茂吉

口中に一粒の葡萄を潰したりすなはちわが目ふと暗きかも　葛原　妙子

ひと房の葡萄を持てばきみが手に流るるごとく秋の紫　福田　栄一

一房の巨峰重たき熱もてり近代の巨大異変種の末　馬場あき子

葡萄樹がたもつ孤独に向かうとき剪定の鋏いささかおもし　宮岡　昇

童貞のするどき指に房もげば葡萄のみどりしたたるばかり　春日井　建

ぶだう呑む口ひらくときこの家の過去世《くわこせ》の人ら我を見つむる　高野　公彦

ひとふさの葡萄を食みて子のまなこ午睡ののちのひかりともり来　花山多佳子

## ぶな〔橅《ぶな》・山毛欅《ぶな》〕

北海道南西部から九州の山地にはえるブナ科の落葉高木。高さ30メートル、樹皮は平滑で灰色。葉は広卵形で先がとがり、縁に波状の鋸歯がある。五月、黄色の花を開く。実は柔らかいとげのある総包につつまれ、十月に熟すと四裂し、二個の堅実が現われる。ブナ林は現在残っている自然林の代表的なものである。

ひろげたる青葉の深き重なりがみなしづかなりこの橅林　松村　英一

風に吹かれ銀のけばだちきよきよと山毛欅《ぶな》の林の新芽はなびく　長沢　美津

冷涼と湿潤のくにみちのくに直立せり山毛欅の白き森林地帯　扇畑　利枝

月山の橅はも立ちて神のごと手をひろげたり雪に祈りて　馬場あき子

大空に直立せむとひたすらに水ひびきあふブナの枝枝　川野　里子

## ふゆき〔冬木《ふゆき》〕

冬の季節の木をさしていう。常緑樹もふくむが、主として落葉樹の枯木のように見える裸木や、寒中の木、冬木立などである。

折ふしに冬木見えくる眼先《まなさき》もたちまち暗し虚しかりけり　北原　白秋

ゆるやかに呻きの声を立てて鳴る冬樹樹の間《あひ》をゆきてさまよふ　斎藤　史

ひそかなる木の間木の間の見通しに人を行かせて冬木々立てり　葛原　繁

**ふゆぎく〔冬菊《ふゆぎく》〕**　秋の末から十二月の末ごろまで咲く菊。寒《かん》菊、霜菊ともいう。残菊は晩秋になってもまだ咲いている菊のことで、残りの菊、十日の菊ともいう。菊を焚くは時雨や霜に打たれた枯れ菊を刈って燃やすこと。

残菊の白さえざえとしずけきにふさわぬ忿《いか》り老いてやまずも　坪野　哲久

硝子戸の外の残菊幾鉢がまばゆく温《ぬく》む朝かげのなか　窪田章一郎

残ん菊いろなほ保ち立冬のくさむらに終のいのちを燃やす　安藤佐貴子

菊を焚く年々にしていや寒き心の色の白菊を焚く　馬場あき子

霜月は花去りの月なかんづく菊に名残りのかをりいろ濃し　武下奈々子

**ふよう〔芙蓉《ふよう》〕**　アオイ科の落葉低木で九州や沖縄などにまれに自生し、庭や花壇の植込みにされる。関東以北では冬枯れるので宿根草として栽培される。高さ1～3メートル、葉は掌状に浅い三～七裂、長い柄がある。夏から秋、葉腋に10センチほどの五弁花を一日だけ開く。花色は淡紅のほか白のもの、八重咲きもある。酔《すい》芙蓉は八重の白花が午後に淡桃色、夜に紅色に変化し、翌朝しぼむが落花しないうちに次々に咲く。

背戸口のこのま盛りの白芙蓉底紅冴えて蕊《しべ》はうす黄に　大悟法利雄

朝焼のくも高空にうごきつつ芙蓉の花はかたち新し　佐藤佐太郎

酔芙蓉のましろき花に淡紅のたち初めながら暑き昏れぐれ　遠山　光栄

返り花にあらず健気《けなげ》に芙蓉さく十月に入り空暖かく　佐藤　志満

きみが手に醒まされてゆく感官のそこかしこ白き芙蓉は開き　武下奈々子

白芙蓉あしたは軽《かろ》く夕まぐれほの重し光《かげ》を孕みて　栗木　京子

**ブラッシのき〔ブラッシの木《き》〕**　オーストラリア原産のバラ科の常緑低木。明治中期渡来、暖地の庭木や切り花用。高さ2～3メートルで、皮針形の葉は中脈がめだつ。

五、六月瓶を洗うブラシの形をして赤い花糸が穂状に集まって咲く。花糸が淡黄色のシロバナブラッシノキ他もある。カリステモン。

びっしりと粒粒のある恐ろしさブラッシュツリーの花の痕跡　　植松　法子

## フリージア

南アフリカ原産のアヤメ科の球根植物。冬から春にかけて鉢植、切り花で観賞するため、温室やフレームで栽培される。剣状の葉は根ぎわから群生し、草丈30～80センチ。二、三月ラッパ状の花を弓形に反曲する花茎の上部に並んでつける。芳香があり、花色は黄、白が多いが赤だいだい、紫紅などもあり、大輪種もある。秋咲水仙ともいう。

枕あげてわが見たる時フリジアのすがしき花は光りけるかも　　三ヶ島葭子

家内に花は絶やさずありたしといひゐし人は黄のフリージャ　　北沢　郁子

よろこびは日毎に淡く街に出てフリジャの球根買ひ来たるのみ　　萩原　アツ

雪雲にきみが捧ぐるフリージアあるいは殺意うつくしきかな　　目黒　哲朗

—プリムラ

## プリムラ

ふつう西洋桜草と呼ぶ外国種をさし、冬から春に鉢植や花壇で観賞する。ポリアンサ（和名九輪桜）は草丈15～30センチ、葉は長いスプーン状、一本の茎に沢山の花をつけ、色も黄、赤、すみれ、青紫、白と多く、二～四月開花。オブコニカ（和名ときわ桜）は草丈30センチ位、根ぎわからハート形の葉が出て、濃紅、バラ、鮭、青、純白など花色が豊富で、二～四月開花。シネンシス（和名寒桜）も花色が豊富で、二、三月にフレームで開花する。マラコイデス（和名化粧桜）は細い花茎を多数のばし、白、桃、紅などの大～小輪花を散形花序に数段つける。フレームで栽培され、一～三月に鉢物で観賞する。プリムラは「最初の」という意味のラテン語、花が早く咲くことに由来するという。

北国の春先がけて咲く花のプリムラやさしわが机の上　　土屋　文明

冬の日向にプリムラの鉢並ぶ風ふく今日のとりとめもなし　　結城哀草果

硝子戸に雪ふきつくる店の中プリムラの花の一鉢を

選る　樋口　賢治

夜々に鉢のプリムラを妻はつむ花の衰ふる事を嫌ひて　近藤　芳美

黄のプリムラ卓に輝き華やぎの心洩れやすきをふいに懼るる　尾崎左永子

## ブロッコリー

南欧原産のアブラナ科の野菜。カリフラワーに似て、だ円形の葉が根ぎわからつき、茎頂にできる緑色の小形の花蕾《からい》を食べる。花蕾は多肉質で、ゆで物や炒め物、酢の物にする。

ブロッコリーの花芽いくたび夕食にたうべて春のめぐり来りぬ　高安　国世

婚《まぐはひ》にいたらぬ愛を濃緑のブロッコリィにたぐへてぞ恋ふ　岡井　隆

## ベゴニア

鉢植で花や葉を観賞するため温室で栽培されるシュウカイドウ科の多年草。和名四季咲ベゴニアはブラジル原産で、多汁質の茎に広卵形の光沢のある葉をつけ、白、赤、桃色の小花を房状につける。他に葉腋からのびた花柄が数回二《ふた》またに分かれ、その先に赤色大形花をつけるもの、また大形の葉に白い斑紋のあるもの、紫色の鉄十字模様のあるものもある。

ベコニアの花を鉢毎もとめ来し夫が清純憎むにあらず　宮原阿つ子

種々《くさぐさ》の花過ぎゆきて残るもの鉢のベゴニアを枯るるまで見む　千代　国一

ベコニアの冬の葉指に触れて落つ傷みなくわれより捥《も》げてゆくもの　石本　隆一

## へちま〔糸瓜《へちま》〕

熱帯アジア原産のウリ科の一年生つる草。五月末に棚仕立てに植えた苗はつるを伸ばし、夏から秋に黄花を開く。実は深緑色で長さ30～60センチの円筒形。一メートル以上になる長糸瓜もある。つるから採ったヘチマ水は化粧水に、果肉をとって乾した繊維は洗浄用にされる。

ながながしその先端に花のへた黒く残せる三尺へちま　岡山たづ子

颱風の近づくといふこのゆふべ軒の糸瓜は太りつつゐる　板宮　清治

しづかなる夢の膨らむおもひもて黄に咲く糸瓜の花あふぎをり　松坂　弘

濃い霧がへちまの花を過ぎてゆく根もと素枯れてただよう花を　花山多佳子

## ペチュニア

アルゼンチン原産のナス科の多年草で、花壇や鉢植に栽培されるのは交配種の一年草。花冠は漏斗状のものが多く、一重咲き、八重咲き、一重大輪があり、花色も緋、赤、洋紅、紫、白など、複色の咲き分け、絞り、星状模様がある。夏から秋、またフレームで春にも開花する。和名衝羽根《つくばね》朝顔。花言葉はあなたといっしょなら心がやわらぐ。

裸少女《らせうぢよ》の背をカンバスにその子にはペチュニアの花《はな》群《むら》この子にはコスモスの花群を描《か》く　松平　修文

## べにばな〔紅花《べにばな》〕

中近東原産のキク科の一、二年草。高さ1メートル内外、葉は互生し、だ円形の葉の縁にはとげがある。夏、大形の頭状花をつけ、初め黄色、のち次第に紅色に変わる。花を採取乾燥したものが紅花で、赤い色素の紅をとり、染料、薬とする。種子の油は紅花油で食用、塗料、薬用とする。中国が主産地で日本では山形県で昔から栽培されている。末摘花。

隣国の人らいそしみ摘みためし此の紅花《べにばな》の濃きてりを見よ　鹿児島寿蔵

べにばなのすぎなむとして土乾く庭すみにしてわが涙いづ　五味　保義

うち開く花火の下の蓬生《よもぎふ》に額照らされて末摘花は　安永　蕗子

## へびいちご〔蛇苺《へびいちご》〕

原野や道ばた、田の畦などに多いバラ科の多年草。茎はつる状にのびて地をはい、卵円形の小葉三枚からなる葉を互生する。四～六月葉腋から花柄を一本のばし、黄色五弁の小花を一個つける。のち苺に似た赤色肉質の小球形の実を結ぶ。毒はないが甘味がなく美味でない。蛇苺《くちなはいちご》。

蛇いちごほのかに赤しその君のその唇は吸ふよしもなし　吉井　勇

われの内部の妬心覗いてしまいたる蛇苺踏みても踏みても紅し　平井　弘

やさしさの限りも知らに降る雨にくちなはいちごのくれなゐは　紀野　恵

## ポインセチア

メキシコ原産のトウダイグサ科の常緑低木。クリスマスの頃に包葉が美しく色づくため、クリスマスの装飾用の切り花、鉢植として喜ばれる。熱帯では茎の高さ2〜3メートルになるが、日本では秋まで戸外で育ててから温室内に入れる。広皮針形の葉を互生する枝先に、緋紅色の包葉を燃えるように放射状に開くさまが、顔の赤い猩々に似るため猩々木《しやうじやうぼく》とも呼ぶ。包葉が白色、淡紅色のものもある。

美しき花かとも朱にきはまりしその葉を見ればあはれポインセチア　宮　柊二

丈高くポインセチアはありにしを声もあげずに枯れてしまひぬ　大西　民子

猩々木またの名はポインセチアにて狂気醒めたるのちのくれなゐ　馬場あき子

ポインセチア灯火に赫し直情は鬱勃として色に出にけり　蒔田さくら子

保護色と思う心の色であるポインセチアの赤を着て会う　俵　万智

**ほうきぎ**〔箒木《はうきぎ》〕　ユーラシア大陸原産のアカザ科の一年草。各地に野生化するが多くは栽培される。高さ1メートル内外の茎には枝が多数分かれ、倒皮針形の葉が密生して全体が球形となる。八、九月葉腋に花穂を出し、淡緑色の小花を多数つける。秋に紅葉する姿が美しいので近頃は観賞用に植えられる。以前は葉の落ちた茎をかわかして箒としたり、若い葉や実を食べた。箒草《はうきぐさ》。「はうき」は「ははき」の音便。

まさびしき畑のさまかな箒木《ははきぎ》ははきとなりて苅《か》り去られけり　岡本かの子

焼跡に溜れる水と箒草《ははきぐさ》そを囲《めぐ》りつつただよふ不安　宮　柊二

遊星のはららご白く泡立ちてこの箒草《ははきぐさ》の実秋深みたり　山中智恵子

箒の木ほきほきほきと天を指しのびてゆくほきほきと鳴りつつ　永井　陽子

君の歯にいま潰れゆく黒い点たぶんアカザ科ホウキグサの実　岸本　由紀

**ほうせんか**〔鳳仙花《ほうせんくわ》〕　インド、マライ、中国原産のツリフネソウ科の一年草。茎は直立し高さ60センチ位、葉は縁に細かい鋸歯がある皮針形。夏から秋、細い柄のある花を葉のつけ根に横向きにつける。花色は紅、桃、白や絞りなど、八重咲きもある。紡錘形の朔《さつ》果は熟すとわずかな刺戟で五裂し、種子を散らす。花は古く爪を染めるのに用いられたので、爪紅《つまぐれ》、爪紅《つまくれなゐ》の名がある。

たたかひは上海《しゃんはい》に起り居たりけり鳳仙花紅《あか》く散りゐたりけり　斎藤　茂吉

鳳仙花くれなゐに凝る花一つ葉がひに見えて眼のごとし　窪田章一郎

鳳仙花落ちかさむ花のいろすごしつらつら見つつ苦しかりけり　宮　柊二

今日はもう二つの白い花をつけてすましこんでいるホウセンカなり　山崎　方代

ひとり行く北品川の狭き路地ほうせんか咲き世の中の事　岡部桂一郎

泌尿器科病院はいつか廃墟となりてゐたりき　爪紅咲いて　角宮　悦子

## ほうれんそう〔菠薐草《はうれんさう》〕

西南アジア原産のアカザ科の一、二年草の野菜。葉柄が細長く淡泊な味の東洋種は江戸時代に中国より渡来したもの。広葉大形で多少泥臭い味の西洋種は明治になってから渡来したもの。寒くなると根や茎が赤味を帯びてやわらかく美味となる。四、五月ごろ茎の高さ50センチ内外となり分枝し、黄緑色の小花を密生する。

われ遂に百姓となりて憂なし菠薐草は霜におごれり　吉植　庄亮

ひたひたと夕あしせまる厨辺にはうれん草の茎そろへけり　長沢　美津

春窮《ふか》し菠薐草の赤き茎《くき》歯にくひちぎり子に食はしめぬ　坪野　哲久

店さきの菠薐草にいますこし前からかかりそめし雪片　遠山　光栄

## ほおずき〔酸漿《ほほづき》・鬼燈《ほほづき》・鬼灯《ほほづき》〕

ナス科の多年草で鉢植や庭に植えて観賞する。地下に根茎を張り、高さ50～60センチの茎には先のとがった卵形の葉を互生する。六、七月頃、葉のつけ根に黄白色の筒状花をつけ、花が終わると球形の実を結ぶ。初めは小さかった萼《がく》が大きくなって実を包み、熟すにつれてともに赤くなる。実はつやつやとした珊瑚の玉のようで、中の種子を出して口に含んで鳴らす。七月九・十日の東京浅草観音の境内に立つ鬼灯市は女子供の厄除けとして鉢植を売り、この日に参詣すると四万六千日に相当する巧徳がさずかるという。

ガラス製の風鈴の音ひびき今年のほほづき市も終りたり　長沢　美津

酸漿の実が色づいて来た　時の流れはしづかに早い　山崎　方代

鬼灯《ほほづき》の袋実の羅の透くまでに万斛《ばんこく》の秋小庭にみつる　宮　英子

厨房で女《をみな》はひそと哭きしとぞ酸漿の実の灯ともし頃よ　築地　正子

ほほづきの色づきそめし草むらを教へてやらむ少女もをらず　大西　民子

係累につかざる覚悟　水うちし鬼灯《ほほづき》の朱のかすか揺れをり　雨宮　雅子

実を抜きてほほづき鳴らす女子《をみなご》の舌のひらひら昔となりぬ　御供　平佶

鬼灯《ほほづき》の袋を鳴らしてする遊び苦甘《にがあま》かりき盂蘭盆《うらぼん》のころ　河野　裕子

## ほおのき〔朴《ほほ》の木《き》〕

モクレン科の落葉高木。ブナ自然林や山地の雑木林に見られ、庭木に植えられる。高さ25メートルに達し、冬芽は筆の穂に似る。大形の葉は枝先に集まり、倒卵状長だ円形でやや厚く裏面が白い。五、六月大きな花を葉の中心部に上向きに開く。花弁はへら状で六〜九枚、白く、のちに黄味が強くなり、香気が強い。長だ円形の実は十、十一月に紅紫色に熟し、中から赤い種子を出す。大形の葉は表面が平滑なため物を包むのに用いられ、岐阜高山の朴葉味噌は有名。材は版画板や器具、下駄の歯などに用いる。朴《ほほ》。

空しぬぐわか葉がうれに白黄《びやくわう》の匂ひかなしき朴の木の花　古泉　千樫

朴の葉のときなく萎えて散りつげば八月は来る照る日重ねて　近藤　芳美

金婚は死後めぐり来む朴の花絶唱のごと蘂そそりたち　塚本　邦雄

内実にそぐはぬ顔を持ち歩く朴あれば朴の花仰ぎつつ　大西　民子

朴の木の芽吹きのしたにかそかなる息するわれは春

の山びと　前　登志夫

みひらけば空のわたつみ漕ぎきたる誰れの櫂かな朴の花咲く　辺見じゅん

中空《なかぞら》に朴の花ひとつ昏れむとしわがこころ遠き絶唱に和す　小池　光

白鳥の魂《たま》ありし莢みづからの白のふかさに朴わらふかも　米川千嘉子

## ぼけ〔木瓜《ぼけ》〕

中国原産のバラ科の落葉低木。庭木や盆栽に植えられ、切花にされる。高さ1～2メートルでよく枝分かれし、短枝はとげ状になる。春、葉に先だって短い柄のある五弁または八重の花を開く。花色には鮮紅、淡紅、白や紅白の咲き分け、絞りもある。実は西洋梨形で十一月に黄熟、香気があるが食べられない。今野寿美の「漱石のいふ」は『草枕』所載。

かたまれる木瓜《ぼけ》の白花玉のごとし萼《うてな》のみどりあひ映りつつ　鹿児島寿蔵

妻亡くて十三日目と数へみる塵芥《ごみ》捨つる庭木瓜赤ければ　田谷　鋭

月明の夜はすくすくと伸びてゆく棘《とげ》もうれしき大木瓜《おほぼけ》小木瓜《こぼけ》　安永　蕗子

室内に木瓜《ぼけ》ほころびて日常の襞なる部分へくれなゐ流る　雨宮　雅子

拙《せつ》を守り来世は木瓜になりたしと漱石のいふ拙を肯ふ　今野　寿美

墜天使の歩む背後に言い知れぬ幸いとして赤き木瓜咲く　花山多佳子

## ぼだいじゅ〔菩提樹《ぼだいじゅ》〕

中国原産のシナノキ科の落葉高木。古く渡来、各地の寺院などに見られる。高さ10～15メートル。葉はいびつなハート形で互生。樹皮は粗く、深く切れ込む。六、七月葉腋から集散花序を出し、淡黄色五弁の芳香のある小花を多数開き、昆虫が多く集まる。秋に熟す褐色球形の実は硬く、数珠を作る。シューベルト作曲ミュラー作詞の「菩提樹」はヨーロッパ原産のシルバーライム、釈迦が悟りをひらいたのはクワ科のインドボダイジュ、いずれも別種である。

鋸《のこぎり》山日本寺《やまにっぽんじ》に立つ菩提樹の丹朱《たんしゅ》の幹に心寄りゆく　窪田　空穂

## ほたるかずら〔螢《ほたる》葛《かづら》〕

日当たりのよい山地の草地にはえるムラサキ科の多年草。前年枝はつる状にのびて地をはい、ところどころから根を出す。新枝は根の腋から直立して高さ20センチ位。長だ円形の葉は互生。全体に剛毛がある。春、新枝の葉腋にるり色の花冠五裂する小花を開く。

あらくさの中に瑠璃いろかがやけば螢かずらは螢のひかり　二宮　冬鳥

## ほたるぶくろ〔螢《ほたる》袋《ぶくろ》〕

山野にはえるキキョウ科の多年草。六、七月ごろ高さ50センチ位の茎頂に、鐘形の白色または淡紫色の花を下向きに開く。長卵形の葉は互生し、茎とともに粗毛がある。螢のとぶ頃に咲き、子供がこの花で螢を包んだので螢袋という。また花型より釣鐘草ともいう。

いろ淡きほたるぶくろの花ゆりてひとところ風の影みだしすぐ　中村源一郎

むらさきに梅雨の雨間をあざやけしあら草むらのほたるぶくろの花　宮　柊二

われになほ聖《きよ》き邂逅ありとして螢袋は六月の花　雨宮　雅子

百の吐息もらして咲きつぐほたるぶくろ多摩丘陵に夏を呼ぶなり　青井　史

## ぼたん〔牡丹《ぼたん》〕

中国で王花（百花の王）と呼ばれ、日本でも江戸時代に43品種、明治時代に200以上の品種ができたという。もとは中国西北部の山地に自生していたキンポウゲ科の落葉低木で、根を薬用とするため、平安時代には寺院の庭などで栽培された。葉は大形の二回羽状複葉で淡緑色。五月に新しい枝の先に大輪の美麗な花を開く。花芯が露出し、花弁数が十～二十枚のものから、何十枚も重なったものまであり、花色は白、桃、紅、紫紅、黒紫、ぼかしなど、フランスの改良種には黄色もある。日当たりと風通しのよい場所を好む。春の発芽は炎のような赤さで力強くふき出す。島根県大根島、奈良県長谷寺・当麻寺、福島県須賀川など名所が多い。ぼうたん。

吸ふかぎり春日を吸ひて吐《は》く息に人の面《おも》うつ牡丹の花は　尾上　柴舟

牡丹花は咲き定まりて静かなり花の占めたる位置の

たしかさ　木下　利玄

うつし身のわが病みてより幾日《いくひ》へし牡丹の花の照りのゆたかさ　古泉　千樫

亡き友等に関はる草木多き庭また一つ加はる須賀川の牡丹　吉田　正俊

大き牡丹今か崩るると見居りつつこの危さは手出しもならず　斎藤　史

咲きみちてくづるるさまに桃色の花弁光りて牡丹散りたり　中野　菊夫

剪りしときその花はつかつぼみしと白き牡丹を手にして妻は　田谷　鋭

ぼうたんは狂はねど百花乱るれば苦しきに似たり恋ぞかがやく　馬場あき子

逝きてなほこの世去りがたき執着のたましひならむ黒牡丹咲く　川口美根子

いちにちの満ちてゆふやみ降りてくる牡丹の紅のしづまるあたり　藤井　常世

## ホップ

クワ科のつる性多年草。つる性の茎は長さ10メートル以上。葉は対生し、掌状あるいはハート形で三～五裂する。雌雄異株で夏に雄花は黄緑色の穂状、雌花は松かさ状の花を開く。成熟した球果には苦味と芳香があり、ビールの風味づけに用いる。日本では棚仕立てで北海道や本州高冷地で栽培。

高井《たかゐ》の入野《いりの》明るくをちこちに緑もり上るホップの畑　五味　保義

ホップの高き繁りに風吹きてつばらに見ゆるその青き花　五味　保義

## ほていあおい〔布袋葵《ほていあふひ》〕

南米原産のミズアオイ科の多年生水草。池や水槽などに観賞用に栽培される。葉は光沢のある円形で、柄の下半分がふくれ、うきの用をなす。夏、20～30センチの花茎をだし、青紫色の六弁花が総状に集まって咲く。柄のふくらみを布袋《ほてい》の腹にたとえ、この名がある。

ほていあふひ咲く花しづか　告別のいたりしごとく眼鏡を置きつ　小中　英之

## ほとけのざ〔仏《ほとけ》の座《ざ》〕

路傍や畑地にはえるシソ科の一、二年草。茎の高さ10～30センチ。円形の葉は対生し、下部の葉は柄が長いが、上部の葉には柄がなく互いに茎を抱く。

四、五月、上部の葉腋に、筒部の長い紫紅色の唇形花を開く。上部の葉のつく様子を仏の蓮華座に見立ててこの名がある。春の七草の一つである仏の座はこれとは別種の、キク科の二年草の田平子《たびらこ》（小鬼田平子ともいう）で、田の面にロゼット状に葉が平たく張りついた若草はつんで食べられる。三～六月花茎が10～25センチに斜上し、黄色の愛らしい頭花を開く。葉は羽状複葉でタンポポに似てやわらかそうである。

春の野のなづな清白《すずしろ》花に咲けど仏の座こそあはれなりけれ　尾山篤二郎

元日の朝の道より持ちくれし仏の座仏は小さき花にいませり　君島　夜詩

仏の座石をめぐりてはな咲けり唇形《しんけい》ひらくさまも羞《やさ》しく　生方たつゑ

むらがりて小花つけたるホトケノザ声あるごとく畦をいろどる　萩原　千也

きさらぎ尽まださめざるやたびらこののたり延べたるおほきロゼット　中西　洋子

## ほととぎす〔杜鵑草《ほととぎす》〕

本州から九州の山中のやぶなどにはえるユリ科の多年草で、山草として庭に植えられる。茎の高さ80センチ内外、狭長だ円形の葉には粗毛がある。夏から秋、白色六枚の花被片に濃紫色の斑《ふ》が極立つ花を、葉腋に上向きに開く。斑が鳥のホトトギスの胸毛の斑点に似るのでこの名がある。他にヤマジノホトトギスは茎の上部にだけ花を数個つける。ヤマホトトギスは花被片の下部が急に開き、数個の花をつける。キバナホトトギスの花は黄色に濃紫斑がある。チャボホトトギスは前種に似るが茎丈15センチ位、葉に濃緑色の斑点がある。タマガワホトトギスは黄色の花を茎上に少数つける。ジョウロウホトトギスは茎が曲がって垂れ下がり、黄花を下向きに半開する。茶席に使う花。

なにほどもあらざるいささ我が庭に今年も咲けり花ほととぎす　安永信一郎

ほととぎすわが窓下に幽かなる花をつづりぬ細き枝ごとに　山本　友一

ほととぎす花咲き揺るる裏通ゆきてかへりて人の香に沁む　千代　国一

されば世に声鳴くものとさらぬものありてぞ草のほととぎす咲く　安永　蕗子

なにかなし浮き世の塵のごとく咲く杜鵑草《ほととぎすそう》群がりながら　草柳　繁一

杜鵑草《ほととぎす》すがる壺を片よせて「生きた遺言書《リビング・ウィル》」に署名なしたり　雨宮　雅子

## ポプラ

欧州原産のヤナギ科ポプラ属の落葉高木。庭木、校庭・街路樹に植えられ、高さ25メートル、竹ぼうきを立てたような細長い樹形は遠くより目立つ。広三角形の葉は縁が波立ち、光沢があり、互生する。雌雄異株で新葉の開く前に尾状花序をなして開花、実は熟すと裂けて白毛のある種子をとばす。ハコヤナギ、西洋ハコヤナギともいう。北海道には特に多い。北大農学部並木は有名で詩情が漂う。日本の自生種は高さ5メートル内外で、微風にも葉がしゃらしゃら音を立てるのでヤマナラシ（山鳴し）という。

ポプラは葉をつけしままはじめての雪降れる街に茫然と立つ　中山　周三

空おほふばかりにポプラの絮《わた》飛びてこの信濃路も春逝かむとす　宮地　伸一

校庭にポプラの絮の舞う見えて解き放ちたきこころ遊ばす　米田　憲三

—マーガレット

立っていることま淋しきポプラ二本しいんと立ちいて二本影をひく　佐佐木幸綱

ポプラ焚く榾火《ほだび》に屈むわがまへをすばやく過ぎて青春といふ　小池　光

## ポポー

北米南部原産のバンレイシ科の落葉果樹。明治二十七、八年頃渡来、庭に植えられる。高さ15メートル位、葉は倒卵状だ円形。春、六弁の紫褐色の鐘状花をつけ、果実はアケビに似た形で秋に収穫される。だいだい黄色のクリーム状の果肉は柔らかくて甘く、特有のかおりがある。

春の日に開きしは早や実となりて三月《みつき》咲きつぐポポーの木の花　五味　保義

ポポーの花は若芽に先立ちて葡萄色《えびいろ》にかなし春の日の下　五味　保義

## マーガレット

カナリア諸島原産のキク科の多年草。草丈30～100センチ。茎の下部は木質化して多数分枝、葉は春菊に似る。冬から夏まで花茎の頂に直径5センチの頭花を開く。舌状花は白色、筒状花は黄色。清らかな草姿、花が好まれ、切花、鉢物によく使われる。耐寒性が弱いので冬から春まで温室・フレーム内、または暖地の露地で栽培される。恋の占いが花言葉。和名木《もく》春菊。

マーガレット道まで溢れ咲かせゐる家刀自は旧海軍の未亡人にて　太田　青丘

マーガレット育《はぐく》むハウス商品になり得ぬ花は残されて咲く　来嶋　靖生

## まこも〔真菰《まこも》〕

沼地や川辺など湿地にはえるイネ科の多年草。茎は太く、高さ1〜2メートル、葉は薄く幅広。八〜十月に円錐状の大形の花穂をだし、上部に雌花を下部に雄花をつける。葉で粽《ちまき》を巻き、若茎は菌が寄生し、たけのこ状となり食用とする。

君をおきてふたたび越ゆる大利根や岸のまこもの黄ばみわたれる　五島美代子

水の面の動くと見れば影揺るるはつはつ出でし真菰一寸　田井　安曇

## またたび

マタタビ科の落葉つる性木本。山地にはえ、葉は卵円形で先がとがり、縁に鋭い鋸歯があり、上部の葉は開花期に表面が白色に変化する。六、七月新枝の上方の葉腋に白色五弁花を下向きに開く。実は長だ円形で九、十月に黄熟。ネコ科の動物が全木を好み、食べると一種の酩酊状態となる。漢名木天蓼。

一人来て休らふ暫し手に取れば匂ふまたたびのかすかなる花　五味　保義

塩漬の木天蓼《またたび》などを齧るとき遠野をはしる白き雨脚　角宮　悦子

## まつ〔松《まつ》〕

マツ科マツ属の常緑高・低木の総称。葉は針状で二〜五本ずつ束になり、晩春、単性花を雌雄同株に開く。球果には多数の鱗片がらせん状につき、翌年秋に成熟して松毬《まつかさ》（松ぼっくり）となる。赤松は高さ30メートルになり、樹皮が赤褐色。門松とされ、マツタケはこの木の周辺にはえる。黒松も高さ30メートルになり樹皮が灰黒色で古木は亀甲状に割れる。海岸の防風林とされる。五葉松は葉が五枚束生。朝鮮五葉は球果が大形で種子はマツの実として食用する。黒松と五葉松は庭木や盆栽とされる。北米原産の大王松は葉が三枚束生して世界のマツ類の中で最も長く、枝の端に集まって垂れ下がる。松は常緑葉のため、長寿などを表わすとして尊ばれてきた。

材は建築、器具など、幹から松やにをとる。

山道に昨夜《ゆふべ》の雨の流したる松の落葉はかたよりにけり　島木　赤彦

老いかさね生きつぐ松はふかぶかと黒い緑をこもらせて立つ　加藤　克巳

冬日ざしあたたかにして松毬を拾ふ少女は平安に見ゆ　安田　章生

千本浜の千本松を伐るといふに怒りおらびていなみし君はも　高塩　背山

松の芽の尖《さき》くれなゐにうねる日をいだける生は何を蔽はむ　河野　愛子

八方に枝ゆるぎいで赤松の茂るに鋏入れかねつわれは　北川原平蔵

ここにしてわが見るものにみちのくの雪吊り松は姿《なり》痛々し　石田比呂志

郭公は十日ほどゐて去りぬらし松の花咲くころ空濁る　石川不二子

## まつばぼたん〔松葉牡丹《まつばぼたん》〕

ブラジル原産のスベリヒユ科の春まき一年草。夏から秋、直径3センチの五弁花を晴れた日中だけ開く。花色は赤、桃、黄、白で八重咲きもあり、花壇の縁どりとして次々に咲きつづけ、鮮麗である。円柱形赤褐色の茎はよく分けつし、肉質円柱状の小葉とともに乾燥に強く、他の草がしおれかけても衰えを見せないので、日照草ともいう。可憐・無邪気が花言葉。

または見ぬ庭ぞとおもふ庭の面《も》に松葉牡丹のくれなゐに咲く　窪田　空穂

暑き日のつづく庭のうへおのづから松葉牡丹は午後花を閉づ　佐藤佐太郎

朝光《あさかげ》に寂しきものとおもふとき露まみれなる松葉牡丹花　宮　柊二

松葉牡丹植ゑつつをりて温かき地に触れゆけば空しくあらず　安永　蕗子

## まつむしそう〔松虫草《まつむしさう》〕

日当たりのよい高原草地にはえるマツムシソウ科の多年草。茎の高さ30～80センチ、羽状に裂けた葉は対生。夏から秋、葉腋から長い花茎をだし、青紫色の頭花を茎頂に上向きに開く。中心花は筒状で先が四裂、周辺花は先が五裂し、外側の裂片は大きな唇形。花の形から輪鋒菊ともいう。美しケ原などの高原に紫の群落が風に揺れるさまは爽秋の感がひとしお深い。

うれしくも分けこしものか遥々に松虫草のさきつづく山　長塚　節

富士が嶺の裾野の原をうづめ咲く松虫草をひと目見て来ぬ　若山　牧水

山くさの花なになにとどむる眼に松虫草の色ぞほのけき　植松　寿樹

秋の日に高原の草みな低しうす紫の松虫草の花　窪田章一郎

虹の脚立てる峠の草むらに松虫草の花さきつづく　宮　柊二

## まつりか〔茉莉花《まつりくわ》〕

インド原産のモクセイ科の常緑低木。高さ1.5～3メートル。広卵形の葉は対生または三枚が輪生。春から晩秋まで、枝端に芳香のある白い花を数個開く。八重咲きもある。冬は温室で保護する。花から香油をとり、中国では花を茶に入れて香りを楽しむ。ジャスミン茶。

吹きいづる汗にころぶすさはさはに茉莉の花ののこるひるすぎ　土屋　文明

日にひとつよろこび見出で生きよとぞ朝戸を繰れば茉莉花匂ふ　川合千鶴子

## まてばしい〔まてば椎《しひ》〕

九州南部の沿海地にはえ、現在では街路樹や公園木とされているブナ科の常緑高木。樹皮は暗褐青色で高さ10メートル。葉は厚く大形の長だ円形で光沢がある。六月、新枝の葉腋に黄褐色の雄花穂を、その下に雌花穂をつけ、長だ円形のどんぐりの実は二年かかって熟す。全体に椎に似ており、根元からよく枝分かれするので子供の恰好な木登り用となり、ハンモックをつると盛夏には緑陰を満喫できる。

しらじらと風に光れるまてば椎いづれの庭も平戸の海あり　白石　昂

## まゆみ〔真弓《まゆみ》・檀《まゆみ》〕

山野にはえるニシキギ科の落葉低・小高木。枝は緑色で白いすじがあり、長だ円形の葉は対生する。五、六月に前年枝の根元に集散花序を出し、緑白色の四弁花を開く。実はほぼ四角形で秋に淡紅色に熟して裂け、赤い種子を出す。紅葉は紅または淡紅色。庭木とされ、材は淡黄色で緻密、光沢があって象牙の感じ、小箱など細工物にされる。昔、弓を作ったので名がある。山錦木ともいう。

山清水吸ひ上げて白き房なせる真弓の花の盛りにぞ遇ふ　大屋　正吉

淡紅《たんこう》の苞裂けて朱実《あけみ》あらはれぬめでたき山づと檀《まゆみ》ひと枝　窪田章一郎

弓つくる檀の秋のこまかき実花かとやさし淡紅の房　窪田章一郎

若葉せしマユミの鉢に水やれば水を迎うる土のつぶやき　岡部桂一郎

紅葉には早き真弓の木の皮も鹿が好むと山に来て知る　府川　富造

## マリゴールド

メキシコ原産のキク科の一年草。花壇、鉢植、切花用にされ、二種類がある。草丈50～80センチのアフリカンマリゴールド（千寿菊）と、草丈30～40センチのフレンチマリゴールド（孔雀草）。葉は羽状に全裂し、花色は黄、だいだい、赤褐色などがあり、一重・八重咲き。初夏から秋まで長く咲く。

―マロニエ

動物らの飼ひならされゐる獣園にマリーゴールドは黄の群れて咲く　久方寿満子

## まりも〔毬《まり》藻《も》〕

緑藻類シオグサ科の淡水藻。寒冷地の湖に生育し、日本では北海道阿寒湖のマリモは天然記念物とされる。糸状細胞からなるボール状のものが一般に知られている。湖底1～2メートルの深さに棲むが、日光が当たると光合成の結果、水面近くに浮上することがある。他に湖底の石に芝生状に生育するものもある。

毬藻のごとき一日なりしが喜びは昨日と同じ蝶の来てゐる　辺見じゅん

真夜中に緑のものを食べつくしマリモのようにしんとしており　早川　志織

## マロニエ

パリをはじめヨーロッパの都市の街路樹とされ、明治中期に渡来したバルカン半島原産のトチノキ科の落葉高木。高さ20～25メートルで枝を多く出す。倒長だ円形小葉五～七枚からなる大形の葉は対生。五、六月枝先に大形の円錐花序をだし、白色四弁に緑色の線と紅色ぼかしのある花を多数開く。実は球形で大きなとげがある。街路樹とする。

街中に立つマロニエの赤き花歩道にちりてしばらく楽し　板宮　清治

すべなきと終日思い歩みたる秋霖の街の涯のマロニエ　大塚　善子

## まんさく〔万作《まんさく》〕

山地にはえるマンサク科の落葉低・小高木。高さ3メートル内外の前年枝に、二〜四月、葉の出る前に花を開く。花は黄色の線形花弁四枚がよれ、がく片四枚の内面が暗紫色。早春、真っ先に枝いっぱい咲くので、豊年満作を願う意から名があるという。庭木とする。金縷梅《きんるばい》ともいう。

春山の日向《ひなた》の雪にかげしつつゆめよりあはく万作咲けり　結城哀草果

いち早く開きそめたるまんさくの花も深雪に埋れつらむか　竹中　皆二

目は人の肌《はだえ》を撫でる風もまた然れやさびしまんさくの花　岡部桂一郎

雪の下に僅かにわづかに黄はにじみ万作の花ひらく一ひら　扇畑　利枝

大寒の日は短くてマンサクのほそき花弁の縮れふかくす　春日真木子

春はやく咲きでてまんさくの花淡し小田原高長寺透谷の墓　久々湊盈子

## まんりょう〔万両《まんりやう》〕

関東地方以西から九州の樹下にはえるヤブコウジ科の常緑低木。高さ30〜60センチの茎は緑色で分枝し、長だ円形の葉は縁に波状の鋸歯があり、互生。夏、枝先に白色小花を散状に開く。小球形の実は晩秋に赤熟、冬にも鮮やかなため庭に植えられる。鳥による実生も多い。千両とともに縁起がよい植物とされる。

嗽《くちそそ》ぐ寺の坪庭《つぼには》苔ふかみ万両の実の赤さもあかき　木下　利玄

庭石の陰に実生の万両の朱《あか》きが雪の降れば眼に立つ　礒　幾造

わが生きて額づくごとき愛知るやまんりやうの実は赤くつややか　黒田　淑子

## みかん〔蜜柑《みかん》〕

ミカン科の果樹。果実は黄だいだい色、皮がうすく、無種子で、果肉がやわらかく、甘酸っぱい。年末年始の代表的果物である。江戸時代から紀州蜜柑が一般に賞味されたが、現在は温州《うんしゅう》蜜柑が愛媛、静岡、和歌山、九州などで栽培されている。南斜面の蜜柑山では五、六月に香気の強い白色五弁花が咲き、やがて葉の色と同じ濃青色の青蜜柑を結ぶ。成熟は普通十一、十二月だが、早生種もあり、最近はハウスものが夏に店頭で売られている。

夕餉すと子らのどの子かにほふなりすでに蜜柑をもぎはじめたり　中島　哀浪

ほんのりと今はこころも酔ひそめぬ蜜柑畠の花の夕ぐれ　水町　京子

沁むごとき蜜柑の花のにほひしてたもちし曇ゆふぐれとなる　佐藤佐太郎

たまきはる老いの命を養へと南の国の蜜柑たまひぬ　扇畑　忠雄

夜を剝《む》く蜜柑みづみづと熟れをれば論に拗りゆく心卑しむ　田谷　鋭

午すぎて海晴るるころ島山のなだりの蜜柑かがやきわたる　長沢　一作

うす紫の煙りとなりてみかんの樹焼かれいるなり遠き山畑　松山せき子

樹にたわわ蜜柑はみのりしづけさや父の地平を捨つるほかなし　坂井　修一

## みずあおい〔水葵《みづあふひ》〕

水田、沼などにはえ、人家で栽培もされるミズアオイ科の一年生水草。高さ30センチ位、根生葉はハート形で長柄があり、茎葉は短柄がある。夏から秋に、青紫色の六弁花を総状に集めて開く。雨久花とも書く。小水葱《こなぎ》は五〜六本の茎が束生し、葉は卵円、卵状皮針形で20センチ内外の柄がある。晩夏から秋に、青紫色の六弁花を総状に集めて開く。

水葵の露けき花の紫を舟の上にして見て過ぎにけり　若山喜志子

雨久花《みづあふひ》みてゐるうちに二つ許《ばか》り夕べの花を開きたるかも　中村　憲吉

土地肥えて茂れる草の溝に満ち碧《みどり》かがやくこなぎの花は　土屋　文明

## みずき〔水木《みづき》〕

日当たりのよい山地、沢沿いの湿性地に多く見られるミズキ科の落葉高木。樹液の多いことから水木と呼ばれ、成長が速い。だ円形の葉は互生し、枝の先端に輪生状につく。枝は幹に一年ごとにつくので、ダンダンまたはダンダンノ木と方言で呼ばれる。五、六月に白色小花が多数、散房状に平たく開く。球形の実は秋に青黒色に熟す。材は柔らかく、色が白いので、コケシやコマなど小木工品に使われる。

ミヅキの花かげショパンきいてゐる、五月の夕翳窓いっぱいに青い　前田　夕暮

枝ごとに吹かれゐる水木の白き花ひとつの谷をへだてて見ゆる　遠山　光栄

小綬鶏《こじゅけい》のいざなふ聞けば心ゆらぐ桜は過ぎて今みづきの花　三国　玲子

青春はみづきの下をかよふ風あるいは遠い線路のかがやき　高野　公彦

## みずばしょう〔水芭蕉《みづばせう》〕

本州中部以北、北海道の山地湿原に群生するサトイモ科の多年草。雪がとけると葉に先立って五～七月、だ円形白色の仏炎包の中に黄色の肉穂花序を抱く。花が終わると長だ円形の大きな葉をつける。尾瀬が原や高山湿原の象徴的植物。

志賀山の裾の高原《たかはら》春を浅み雪残りゐて水芭蕉の花　若山喜志子

日の影の清らなる下湛《もと》へたる水澄み透り水芭蕉の花　都筑　省吾

雨やめばわきてしづけき尾瀬が原水芭蕉の花の群落ひかる　佐藤　志満

群帆なし今か走らむ気配あり雪消の沢に咲く水芭蕉　三国　玲子

雨の中に咲く水芭蕉幼きは水に潜《かつ》きてひそかにぞある　来嶋　靖生

ブナ若葉に囲まれほうと水芭蕉白の浄土へわれをかがます　田村　広志

## みずひき〔水引《みづひき》〕

山野にはえ、庭にも植えられるタデ科の多年草。茎は細くかたく、直立し、まばらに枝分かれし、高さ60センチ内外。だ円形の葉は互生。八月から十月まで枝先に細長い花軸をのばし、赤色の小花を穂状にまばらに綴り、水引のように見える。白花のものを銀水引、紅白のものを御所水引という。

吹く風のすゞしくとほる木《こ》の晩《くれ》に眼《め》に立ちそめてゆらぐ金線花《みづひき》　宇都野　研

草の葉に風は吹かねどなよなよと紅《くれなゐ》ゆるる水引のはな　土屋　文明

目覚むれば病臥のわれをさしのぞくかぼそき朱のみづひきの花　上田三四二

水引草紅こまやかに立秋の光集めて見ゆるこの坂　尾崎左永子

透明の空気うごきて庭の上水引草は朱《あけ》揺らしつつ　高嶋　健一

水引の紅《こう》みえがたくふれがたくそこより秋のまなことなれる　雨宮　雅子

等閑をむしろ娯しむ中年に金水引の花のかがやき　伊藤　一彦

**みぞそば**〔溝蕎麦《みぞそば》〕　山野の水辺に群生するタデ科の一年草。茎の下部は地をはい、上部は立ち上がって高さ60センチ内外。ほこ形の葉を互生する。八〜十月、茎上に枝を分かち、枝先に淡紅色の蕎麦に似た小花を十五個内外、頭状に密に開く。茎には稜にそって逆とげがある。

溝そばの花咲くあたり過ぎがてにたゆたひてをり古《ふる》恋心《こひごころ》　前川佐美雄

猟矢《さつや》手挟み皇子駈けりしや現《うつつ》なる阿騎野に紅を含む溝蕎麦　萩本阿以子

みぞそばの花明りして暮るる日々家籠る子は悩み語らず　大塚　栄一

憂国の歌われになく水に沿ひ溝蕎麦に沿ひ橋わたりたり　雨宮　雅子

**みそはぎ**〔禊萩《みそはぎ》・千曲菜《みそはぎ》〕　日当たりのよい湿地にはえ、仏花として栽培されるミソハギ科の多年草。草丈40〜80センチ位、茎は分枝し直立。皮針形の葉を対生。夏、上部の葉腋に紅紫色六弁花を数個ずつ開く。盂蘭盆に墓前に供え、花束にして仏壇で禊ぎに用いられるため、盆花ともいい、また溝辺にはえるため、溝萩ともいう。

みそ萩の直ぐ立つ梗に手を伸べぬ詣で申さずちちははの墓　千代　国一

みそ萩のこぼれつつ咲く水の辺に影を先立て下りゆくなり　河野　裕子

**みつまた**〔三椏《みつまた》・三叉《みつまた》〕　中国原産のジンチョウゲ科の落葉低木。古く渡来し、紙の原料として栽培され、早春の花木として庭に植えられる。杉とともに植えられたため、ときに杉林の中で見られる。高さ2メートル位、全枝が三本ずつに分かれる。三、四月葉に先立ち、枝先に黄色の頭花を下向きに開く。花は筒形で先端が四裂。秋の末、落葉後に塊状の蕾を下垂する。樹皮の繊維は強く和紙の原料とされ、高知が主産地。皮をはいだ枝を白くさらし、形が面白いことから生花に用いられる。

枝ごとに三《み》つまた成せる三椏のつぼみを見れば蜂の巣の如　長塚　節

岩に打ちて人は三椏の樹皮を剝《は》ぐ頻《しき》りに打てばながし木霊《こだま》は　松村　英一

三椏《みつまた》の蕾《つぼみ》は絹のごとくしてあしたあしたにつつましきもの　土屋　文明

鎌倉の寺寺の花におもひいづる魯迅生家の三椏の庭　窪田章一郎

物の欲淡くなりつつ冬庭に三椏は素樸なる蕾を著《つ》けぬ　儀　幾造

ひとり来て花に見られてゐたりけり三椏咲くは含羞《がんしう》の花　雨宮　雅子

饒舌を省くごとくにうつむきて咲く三椏は陽を含みおり　浜田　陽子

夕の陽にみつまたの花咲きけぶる甦へりくるいのちの明り　成瀬　有

## ミモザ

オーストラリア原産のマメ科の常緑高木で、アカシア・デクルレンスの俗称。明治初期に渡来し、暖地に植えられ、花は枝ごと生花とされる。三、四月に鮮黄色の小球状三〇花からなる花は、枝の先に総状に群がり開く。木の高さは15メートルに達し、成長が大変早いので緑化木となる。花が総状に咲くため、房アカシアともいう。

南仏にミモザの花が咲き出せば黄のスカーフをわれも取出す　斎藤　史

光量は誰のものともなき重さミモザ・アカシア両手に剰《あま》る　安永　蕗子

身を逼《せ》むる不文の掟と思ふ夜もミモザがこぼす黄なる花びら　大西　民子

助手席の窓にけむりのごとくきて雨に打ち伏すミモザ満開　青野　里子

## みやこぐさ〔都草《みやこぐさ》〕

日当たりのよい草地にはえるマメ科の多年草。茎は細く、束生して地をはい、長さ30～50センチ。葉は小さい倒卵形三枚からなり、葉柄の元に一対の托葉がある。晩春、葉腋から花柄をだし、濃黄色蝶形花を少数開く。昔、京都の大仏前の耳塚付近に多くはえたのでこの名があるといい、黄金花《こがねばな》、烏帽子草《えぼしぐさ》ともいう。

「い引き持てこし」は引き抜いてきた。

袷《あはせ》きる鬼怒《きぬ》の川辺《かはべ》をゆきしかばい引き持てこしみやこぐさの花　　長塚　節

## みやこわすれ〔都忘れ《みやこわす》〕

深山嫁菜《みやまよめな》を観賞用に栽培したものという。キク科の宿根草で植物名はノシュンギク、別名アズマグクともいう。高さ20～30センチ。四～六月、分枝した茎の先端に舌状花が紫青、桃、白色の頭花を開く。素朴で清純な感じ。ロマンを感じさせる美しい花名。

名を問へば吾妻菊《あづまぎく》ちふむらさきと白と咲きたる鉢の植込　　伊藤左千夫

山に来て都忘れの花を見ぬ遠き痛みにかよふ花の名　　田谷　鋭

神々の不備と思ふまで病みつぎてみやこわすれの花も知りにき　　滝沢　亘

―みょうが

蜆蝶都忘れの花移るさやると見ればすぐに離れて　　麻生　松江

## みやまりんどう〔深山龍胆《みやまりんだう》・深山竜胆《みやまりんだう》〕

本州中部以北と北海道の高山帯の草地にはえるリンドウ科の多年草。細い茎の下部は地上をはって分枝し、上部は立ち上がる。葉は対生する。七、八月茎頂に一～三個濃紫色の花を、晴天の日中だけ上向きに開く。

さびしさよ落葉がくれに咲きてをる深山りんだうの濃むらさきの花　　若山　牧水

みやまりんどうそよろと靡く風のあり立山連峰はいよいよ真夏　　深山　栄

## みょうが〔茗荷《めうが》〕

熱帯アジア原産のショウガ科の多年草。陰地に自生し、食用とするため畑で栽培される。葉は生姜《しょうが》に似ており、夏、根元から出る花穂に淡黄色の唇形花を開くが一日でしぼむ。花が開かないうちの若芽を茗荷の子といい、また春に地をぬきでて先が尖る若茎を茗荷竹といい、ともに食用とされる。特有の強い辛味と香味があり、薬味、汁の実、漬物、刺身のつまとして食す。

ほのかなる茗荷《めうが》の花を目守《まも》る時わが思ふ子ははるかなるかも　斎藤　茂吉

淡黄のめうがの花をひぐれ摘むねがはくは神の指にありたき　葛原　妙子

梅雨あけてつづく暑き日かにかくに茗荷の花の咲く頃となる　佐藤　志満

茗荷の子いづる日ごろをたのしみに庭へ廻せる下駄を履きゆく　醍醐志万子

さまざまな恋より覚むる思ひもて白き茗荷の芽をほりにけり　馬場あき子

ひと夏の休暇に栞するごとく茗荷のはながほのかにひらく　柏崎　驍二

鬱がちの家系の尖《さき》に咲きゆるび茗荷のはなのごときわれかも　河野　裕子

## むかご〔零余子《むかご》〕

山芋や鬼百合などの葉の付け根（葉腋）や野蒜《のびる》などの花序に生じる小さな肉芽・珠芽で、いずれも離れ落ちて発芽する胎芽をいうが、普通、山芋（自然薯・長芋）の葉腋に生じる緑褐色の肉芽をさす。そのままにしておくと自然にこぼれ落ちるが、秋に摘みとって竹串にさしてつけ焼きにし、炒ったり煮たりして汁の実にし、ご飯に炊きこんで食べる（むかご飯）。

竹藪の下草枯れてあかるきに零余子《むかご》の蔓はあきらかに見ゆ　尾山篤二郎

三分《さんぷん》茹で二分炒めて食ふ零余子《むかご》夜々の酒量を過ごしやすくす　後藤　直二

草木《さうもく》の思想にかへるわれならず零余子《むかご》の飯を吹きつつ食《た》ぶ　雨宮　雅子

## むぎ〔麦《むぎ》〕

日本では米に次ぐ重要な穀物で世界的に主要な食糧。小麦・大麦は古く中国から渡来し、ライ麦・燕麦《えんばく》は明治以後に欧米から導入された。いずれも秋に種まきし、四月中頃に青々とした穂麦の波が晩春から黄熟しはじめて麦秋を迎え、初夏に刈り取る。現在は機械力によるが以前は耕作地が身近に見られ、冬から春の麦の芽の株張りを強める麦踏み、初夏の刈り入れ、穂麦の麦こき、麦打ちなど全作業が農家総出で行なわれ、汗とほこりにまみれながらも活気を呈した。小麦は西アジアで新石器時代の耕作遺跡から栽培小麦が発見されている。普通小麦（パン小麦）マカロニ（デューラム）などの種類があり、日本では普通小麦を栽培して小麦粉や醬油、みそとし、ふすまを飼料とする。日本産小麦粉で作られるうどんは美味である。大麦は古代エジプト、メソポタミアの遺跡などに発見され、最も古くから栽培されている殻物で、日本では食用、みそ、醬油、飼料やビール、ウイスキー醸造用とする。麦飯にとろろ汁は風味と喉ごしが絶品である。子供が麦の茎で作る麦笛の音は郷愁をさそったものである。最近は、穂麦を生花の材料に用いる。

夏きたる信濃は麦の走り穂に一列しろき雪の山並　太田　水穂

熟麦《うれむぎ》のうれとほりたる色深し葉さへ茎さへうち染まりつつ　若山　牧水

何となく大麦の穂のなつかしく銭《ぜに》をいだして買ひにけるかも　今井　邦子

黄にさやぐ穂麦の生《せい》も沈黙の古墓石《ふるはかいし》も一つ畑なか　宮　柊二

麦になれ麦になれとぞ麦を播く冬の大地は母のふところ　築地　正子

麦の穂の黄にかがやきてみのる野をさらばひ行けり口渇きつつ　岡野　弘彦

風立てば風に曳かれてゆく吾か麦踏む空のにごりもあらず　宮岡　昇

青麦の穂をなびかせて吹く風を眼《まなこ》ほそめてわれは見てゐつ　来嶋　靖生

ひと畝の土入れ終へて麦の色がわれに親しきものとなりくる　石川不二子

朝焼けし雲片寄りて麦を刈る吾等《われら》はなやぐごとくゐたりき　板宮　清治

青麦を大いなる歩で測りつつ他人の故郷売る男あり　寺山　修司

あらがねの土に芽生えし麦の針、霜に凍てつつ青みづみづし　杜沢光一郎

値上がりを待つのみの土地つゆ晴れを熟れ過ぎて黒く麦は立ちいる　三枝　昂之

月光に濡れてとどろくコンバイン小麦十町歩穫り終りたり　時田　則雄

## むくげ〔木槿《むくげ》〕

東アジア原産のアオイ科の落葉低木。庭や生垣に植えられる。木はただは灰白色で直立し、よく枝分かれして葉が密に

つく。夏から秋、葉腋に五弁または八重咲きの白色、紅紫色、底紅色（白に中心部が紅）などの花を次々と開く。木はちす。花木槿ともいう。

路のべに咲ける木槿にむかひあひ言葉なき花に聴くおもひする　窪田章一郎

梅雨のあめみなぎらひゆく用水路木槿咲きたり幾ところにも　扇畑　忠雄

暑とならむ朝の枝に木はちすの一重の白き花濁りなし　野北　和義

ひしめきあひ茂るあはれもしらじらと木槿は咲きぬ朝の光に　小市巳世司

青天へ日々新しき花を噴き何か言ひたげ庭のむくげも　浜田蝶二郎

木の花は白をよしとすさえさえと木槿の花は咲きさかりたり　阿久津善治

ひとり来て逆光の中なる花むくげ触れむとぞわれは水をまたぎぬ　河野　裕子

## むくろじ〔無患子《むくろじ》〕

関東以西から九州の山地にはえ、多く寺院や神社に植えられるムクロジ科の落葉高木。樹皮は白く平滑で高さ15メートル。広皮針形小葉八〜十二枚からなる大形の奇数羽状複葉の葉は秋に黄葉する。六、七月小枝の先に大形の円錐花序を出し、淡緑色の小花を多数開く。球形の実は十月に飴色に熟し、絹物の洗濯や洗髪用とした。中の一個の黒い種子は追羽根の球に用いる。

無患子《むくろじ》の地に落ちたる青き実をいつくしみつつ拾ひあつめぬ　土屋　文明

森の中の無患子《むくろじ》のもみぢ黄に照れば心に梯子を掛けて見てをり　前川佐美雄

ことごとく黄にもみぢたる無患子が落葉しはじむ息づきのごと　佐藤　志満

手に取ればぬれぬれとせる無患子の殻に黒き実透けるかそけさ　林　善衛

むくろじの古木の肌に声かけて撫でしは既にをととしの冬　赤松　元敏

野の繭の絹を濯はむむくろじのみづいろ若葉さやぎあふなり　石川不二子

人間《ひと》ならば無愛想なる姿にて樹齢二百年の無患子　沖　ななも

## ムスカリ

地中海沿岸から西アジアに分布するユリ科の球根植物。花壇や鉢植によく見られるのはルリムスカリ（ブドウムスカリともいう）で中欧からカフカスの原産。白い卵形の鱗茎の先から数本の細長い肉質の葉を広げ、花は15〜30センチの直立する花茎の上端に、葡萄の実のようにかたまって多数開く。一つ一つの花は瑠璃色の壺形で下を向いて咲く。白花もある。秋植えで春に開花する。

母若く在りし日のごと紫のムスカリの花雨に咲きたり　高安　国世

## むべ〔郁子《むべ》〕

関東以西から沖縄の山地や海に近い常緑樹林内で他物にからまってはえるアケビ科の常緑つる植物。葉は厚く五〜七枚の小葉からなり、柄が長い。四、五月に葉腋から花茎を出し、白色で淡紫色を帯びた花を開く。のち卵円形の果実を結び紫色に熟す。果肉は白または透明で黒い種子のまわりにつき、甘くて食べられる。トキワアケビ。

葉がくれに郁子はいくつかなりをれどつゆじも降ればもぐべくなりぬ　岡　麓

ゆきずりにみとめし郁子《むべ》に手をふれて人なつかしむ冬の来るころ　佐藤佐太郎

あたたかき雨の濡らせる郁子の花この子の恋にまだいとまある　伊藤　一彦

人のよろこびわがよろこびとするこころ郁子《むべ》の花咲く頃に戻り来《く》　道浦母都子

## むらさき〔紫《むらさき》〕

日当たりのよい山地にはえるムラサキ科の多年草。根は太く、茎は直立し、高さ60センチ位。多数の皮針形の葉をつける。茎葉ともに粗毛が多い。夏、上方の葉腋に数個の白色小花をつける。古来、武蔵野の名草とされ、根はかわくと紫色になり、染料とされた。

武蔵野の紫草のあはれとぞたぐへし少女ゆきがた知れず　藤井　常世

## むらさきしきぶ〔紫式部《むらさきしきぶ》〕

林の中や縁にはえ、庭にも植えられるクマツヅラ科の落葉低木。高さ2〜4メートル、長だ円形の葉は対生。六、七月に淡紫色の多数の小花を葉腋に密につける。十、十一月に小さい珠実は紫色に熟し光沢がある。白い珠実の白式部もある。これよりも高さが低く、よく分枝してこんもり茂る小紫《こむらさき》は、しだれた枝に珠実をびっしりとつけ、紫式部より美しい。

こまごまとムラサキシキブの花咲きて吾も匂はし森の陰の路　　水町　京子

水漬くまで紫式部の珠垂れて野ねこ遊べるしばらくの間は　　福田たの子

むらさきしきぶ濡れておのづから庭のしげり季を急がむもののほしいまま　　近藤　芳美

家々の門に照る実も似つかはし紫式部よ洛東の道　　小市巳世司

雨気づく細き坂をば鉢物の紫式部とくだりてゆかむ　　黒崎善四郎

## めだけ〔女竹《めだけ》〕

関東南部以西から九州の河岸、丘陵、海辺などに群生するイネ科の常緑竹。庭に植えられる。緑色の茎は高さ3〜6メートル、各節から五、六本の枝を出す。葉は硬い長だ円状皮針形で互生、尾状にとがり、先がやや垂れる。竹の子は五月に出、暗緑色のち黄色となる皮は落ちない。ときに開花し、のち花は枯れる。茎をうちわ、筆、笛などとする。

女竹垣《めだけがき》の桃の根かたを揺ぶりて犬いでし後を花散りやまず　　中村　憲吉

窓の外の女竹のそよぎさやさやに越えてぞひとり生きてゆかまし　　中河　幹子

## メタセコイア

中国原産のスギ科の落葉高木。一九四一年日本の第三紀層から化石植物として三木茂博士が発見命名、四五年中国の湖北省と四川省の境の揚子江の一支流磨刀渓の奥地で原生種を発見、生きていた化石植物として有名である。現在日本で栽培されているのは自生種の種子をアメリカで育て、四九年秋に百本送られたもの。以後、さし木繁殖により公園、校庭でよく見られる。生育は早く十年で高さ10〜15メートル、きれいな円錐形となる。羽状複葉の葉はやわらかくて細い枝に対生。三月開花。雄花穂は小枝の先に並び、雌花穂は枝先に一個つく。だ円形の実は十月に熟す。アケボノスギともいう。

研究棟の高さにとどくメタセコイヤ枯れて樺色に立ちよそひたる　　扇畑　忠雄

鋏もてメタセコイアの枝を剪れば鳥のごとくにさえだ落ち来も　　玉城　徹

お前はその時何していたのかと問う如くメタセコイヤは暗き影もつ　水野　昌雄

メタセコイアの梢を徐々に見上げゆき空の広さに導かれたり　羽生田俊子

峡の空抽く等辺のあをあをしメタセコイアのちから漲る　温井　松代

メタセコイヤの一樹すがしくわが前に聳えたつゆゑ日々見上げをり　高橋　則子

## メロン

ウリ科のつる性植物で果実を食用とする。マスクメロンは網メロンの一種で淡緑色の果皮に美しい網目模様があり、果肉も淡緑色で上品な芳香があり、甘く、やわらかい。温室で栽培される。贈答品として多く使われている。最近、果肉がだいだい黄色の夕張メロンが、南瓜と交配されて夕張炭坑跡の主要生産物として出回っている。プリンスメロンはマクワウリとの雑種で灰白色の果皮には緑の縞があり、果肉は淡い鮭肉色で甘い。晩生の冬メロンは表面平滑で灰白色、果肉は淡緑色で甘いが香りが少ない。その他にも交雑の新種が多い。

卓《たく》換へて大きメロンを切りにけりわらひさざめく朝めしの後　土岐　善麿

しろがねのナイフの光ひと刺しにメロンの肉をしたたるしづく　四賀　光子

メロンの果《くわ》光る匙もてすくひをりメロンは湖《うみ》よりきたりし種《しゅ》ぞ　葛原　妙子

ウリ科つる性いまだメロンにあらざる日天竺に重き実は横たへき　馬場あき子

刺すことばばかり選べり指熱くわれはメロンの縞目をたどり　春日井　建

冷えすぎのメロン家族に切り分けて夫の肩書きに我も列なる　栗木　京子



## もくせい〔木犀《もくせい》〕

十月ごろ葉のわきに芳香のある銀白色小花を密に開く銀《ぎん》木犀をさしていう。だいだい黄色の花を開くのは金《きん》木犀という。いずれも中国原産のモクセイ科の常緑小高木で庭木にされる。銀木犀の葉は、だ円形で縁に細かい鋸歯があり、金木犀の葉は広皮針形。両方雌雄異株。日本には雄株だけで結実しないため、さし木で殖やす。風によって漂う甘い香りに秋の深まりを感じる。深く四裂した小花が地面いっぱいに散り敷くのは美しい。

身を浄くたもつよろこびしくしくに秋の夜ふけて匂《にほ》ふ木犀　穂積　忠

葉をもるる夕日の光近づきて金木犀の散る花となる　佐藤佐太郎

自励して木犀の木下《こした》過ぎむとす雨に散く微細花踏みつつ　葛原　繁

朝戸繰りて金木犀の香を告ぐる妻よ今年のこの秋の香よ　上田三四二

やがて行くよみぢのごとく月明の夜半《よは》木犀の香が満ちてゐる　長沢　一作

まま母のなほ若くして木犀の香をなげきたり吾をはぐくみて　馬場あき子

アトリエをかこむ木犀匂ひそめあきしことなき窓あけありぬ　蒔田さくら子

抱き寄せしかの日の闇に匂ひゐし木犀の花今朝の窓べに　影山　一男

金木犀の香りにふりむく坂道に／二十歳《はたち》の景色／モノトーンとなる　俵　万智

## もくれん〔木蓮《もくれん》〕

四、五月、小枝の先に暗紅紫色の長さ6センチ位の六弁花を一個つけ、日が当たると正開する紫《し》木蓮をさしていう。三、四月、枝の先に白色大形の六弁花を開くのは白《はく》木蓮という。いずれも中国原産で庭の花木とされる。紫木蓮は花の下に小さい葉がある。白木蓮は大きく枝を張った大形の木に前年から蕾がつき、葉の出る前に開花する姿は見事である。

木蓮の咲き溢れたるかなたには今なほ雪の山の鋭さ　岡部　文夫

夕光《ゆふかげ》にあからさまなる木蓮の花びら厚し風たえしかば　佐藤佐太郎

はればれと身を持ち崩すなりゆきの恍たるままに風の木蓮　安永　蕗子

白木蓮咲きさやぎをり吹く風にうたれゐる今を歓ぶごとく　杜沢光一郎

ひらきたる白木蓮のそりかえる花弁のへりの妙なるひかり　玉井　清弘

いっせいに帽子投げ打つごとく咲く白木蓮の春慌《あわ》ただし　永田　和宏

いにしえの王《おおきみ》のごと前髪を吹かれてあゆむ紫木蓮まで　阿木津　英

## もちのき〔黐《もち》の木《き》〕

本州から九州の山野にはえ、冬も赤い実が美しいため、庭木にされるモチノキ科の常緑高木。高さ7～10メートルの樹皮は灰白色で平滑。葉は厚く革質で倒卵状だ円形。四月、葉腋に黄緑色四弁花を開く。球形の実は十～十一月に赤熟する。黒鉄《くろがね》黐は関東地方以西の山地にはえ、高さ10メートル位、葉はだ円形。名前は葉や枝の色による。五、六月に淡紫色四～五弁花を開く。小球形の実は集まってつき、秋に赤熟する。樹皮から、とりもちを作る。

庭にたつ冬木の黐はひかりさへはぢく冷たき葉をよろひたり　土田　耕平

霜うけてつやめく色を常磐木のもち木斛がたたへそめたり　長沢　美津

細えだの秀《ほ》に咲くモチの白き花光なりわが梅雨のあけくれ　窪田章一郎

ひよどりの公孫樹《いちやう》に来るは隣る木のくろがねもちの実るなりけり　林　安一

## もっこく〔木斛《もくこく》〕

関東地方以西の暖地にはえるツバキ科の常緑高木。葉は厚く革質で上面濃緑色、下面淡緑色、枝先に集まってつく。夏、葉腋から長い花柄をだして白色五弁花を平開、香りがよい。球形の実は十、十一月に紫紅色に熟して裂け、赤い種子を出す。樹形、葉の状態が申し分なく庭木の王といわれ、材が鮮紅色で堅く、床柱や器具などに用いる。

塗りかへし壁の青みに木斛の古葉の寂びをめづるこのごろ　太田　水穂

木斛はすこやかなる木雨にぬれてかぐろ厚葉の光よろしも　川田　順

木斛の古葉かがよふまで照りて冬越えし葉よ越えざりし母よ　上田三四二

木斛の冬の葉むらに身を隠れわが縄文の泪垂り来る　前　登志夫

## もみ〔樅《もみ》〕

北は秋田県から南は屋久島の山地にはえる常緑高木。葉は線形で密に互生し、若木は先が鋭くとがり、老木ではにぶく、ともに二裂する。円柱形の球果は黄緑色で、熟すと中軸を残して飛散する。庭木、クリスマスツリーとされ、材は古くから卒塔婆、棺桶などに使われた。

はしき子ら降誕祭をうらまちぬ。樅の冬木を家にかざりて　石原　純

しづかなる光満ちくる我が庭のひともと樅の影の中に居り　高安　国世

鮎のごとき少女婚して樅の苗植う　樅の材《き》は柩に宜《よ》し　塚本　邦雄

樅《もみ》枯れて立てり一本の歳月をここに据ゑたるその天の意志　尾崎左永子

樅一樹疾風のなかに揉まれ立つほのほの如きこゑあげながら　杜沢光一郎

## もも〔桃《もも》〕

明治以後に中国より輸入された水蜜桃をもとに改良され、大久保、白桃、倉方早生などが有名である。「白桃をよよとすすれば山青き　富安風生」「白桃に対ひし胸の息づくも　石田波郷」「唇《くち》を吸ふごと白桃の蜜すする　上村占魚」のように、多汁甘美で、生毛《うぶげ》のあるきずつきやすい果物である。斎藤史の「さにづらふ」は「さ丹面ふ（真っ赤な頬をする）」。普通は紅葉、妹《いも》、色などへかける枕詞である。

うるはしき色せる白桃わが爪の触るるがままに雫しなる　窪田　空穂

さにづらふ桃食へばとほし初々《うひ》しかりし日本映画の中の桃割髪《ももわれ》　斎藤　史

桃の林のももの夭《わか》きの日常にあらざる香ひたへがたく甘く　森岡　貞香

かなしみのみづみづとせる切口をさらし合ひたり桃とわれとは　築地　正子

走せ過ぐるまばたきの間にわれは見つ燦々として桃のみのれる　来嶋　靖生

身を醂《さら》すように生き来てこの上のなにを得むとす掌上に桃　石田比呂志

しどけなき甘さとなれる白桃を食ひて今年の夏もをはりぞ　石川不二子

地といふはかくやわらかし旧約を久しく超えて桃を実らす　大塚　善子

わが坐《ゐ》るは暗黒に泛く星の一つ露けき桃を食みつつおもふ　高野　公彦

やうやくに形を保つ桃として桃があるまま崩れ初めたり　松平　盟子

白桃のうぶ毛に宿るしずくあり遠い記憶の窓につな

がる　俵　万智

桃よりも梨の歯ざはり愛するを時代は桃にちかき歯ざはり　荻原　裕幸

食べかけの白桃無言で差し出せば果汁がしっとり肘までつたう　岸本　由紀

## もものはな〔桃《もも》の花《はな》〕

中国原産のバラ科の落葉果樹。三、四月ごろ淡紅色の五弁花を葉より先か同時に開く。観賞用の花桃《はなもも》があり、四月ごろ葉に咲きだち、濃紅色または純白色の八重咲き、咲き分けなど、極めて美麗な花を開く。庭樹、盆栽、切花にされる。弥生の節句に飾るので、桃の節句という。

との曇る春のくもりに桃のはな遠くれなゐの沈みたる見ゆ　古泉　千樫

ぱらりつと桃の紅《くれなゐ》見えそめし隣の垣根春の一つゞき　今井　邦子

峡のみち笛吹川を越えゆきて桃咲く時に吾は遇ひたり　扇畑　忠雄

桃の木は葉をけむらせて雨のなか共に見し日は花溢れゐき　大西　民子



かの丘の遠くけぶるは桃畠の花芽のいぶき立ちそむるころ　長沢　一作

大空に白鯨《はくげい》のいるあさぼらけ桃咲く村の深きねむりに　上野　久雄

鶏ねむる村の東西南北にぼあーんぼあーんと桃の花見ゆ　小中　英之

大津絵の鬼のかつぎし鉦の音の光りてとよむ桃のおぼろ世　辺見じゅん

ふくふくと桃の蕾の瞑目す天《あめ》の放てる光のなかに　伊藤　一彦

桃咲いて父にも子にも青雲のいまだ実らぬ恋あるごとし　三枝　昂之

## やぐるまそう〔矢車草《やぐるまさう》〕

欧州南東部原産のキク科の一、二年草。花壇、鉢植、切花にされ、花の形が端午の節句の矢車に似ているためこの名があり、矢車菊、矢車の花ともいう。草丈20～90センチ、葉は長皮針形で、裏面や茎に白綿毛が密生。五、六月枝先に紫、青、白、桃色などの頭花を開く。花は筒状花が放射状につき、周囲が大形で漏斗状になる。

快《こころよ》き夏《なつ》来にけりといふがごとまともに向ける矢《や》車《ぐるま》の花　長塚　節

函館《はこだて》の青柳《あをやぎ》町《ちやう》こそかなしけれ／友《とも》の恋歌《こひうた》／矢《や》ぐるまの花　石川　啄木

ゆふぐれの懈《たゆ》き気配にりんりんと青きいろ鋭《と》し矢車の花　蒔田さくら子

牧草に種子まじりゐし矢車の花咲きいでて六月となる　石川不二子

## やし〔椰子《やし》〕

ヤシ科植物の総称。ココヤシ属は海流によって果実が運ばれ、全世界の熱帯地方に分布、また油料植物として栽培もされる。日本の暖地にはフェニックス属のカナリーヤシが街路樹に植えられている。熱帯ではヤシは重要な植物で食用のほか建築材料、油料などとして輸出される。

たたかひのきびしきさまもつひにさびし椰子の汁をのむその樹のかげに　橋本　徳寿

椰子林の青きは燃ゆるごとくにて月出づれば敗戦の隊を点呼す　前田　透

やつれ椰子風に吹かるる東京の波止《はと》より一夜寝る距離の旅　馬場あき子

## やちだも

本州中部以北、北海道の谷地にはえるモクセイ科の落葉高木。高さ20～25メートル、樹皮は黄黒色で縦に深く裂ける。対生する小葉は長だ円形で鋸歯があり、五～七枚の羽状複葉。三、四月葉の出る前に、前年の枝先に円錐花序をつけ小花を開く。谷地にはえるトネリコ。

溶けてまた凍る根雪の中に立つやちだもに聴く北に生くる詩《うた》　浜　梨花枝

## やつで〔八《や》つ手《で》〕

ウコギ科の常緑低木で庭木として植えられる。大形の掌状に裂けた葉は革質で光沢があり、日陰や大気汚染の激しい処でもよく育つ。十一月、茎頂から大きな円錐花序をだし、白い小花をまりのように多数集め、散状に開く。

花茎《はなくき》のあらはに太《ふと》くわかれ咲く八ツ手の花は群れつつ小《ちひ》さし　三ケ島葭子

接吻《くちづけ》をかなしく了へしものづかれ八つ手団花《たまばな》に息吐きにけり　宮　柊二

ただ青き八手団花《たま》鐸《すず》のごとかざしつつ路次のこどもらあそぶ　田谷　鋭

月出でていよいよ暗きわが庭に八つ手の花の光りはじめぬ　　大西　民子

**やどりぎ**〔宿《やど》り木《ぎ》・寄生木《やどりぎ》〕　落葉樹に寄生するヤドリギ科の常緑寄生植物。根は寄生の梢中に入り込み、大きなコブを作る。葉は倒皮針形で長さ3～6センチ、茎はよく枝分かれし、直径60センチにまるく繁茂する。ヒノキヤドリギは葉が小さく、全形がヒノキの小枝に似る。オオバヤドリギは葉が大きく、暖地の常緑樹につく。マツグミは小形で針葉樹につく。

おしなべて湖《うみ》昏るるとき寄生木の食ひ込みて立つ榛の幹は見ゆ　　真鍋美恵子

宿り木の青みわたれる森を行くつめたき陶の卵を持ちて　　大西　民子

**やなぎ**〔柳《やなぎ》〕　中国原産のヤナギ科の落葉高木。枝垂《しだれ》柳が庭木として栽培される。昔から水辺に植えられて美しく、銀座の柳として街路樹で有名である。枝は柔軟で長く下垂し、葉は線状皮針形で裏面が白い。三、四月、葉がのびきる前に軸の曲がった花穂をつけ、多数の黄緑色の小花を開く。種子は五月に熟し、雪のように絮《わた》を飛散する。これを柳《りゅう》絮《じょ》という。雌雄異株でそれぞれ花をつける。糸柳ともいう。同じ中国原産の落葉高木の雲竜《うんりゅう》柳は、枝がくねくねと曲がり、庭木のほかに枝を生花の材料にする。

ふわふわと柳の絮のまひあがる町のはづれに春はたゆたふ　　四賀　光子

柳咲かむ絮《わた》に包める紅《くれなゐ》を今日《けふ》のひかりの中に見むとす　　土屋　文明

水のようならすらなる闇泳ぎいる芽ぶく柳のみどりの軽羅　　武川　忠一

青芽吹くいのち古きは水妖のたをやぎにゐて柳なりけり　　馬場あき子

Ｑｕｅｅｎとわが名づけし運河べりの柳さみどりの細葉を揺らす　　春日井　建

印象派のひかりをまとひうすみどり靡くやなぎの木立にわれは　　小池　光

**やなぎらん**〔柳蘭《やなぎらん》〕　アカバナ科の多年草。本州中部以北、北海道の日当たりのよい高地の草原にはえる。茎は直立し、高さ1.5メートルほど。柳の葉に似た葉を互生。七、八月、茎上に多数の紅紫色の四弁花を総状に開く。実は細長く種子には冠毛があり、風に飛ぶ。

ヤナギランの花咲き残るあけがたの湖のほとりにきみをつれだす　松平　修文

## やぶがらし〔藪枯《やぶが》らし〕

やぶや路傍で他のものにからみついて伸びるブドウ科のつる性多年草。葉は柄が長く、互生し、五枚の小葉からなる掌状複葉。巻きひげは葉の反対側に出る。夏、淡緑色にピンクの混ざった小さな四弁花を散房状集散花序に開く。豆粒ほどの実が熟す。貧乏葛ともいう。

さみだれの雨にのびゆく烏蘞苺《やぶがらし》竹垣こえて縄になりつつ　岡　麓

肥後のくに秋津の里の藪がらし分けてゆらりと巷に出で来　石田比呂志

## やぶこうじ〔藪柑子《やぶかうじ》〕

山地の林などにはえるヤブコウジ科の常緑低木。庭に植えられ、正月飾りの寄せ植えにするため、江戸寛政年間に多くの品種が作られた。茎の高さは20センチほど。葉は長だ円形で細かい鋸歯があり、互生し、上部では輪生状にまとまってつく。夏、上部葉腋に白色の小花を開き、秋から冬に小球形の実は赤く熟す。

藪柑子の朱の実のいのち霜柱にりりとしあればわれを寄らしむ　山田　あき

雪雲のさけ目よりたつ風ありて藪柑子は赤き実を振る　長沢　美津

やぶこうじ、からたちばなの赤い実が鳥に食われてみたいと言えり　沖　ななも

## やぶみょうが〔藪茗荷《やぶめうが》〕

山野のやや湿ったところにはえるツユクサ科の多年草。茎は直立し、高さ50～70センチ。長だ円形の葉が茎の上部に接近して互生し、全体が茗荷に似る。夏から秋、茎の上部に五～六層の円錐花房を出し、白色の小花を密につける。球形の実は藍色に熟す。小鳥の啄んだ種子で陰地の池端などによく繁る。花茗荷。

所嫌はずはびこり花咲くやぶめうがひとり楽しむこの四五日を　吉田　正俊

はろばろと降《くだ》りたまひし小さ神草のあはひに立つ花茗荷　竹安　隆代

## やぶれがさ〔破《やぶ》れ傘《がさ》〕

本州から九州の山地の木陰にはえるキク科の多年草。茎は直立し、高さ70～120センチ。円形の根出葉は一枚で長い柄が茎を抱く。茎葉はふつう二枚で深い切れ込みがある。七、八月に茎上に円錐花序を作り、十個内外の白色筒状花のみの頭花を開く。若葉が破れ傘をすぼめた様子のため、名がある。

みすぼらしき花と思へどヤブレガサ風にゆらげばつつましく見ゆ　吉田　正俊

やぶれがさといふ植物の萌ゆるさま年々にしてわれは愛せり　柴生田　稔

ヤブレガサわれにかも似る醜《しこ》の草残らず抜きて一まず終り　武川　忠一

## やまうど〔山独活《やまうど》〕

山野に自生するウコギ科の多年草。白い花は夏に散形に集まって咲く。春に出る若い芽や茎を土から掘って食べると、強い香気に山峡の清々しさを感じる。

茎太き山独活の花しろじろと日をささげたり山は空晴る　前田　夕暮

谷埋めて雨脚《あまあし》はやくふる雨に花の小笠のゆらぐ山独活　松村　英一

地鳴りしつつ黄のクレーン車過ぎゆけり山独活の花白き峡の道　扇畑　利枝

―やまざくら

## やまごぼう〔山牛蒡《やまごぼう》〕

ヤマゴボウ科の多年草で人家付近にはえる。根は肥大した円柱形で利尿薬に用いられる。茎は太く直立して高さ1メートルほどになり、大形のだ円形の葉を互生。六～八月白色の花が総状に密集、直立して咲く。実は八個輪状に並び、熟して黒紫色となる。漢名商陸。漬物の山ごぼうはモリアザミの根である。

二本《ふたもと》が押しあひざまの商陸《やまごぼう》の黒ずむくれなゐけふの乱雑　森岡　貞香

## やまざくら〔山桜《やまざくら》〕

関東以西の雑木林にはえるバラ科の落葉高木で、高さ10～20メートル。樹皮はいわゆる桜肌となる。花期は染井吉野よりおそく、八重桜よりも早い。花は新葉と同時に数個ずつ散房状につき、微紅色の五弁花。のち紫黒色の果実を結ぶ。日本の国花。白《しろ》山桜ともいう。大山桜は北海道、本州にはえて高さ15メートル。花期は五月。樹皮に光沢があり、強じんで美しい。秋田県角館市の樺細工は有名である。エゾ山桜、紅《べに》山桜ともいう。大島桜は南関東の沿岸部に自生、植林もされている。花期は四月で、白色のため花時には目立つ。桜餅に使用する葉はこの若葉を束ねて塩漬けにし、香りを引き出す。

うらうらと照れる光にけぶりあひて咲きしづもれる山ざくら花　　若山　牧水

淡緑の色に萌えたる山襞にまじる山ざくらの花のひそけさ　　扇畑　忠雄

花ののち山の桜の若き葉のなよめく色に心燃えくる　　岡野　弘彦

朝庭の大島桜さき映えてあかるき下に来て坐るなり　　岡野　弘彦

うす紅を刷きて幾日をやさしけれ遠山ざくらみなみなぞへに　　高嶋　健一

しろざくらこの世のひかりのゆふまぐれ水を距てて対岸に咲く　　河野　裕子

## やましゃくやく〔山芍薬《やましゃくやく》〕

本州から九州の山中の林にはえるキンポウゲ科の多年草。茎の高さ50センチ、分枝せず、三～四枚の葉をつける。葉は大形で二回三出複葉。四月から六月まで、茎頂に花弁五～七枚の白色の花を一個上向きに半開する。淡紅色の花は紅花《べにばな》山芍薬。

ほのかなる白のふくらみ庭陰の山芍薬に一花の生る　　千代　国一

## やまつつじ〔山躑躅《やまつつじ》〕

各山地に見られるツツジ科の落葉低木。高さ1～3メートル。葉は卵状だ円形で褐色の毛がある。四、五月枝先に二～三個の花を開く。花冠は漏斗状、花色は赤、紫紅、朱紅色など変化が多い。

山躑躅の朱いちじるき山道に否みたりけり学校に行くを　　前　登志夫

## やまのいも〔山《やま》の芋《いも》〕

長芋と自然薯をさしていう。長芋は中国原産で畑で栽培され、自然薯は山野に自生し、ともにヤマイモ科の多年草。いずれも蔓性で葉は互生または対生する。長芋の根の皮は黄灰色で肉は白色。約1メートルの長さにするため高い金網に蔓を這わせ、小型シャベルカーで深い溝を掘り収穫される。自然薯の根の皮は灰黄褐色、肉は白色で粘りけがあり、野生のため掘るのに苦労する。山かけ、月見・とろろ汁や煮食などとする。

長芋の白煮《しらに》に箸《はし》をつけながらこのさえかへる朝をさびしむ　岡　麓

雨期に入りまだ葉をもたぬ自然薯の太太しき蔓庭木をまけり　鹿児島寿蔵

さきはひてひと尋《ひろ》こゆる自然薯を秋の厨に横たへにけり　後藤　直二

## やまぶき〔山吹《やまぶき》〕

山野に野生し、庭に植えられるバラ科の落葉低木。全体が緑色で枝は横に張る。四、五月、黄色五弁花を新側枝の先に一個ずつ開く。八重咲きは花期が少しおそい。白花《しろばな》山吹は黄色を帯びた白花を開く。細い枝が風に吹かれるまま弱々しく震えるため、名があるという。

ヤマブキははかなき一重の花ながら朽ちたる垣をかくして茂る　土屋　文明

山吹の花さくときのあかるくて水にうつれる影ゆれてをり　中野　菊夫

錯誤にて咲くにはあらず山吹の黄の花ながきつゆの丘道　黒田　淑子

夢に触るるやわらかきものたとうれば闇いちめんの八重の山吹　花山多佳子

うとましきことより逃れ一叢の白山吹のなかに入りたり　花山多佳子

## やまぶきそう〔山吹草《やまぶきさう》〕

本州の丘や平地の林にはえるケシ科の多年草。茎の高さ30〜40センチ。葉は小葉五〜七枚からなる羽状複葉で根生する。晩春、黄色の四弁花を一〜二個ずつ葉腋に開く。雄しべ多数。山吹に似るためこの名がある。

筑波嶺のみちの邂逅《ゆきあひ》に山人ゆ聞きて知りたるやまぶきさうの花　長塚　節

捩《ねじ》り花、箱根空木《うつぎ》に山吹草、コップの中の野の花揺るる　道浦母都子

## やまぼうし〔山法師《やまぼふし》〕

ミズキ科の落葉高木。本州から九州の山地にはえ、庭木にもする。高さ6〜10メートルの幹は直立、分枝する。夏、小枝の先に多数の小花をつけ、まわりの四枚の総包片は白色大形で花弁のように見える。実は小粒の球の集合体で九、十月に赤熟。漢名四照花。

銀漠の彼方より来したましひのほのかに白き山ぼう

しの花　馬場あき子

山照花《やまほふし》咲く一山の油《ゆ》のごときちからに搦《から》めとられつつ往く　雨宮　雅子

花の時より待ちし庭の山法師実は落ちまろぶ梅雨長びきて　北沢　敏郎

## やまもも〔山桃《やまもも》・楊梅《やまもも》〕

関東地方および福井県以西、四国、九州、沖縄の常緑樹林にはえるヤマモモ科の常緑高木。果実を採るため栽培され、防風用、公園樹にもされる。高さ20メートルの樹皮は灰色平滑、多数分枝する。葉は革質で倒卵状長だ円形。三、四月に葉腋に短い尾状の花穂をつける。果実は球形で多数の多汁質の突起が密生し、六、七月に暗紅紫色に熟す。甘ずっぱくて風味に富み、ジャムなどに作られる。樹皮をしぶきといい、褐色の染料及び薬用に用いられる。

山楊《やまもも》の未熟を甕に漬けこみて澄むこと難き夜を眠るかな　安永　蕗子

山楊《やまもも》のかげ暗くしてをさなごの罪を容れざる穽《わな》のごとしも　高嶋　健一

やはらかき土踏みくれば山桃の樹下《こした》きらきら笑ふ女童　伊藤　一彦

ほのかなるやまももの実はわが摘まむこの日したがふひとり子の為　小池　光

## やまゆり〔山百合《やまゆり》〕

本州中部以北、北海道の山野の草地にはえるユリ科の多年草。茎は地下の鱗茎からのび、高さ1メートル内外。葉は皮針形で短い柄がある。花はユリのうち最大輪で直径15～20センチ、一茎に数個から二十個を横向きに開く。広漏斗状の白色六弁花には黄色のすじと赤い斑点がある。芳香が強い。鱗茎には苦みがないので食用とする。神奈川県の県花は山百合。

内陣のひだりに右に供花いく種山百合の香のもつともつよし　土岐　善麿

強き香《か》にわれを酔はせむたくらみか君がもて来し山百合の花　吉井　勇

片照りの山に百合の根ほりにけり鶉のとほねかそかなるかも　米田　雄郎

山百合を背の牛草のてっぺんに差してもどれり日暮の母は　小野興二郎

梅雨いまだあけぬ朝《あした》の棘《おどろ》より山百合の香ぞ二階に

とどく　山田富士郎

## ゆうがお〔夕顔《ゆふがほ》〕

アフリカから熱帯アジア原産といわれるウリ科の一年草。茎はつる性、巻きひげで他物にからみつく。葉は丸味を帯びたハート形で浅く掌状に裂ける。夏の夕方から朝にかけて白色の花を開く。果実は二種類あり、長い円筒形の若い果実を生食、花器などにし、扁平で大きな果実を干瓢にし、炭取りなどの器物に加工する。

ゆふがほのほのぼの白き花咲けりさびしき栄《はえ》の見ゆるこの夜や　岡　麓

ゆふがほはゆふべの夢を命とし静かにつつみ花とぢにける　九条　武子

夕顔の実を裂く母の俤は灼きつく夏のかげろふのなか　岡山たづ子

朝闇にまだ咲きのこる夕顔のほのかに白し母いますなり　岡野　弘彦

ゆふぐれの水みちきたるあまつそらよじりひらけるゆふがほの白　玉井　清弘

## ユーカリ

オーストラリア原産のフトモモ科の常緑高木。明治初年に渡来、庭木とする。成長が速く高さ30メートル、原産国では90メートルにもなるという。葉は皮針形でやや湾曲して銀白色、樟脳《しょうのう》のかおりがある。老樹の樹皮は細長く剝がれ落ちる。この他に葉が皮針形の柳葉ユーカリ、丸形の丸葉ユーカリなど十数種が輸入されており、一部はコアラの餌に栽培されている。

ユーカリの一樹に一縷の光さしすがしき香り怡々たり今日は　松本　みよ

海近く茂るユーカリ霜やけてその朱清《すが》し幹も葉群も　秋葉　四郎

## ゆきのした〔雪《ゆき》の下《した》・虎耳草《ゆきのした》〕

本州から九州の湿ったところにはえ、庭にも植えられるユキノシタ科の多年草。葉は腎臓形で上面に白い斑点があり、紅紫色の細い枝は地面をはってふえる。五～七月、花茎をのばして多数の白色五弁の小花を横向きに開く。葉は天ぷらなどにして食べられ、また民間薬とされる。

雪の下花咲きたりと風ありて揺らぐに見出づそのかそけきを　窪田　空穂

朽ちそめし軒の下端《したは》にゆきのした濡れそぼち咲く五

月雨のころ　原　阿佐緒

虎耳草《ゆきのした》の花こまごまとけふ咲けど愛しみ寄らん汝《なれ》はすでに亡し　木俣　修

夕ごころたゆたいいるとゆきのした白き炎のひそやかに立つ　只野　幸雄

春すでに逝かむとするか虎耳草の群生《ぐんせい》の先の土乾きつつ　宮　柊二

## ゆきやなぎ〔雪柳《ゆきやなぎ》〕

庭木に植えられるバラ科の小低木。高さ1～2メートルの細い枝は群生して湾曲する。四月、前年の枝の葉腋に白色小花を三～七個ずつ開き、全株が花で埋まり、雪のように純白になる。花芽は前年の十月初めにつく。葉は開花と同時に新芽が萌え出る。自生もあるが、平安時代から栽培されたといわれ、切花にもする。

雪柳花ちりそめて吹呑《すひのみ》の蔽ひのガーゼ襞《ひだ》ふえにけり　北原　白秋

雪柳は細枝撓《たわ》めてこまかなるその白花に満ち渡りたり　植木　正三

雪柳そこのみいまだ暮れ残り何をひととき騒ぐ雀ご　川合千鶴子

薄闇のなかぴしぴしと雪柳の花芽生まれてゐる気配すも　稲葉　京子

雪柳散らしてあそぶ異性とうこころ芽ばえし六歳の指　三枝　昂之

## ゆきわりそう〔雪割草《ゆきわりさう》〕

日本全土の山地にはえ、観賞用に栽培されるサクラソウ科の多年草。葉は根生し、広倒皮針形で長さ3～8センチ、上面に少しくぼんだ葉脈があり、下面に淡黄色の粉がつく。春、高さ10センチ位の花茎を立て、上部に淡紅色で五深裂する花を開く。さらに本州、四国の山地の林にはえるキンポウゲ科の三角《みすみ》草、本州中部地方から九州の山地の木陰にはえる州浜《すはま》草をさしていう。これらは若い時に絹毛がある多年草で、三つ葉状の葉が三角草では先が尖り、州浜草では尖らない。春、数本の花柄の先に白色または淡紅色の花を一個ずつ開く。雪の中で花を開くのでこの名がある。

雪割草庭に咲きいで去年《こぞ》の春地《つち》におろししこと思ひ出づ　半田　良平

三つ葉なすうてなの上につつましく目をみはりたる

雪割草の花　若山喜志子

培へる雪割草を運び来し少女と小さき花に顔寄す　初井しづ枝

年年の雪割り草の萌え出づとかたへのこゑは天《あめ》の先ぶれ　千代　国一

**ゆず〔柚子《ゆず》〕**　中国原産のミカン科の小高木。庭や畑で果実を採取するため栽培される。樹高4メートル、枝にとげがあり、葉は中形で互生。五、六月ごろ葉腋に匂いのある紫色を帯びた白色五弁花を平開し、すぐ落ちる。球形の果実は130グラム内外、鮮黄色の果皮は厚いがむきやすい。初冬から成熟しはじめ、酸味の強い果皮、果汁を料理に用いる。とくに中をくり抜いて味噌をつめたものは柚子味噌といって賞美される。

わが書斎立つと坐るとまかがよふ柚子《ゆず》の玉実のみえて明るき　太田　水穂

ふり仰ぐ頭上の柚子に冬日さし仏のごとく光り輝く　中野　菊夫

柚子の実がさんらんと地を打って落つただそれだけのことなのよ　山崎　方代

柚子の実の皮をしむきて歯にかみぬさみしき心やらはむがため　石黒　清介

すすけたる鬱金《うこん》の珠が一つ落ち春の落葉急ぐ柚子の木　馬場あき子

生きの身のうすら寒くてふりむけば無量光体風の日の柚子　雨宮　雅子

**ゆすらうめ〔英梅《ゆすらうめ》・山桜桃《ゆすらうめ》〕**　中国原産のバラ科の落葉低木。江戸時代初めに渡来、庭に植えられる。高さ1～3メートルの枝はこんもりと茂る。葉は互生し、倒卵形で先が短くとがり、両面に毛があり、細かい鋸歯がある。四月、梅に似た白色または淡紅色の五弁花を葉より先か同時に開く。小球形の実は六月に赤く熟し、甘酸っぱい。ゆすら。

ゆすらうめの渋く酢味《すみ》ある一粒を倦みてさびしき折々に摘む　植松　寿樹

一枝のゆすら梅の実を貫ひたり鈴生りの実のくれなゐ深く　竹中　皆二

ほのかなるものなればふとゆすらうめ色づくごとく告げなば告げむ　馬場あき子

灯ともれる家にはわたしが待つことを必ず忘るな雨の桜桃《ゆすらんめ》　河野　裕子

## ゆずりは〔譲葉《ゆづりは》〕

トウダイグサ科の常葉高木。関東以西の暖かい山地の林に自生するが庭木が多い。高さ15メートルにもなり、葉は枝先に集まって互生し、長だ円形で厚く革質、裏面は白っぽい。葉柄は赤と緑の色があり、赤色が好まれる。新しい葉が出るまで古い葉が残るので、橙（代々にかける）と組合わせて縁起を祝い、正月の飾りに使われる。六月に緑黄色の細かい花を群がり開き、だ円形の実が秋に黒藍色に熟す。古名ゆづるは。

みづみづしき茎のくれなゐ葉のみどりゆづり葉汝は恋のあらはれ　伊藤左千夫

ゆづり葉の新芽かはゆしやはらかきみどりもたぐる桃色の茎　木下　利玄

ゆづる葉の紅《くれなゐ》ぬらす今朝《けさ》の雨みぎりの雪をいたく解かしぬ　土屋　文明

ゆづり葉の茎の紅色はしけやしはかなしごとを今日は思はず　山口　茂吉

ゆづる葉のむらがりあへるうれのへに雪降りしきるあかときあはれ　河野　愛子

## ユッカ

ユリ科の一属ユッカの総称。日本では糸蘭、君代蘭《きみがよ》、チモ蘭などが庭や公園などで見られる。北米原産で剣状の葉を束生。糸蘭は高さ1～3メートル。葉の縁に糸状の繊維がつき、白色の大きな花を開く。君代蘭は高さ2メートルで花はクリーム色。チモ蘭は高さ4～6メートル。灰緑色の先の鋭い葉で花は白い。いずれも花茎を葉間から伸ばし、卵形の多数の花は香りがよい。

いとまあれば椅子《いす》によりつつおのづからユッカの花をわがみてゐるも　前田　夕暮

梅雨ぞらに高く開きしユッカ蘭ともしびのごとふり仰ぐなり　細川　謙三

茎高く枯れしユッカのよみ花に睦月の朝のひかり澄みたり　玉城　徹

## ゆり〔百合《ゆり》〕

鉄砲百合は高さ1メートルになり、長漏斗状の花は純白、またはうすく緑がかり、横向きに数個開いて芳香が強い。細長い花形を昔の鉄砲に見立てて名がある。透《すか》し百合は高さ30～100センチで優雅な杯状の花は赤・黄系統で上向きに開く。姫百合は高さ30～80センチで花は赤・黄系統で茎先に数個上向きに開く。鹿子《かのこ》百合は高さ1～1.5メートルで白色に淡紅色を帯びた花には濃紅色の斑点があり、やや下向きに数多く開く。自生する百合もあるが鑑賞用、切花・コサージュ用に栽培される。

髪あげて人のすずしき瞳かな鉄砲百合の花ひらきたり　太田　水穂

昏るるまで百合の球根を妻の植ういそしむことをなおも喜びに　近藤　芳美

白百合を束ねゐる人手をとめて眺めやりつつ鹿の子百合加ふ　北沢　郁子

ひめゆりに流るるさ霧文明より運ばれて来し汚物かわれは　前　登志夫

雌雄《をすめす》の蘂をあらはにせり出して一気に百合の花崩れたり　蒔田さくら子

まだきゅっと口を結んでいるユリのつぼみは青く十代に似て　俵　万智

蕾鋭き百合を売るとき機関銃売人のごと心は騒ぐ　早川　志織

**ゆりのき**〔**百合《ゆり》の木《き》**〕　北米原産のモクレン科の落葉高木。明治時代に渡来して街路樹、庭木、公園樹として植えられている。大きいものは高さ60メートル直径3メートルに達する。樹皮は灰色で細かい網目模様があり、葉は半纏《はんてん》の形をして淡緑色。五、六月に枝先に緑黄色六弁の大きな花を開く。英名 Tulip tree（チューリップツリー）は花形に由来し、葉形から半纏木《はんてんぼく》ともいう。

見しことの無しと言ひたるわれのため十指を寄せて百合の木の花　大西　民子

黄葉を日々に払ひて百合ノ木の幹は秋日に温もりてゐる　長沢　一作

あてどなきわがおりふしに来りては力得たりき大きゆりの木　大塚　善子

少しずつ空をせばめてゆりの木の芽ぶきさみどり窓際を占む　永田　和宏

**よもぎ**〔**蓬《よもぎ》**〕　キク科の多年草。川岸や海岸の砂地に多いカワラヨモギは早春の香りよい若葉を摘んで草餅とする。成長すると草丈50～100センチになり、枝分かれし、八～十月に多数の頭花を開く。葉裏の綿毛から、もぐさを作る。

いざ出でて蓬摘まうよ和草《にこぐさ》の香に立つ摘まば心なごまむ　若山喜志子

利根川の岸べに摘みしよもぎ草けふポケットに乾けるを捨つ　田谷　鋭

すり鉢の小さきをいひいひ母がつくよもぎ団子の匂ひひろがる　馬場あき子

蓬ひけば蓬のあをきにほひ充つ光隅なき昼のしじまに　石川不二子

## ライラック

欧州原産のモクセイ科の落葉低・小高木。高さ3〜4メートルで枝分かれし、卵形の葉をつける。四、五月無数の小花が枝先に円錐状に集まって開く。花色は紫、淡紫、白、紫紅色など、香りが高い。寒さに強く北国では喜ばれる花木である。庭木、切花とし、花から香水をとる。花色が紫のためムラサキハシドイ（紫丁香花）ともいい、仏名をリラという。ライラックは英名。

家ごとにリラの花咲き札幌の人は楽しく生きてあるらし　吉井　勇

雪の夜を何ゆゑリラの花おもふわが荒涼をよぶ北の花　生方たつゑ

リラの花卓《つくゑ》のうへに匂ふさへ五月《さつき》はかなし汝《なれ》に会はずして　木俣　修

雪積みてふかく撓みしリラの枝　ああ祖国とふ遠国ありし　安永　蕗子

リラの芽にふれてやさしきわが乳房一人を産みてのちの鎮まり　新井　貞子

ライラックの蕾ひそやかにまだ固しわれらの恋もあをしと思ふ　石川不二子

## ラベンダー

地中海沿岸地方原産のシソ科の常緑小低木。茎は小枝を多く分けて高さ50〜90センチ。葉は線状皮針形で若葉には白色の綿毛がある。夏、枝先に花穂をつけ、淡紫色の唇形花を多数開く。全草に芳香のあるラベンダー油を含み、欧州では古くから栽培されている。

翳りたる畑と紫まさる畑濃淡見えてラベンダーの輝る　宮　英子

ラベンダーの紫ふかし蝦夷梅雨の曇りのもとにいろ鎮《しづ》みつつ　杜沢光一郎

ラベンダーの紫紺の丘をくだりくる農夫あり神のご

とく黙して　杜沢光一郎

## らん〔蘭《らん》〕

ラン科植物の総称。日本では春蘭、寒蘭などを東洋ランとして珍重し、海老《えび》根《ね》、熊谷草、紫蘭、鷺草などを地上ランとして鉢植、地植えにし、風蘭《ふう》、名護蘭《なご》、石《せっ》こくなどの着生植物を洋ランなどと同様に温室で栽培している。なんといっても花のうつくしいカトレア、シンビジウム、デンドロビュウムなどの洋ランが愛好されている。

蘭が欲しい面《つら》してゐれば天降《あも》るごと君が持ち来る寒蘭二株　土屋　文明

洋上に台風はすでに生れしといふ蘭の葉脈のこの夜するどき　真鍋美恵子

雪の日の街よりかへり咲きみちて妥協ゆるさぬランに近づく　中野　菊夫

蘭の鉢を取り込まむとし花よりも葉よりも寒きわれかも知れず　大西　民子

帰り来て夜の蘭にわれはものをいふやはらかきその沈黙のゆゑ　尾崎左永子

一茎に一花の咲《ゑま》ひ念念のかぎり尽して蘭あざむかず　小中　英之

―りゅうぜつらん

## りきゅうばい〔利久梅《りきゅうばい》〕

中国原産のバラ科の落葉低木。春の花木として庭木や切花用に植えられる。高さ3～4メートル、全体に無毛で枝は横に広がり大きく茂る。だ円形の葉は薄く、互生する。五、六月に新しい枝の先に白色五弁花を総状に開く。花弁の基部は狭まる。茶花用。

利久梅坂のなかばに盛れると午後の曇りに見てくだりたり　高嶋　健一

## りゅうぜつらん〔竜舌蘭《りゅうぜつらん》〕

メキシコ原産のヒガンバナ科の常緑多年生多肉植物。暖地の海岸や庭に植えられる。長さ2メートルの葉は根元から多数生じ、革質で暗緑色、縁は黄色の覆輪が彩り、多数のとげがある。開花は六〇年に一度といわれ、壮大な花茎上に黄白色の花が多数円錐状に咲き、結実後枯れる。

この磯に時化《しけ》荒れすさぶ夜々如何に竜舌蘭の傷みはげしき　野北　和義

黄金《きん》の蘂のいま噴きいでて天空に竜舌蘭の咲きのきはまり　川口　汐子

竜舌蘭の厚らなる葉に陽は強し自死夭折はうつくし

からず　蒔田さくら子

**りょうぶ〔令法《りやうぶ》〕** リョウブ科の落葉小高木で、高さ3～7メートル。日当たりのよいやせ地、尾根などに多くはえる。樹皮はなめらかで茶褐色を帯び、太くなるとまだらに剝げて美しい。広倒皮針形の葉は枝先に集まってつく。七、八月、枝先に白く細かい花が細長い房状となって咲く。

黄葉《もみじば》のリョウブに隣るニシキギの紅《くれない》に触り夕べを在りぬ　田井　安曇

**りんご〔林檎《りんご》〕** 在来の和リンゴは小さく、堅いもので、現在は明治に米国などから入ってきた西洋種の子孫が盛んに品種改良されている。主な品種は国光、紅玉、祝、スターキング、旭、デリシャス、印度など。富士、王林などの新種も定着している。球形、卵形、だ円形、扁円形で色も紅、朱赤、黄、緑など種々あり、早生は七、八月に、ふつう十月ごろから収穫される。歯ざわりがよくて甘酸っぱく、水みずしさが特徴である。北海道、青森、長野が主な産地。

君かへす朝の舗石《しきいし》さくさくと雪よ林檎の香のごとくふれ　北原　白秋

おつべくして落つるりんごは地に落ちよみなぎる秋のひかり熱もつ　五島美代子

黄金《きん》いろの林檎の肌にたはむれの如く一刷毛の紅ある不思議　田谷　鋭

これは信濃これは津軽と手にすれば林檎は不思議の友の顔もつ　岩田　正

日の当る林檎おかれし卓あればなべて平安といふを憎みつ　尾崎左永子

ぴしと鳴る林檎の中の雪の水全東北は雪ぞと思ふ　馬場あき子

分けあって一つのリンゴ母と食う今朝は涼しきわが眼ならん　岸上　大作

紅玉を裂く若き母みずからも種の起源の香をただよわせ　三枝　昂之

青林檎《りんご》与へしことを唯一の積極として別れ来にけり　河野　裕子

そのかみの山の林檎はまつすぐな香気に満ちてなりたるものを　小池　光

王林もネロ二十六号もわれも子も昭和を生れて実る

うつしみ　　今野　寿美

**りんごのき**〔林檎《りんご》の木《き》〕　欧州東部からアジア中部の原産といわれるバラ科の落葉低・高木。冷涼な気候を好み、四、五月の花盛りの林檎畑は壮観である。花は白色または帯紅白色の五弁。現今、果実の収穫を容易にするために樹間を空け、樹高の矮小化がすすんでいる。

林檎さくところを行けり紅に白まじはりて日に照らふ花　佐藤佐太郎

ふかぶかと林檎樹林の花あかり夕べの頃はこころもしろし　斎藤　史

ふかき雪かいくぐりこし屈折に林檎樹のひくき枝は波うつ　春日真木子

月日経て苦しきものは積るらし瘤ある林檎樹花散らしをり　馬場あき子

東北へ旅行く父へ降りかかるりんごの花か冷えぞ身に沁む　佐佐木幸綱

**りんどう**〔龍胆《りんだう》・竜胆《りんだう》〕　本州から九州のやや乾燥した草原にはえるリンドウ科の多年草。茎の高さ30～90センチ、皮針形の葉を対生。九～十一月、茎の上部に紫青色の筒形花を数個集めて開く。切花用の栽培種は花が茎の上部と葉腋につき、白色種もある。本州の亜高山・高山帯にはえるオヤマリンドウは全草やや小形、葉は白粉を帯びる。根を健胃剤とする。

ふるさとの信濃を遠み秋草の竜胆の花は摘むによしなし　若山喜志子

むさし野の低山づたひあゆみきて人こぬ道のりんだうの花　鹿児島寿蔵

三輪山のふもとみちくだるわれひとり枯れくさのなか竜胆《りんだう》青き　前川佐美雄

霧にくもる眼鏡をとりて手ふるればただに冷たきりんだうの花　白石　昂

山に見し咲き遅れたるりんだうの幾日《いくにち》を経てわが夢に咲く　来嶋　靖生

**るこうそう**〔縷紅草《るこうさう》〕　熱帯アメリカ原産のヒルガオ科つる性一年草。垣根やアーチ、鉢植で観賞する。長さ1～2メートルの茎は左巻きに他物にまつわり、葉は羽状に裂けて裂片は糸状。夏から秋、長柄の先に深紅色の花を一個開く。

花冠は漏斗状で先が星状に浅く五裂する。
縷紅草《るこうそう》、殺人犯人一人だに出《いで》しえざりしわが家系なり　塚本　邦雄

## れいし〔茘枝《れいし》〕

熱帯アジア原産のウリ科のつる性一年草。食用として栽培される。茎は細長く、淡緑色掌状の葉と対生する巻きひげで他物にからむ。夏に黄色の花を開く。果実は長だ円形か紡錘形で表面に多数のこぶ状突起がある。成熟すると黄赤色となり、果皮が裂けて紅色の果肉を現わす。食用となるのは緑色か黄白色の若いもので、果肉には苦味があり漬物などにする。苦瓜《にがうり》。蔓茘枝。
親指のはらに種ぬく苦瓜《にがうり》のたのしからずや厨籠りは　阿木津　英
自らの力に裂けし蔓茘枝はばかりもなき秋の苦しみ　米川千嘉子

## レモン〔檸檬《れもん》〕

インド原産のミカン科小高木。暖地で栽培される。木には多くのとげがあり、根元よりよく枝分かれし、大形の葉を互生する。七、八月、淡紫色の大形五弁花を葉腋につける。果実は両端のとがった、だ円形。乳頭があり、果皮が厚く、淡黄色。果汁が多く酸味に富み、芳香がある。ビタミンCを多く含む。樹上で完熟させると香気を減ずるため、青いうちに採取し、色出しする。果皮からレモン油、果汁からクエン酸をとり、飲料・菓子・香料・化粧品原料とし、料理や飲物の香味づけ、添物などに用いる。輸入品が多い。
黒貝《くろがひ》のむきみの上にしたたれる檸檬《れもん》の汁《しる》は古詩《こし》にか似たる　斎藤　茂吉
鮮黄のレモンを一つ皿に置きあさひとときの完き孤りよ　葛原　妙子
花のとき実のときながき檸檬《れもん》の木年々楽し鉢植なれど　佐藤　志満
一片のレモンをふくみ手術後の口を漱ぎぬ生き返りたり　山崎　方代
はつなつと夏とのあはひ韻律のごとく檸檬《レモン》の創《きず》現《あ》るるかな　塚本　邦雄
檸檬《れもん》搾り終へんとしつつ、轟きてちかき戦前、遥けき戦後　岡井　隆
目の前にありて遥かなレモン一つわれも娶らん日を怖るなり　寺山　修司

水底へ逆髪ゆるく曳かれゆく錯覚に一個レモンの錘　唐木　花江

**れんぎょう〔連翹《れんげう》〕**　中国原産のモクセイ科の落葉低木。庭や垣根に植えられ、早春の風に揺れる鮮黄色の花はあざやか。高さ3メートルの枝は先が垂れ、花は基部が短い筒形で花冠は四裂し、びっしりと枝いっぱいに沢山の花がつく。花後、卵形の葉が出る。切花にもする。

連翹の花にとどろくむなぞこに浄《きよ》く不断のわが泉あり　山田　あき

ゆくりなき道を来しかば連翹の花陰にして泉は湧きぬ　岡部　文夫

連翹の花のしだれの下あゆむあゆむ寸暇が黄に烟るなり　安永　蕗子

うつそみのおみなの残花たゆたうを黄の連翹の木ぐるみの花　中野　照子

まだ咲いてゐるぞ連翹いますこし狂つてゐたい人生である　時田　則雄

**れんげそう〔蓮華草《れんげさう》〕**　緑肥、飼料として田に多く作られる中国原産のマメ科の二年草。細い茎は地をはい、奇数羽状に分かれた葉を互生する。春に葉腋から花柄を立て、先端に紅紫色まれに白色の蝶形花を数個輪状につける。田圃一面に咲いた風景はうららかで、紅い花の絨緞を敷いたようである。花後に結ぶ豆ざやは上を向き黒熟する。根に球状の根粒が着生し、上等の緑肥となる。紫雲英《げんげ》。げんげん。

げんげ田の敷くくれなゐのうち続きうち重なりて雪の山に迫る　窪田　空穂

春あさき山の麓の山崩《なぎ》あとに紫雲英《げんげ》の花の咲くあはれなり　前田　夕暮

紫雲英の花靉靆として蜜蜂の唸りは遠くただよひにけり　若山喜志子

れんげ草白き一株をよろこびて立ちあがる時たちぐらみする　土屋　文明

尚遠く澄む紅を濃しとして紫雲英を摘みき幼かりにき　相良　宏

深々とレンゲの花に寝ころびぬ人にはあらぬこのあたたかさ　池本　一郎

こなごなのひとの魂ほどれんげさうどこにも咲ける

れんげつつじ—
ふるさとなりき　永井　陽子

## れんげつつじ〔蓮華躑躅《れんげつつじ》〕

北海道から九州の山地にはえるツツジ科の落葉低木。庭木にもする。高さ1～2メートルで枝は多数車輪状に分かれる。葉は薄い倒皮針形で先が丸い。五、六月枝先に二～八個の漏斗状の花を開く。朱紅・紅黄・黄の色がある。

蓮華躑躅の群落にあうたちまちに身はつつまれてほむらのもなか　加藤　克巳

八子《やし》ケ峰《みね》の青草原にくれなゐを刷くごとく咲くれんげつつじは　大越　一男

## ろうばい〔蠟梅《らふばい》・臘梅《らふばい》〕

中国原産のロウバイ科の落葉低木。江戸時代に渡来し、庭木や切花、盆栽などとされる。高さ2～4メートル、株立ちし、茂る。早春、前年の枝に多数の光沢のある花が下向きに開く。花被が多数あり、内側の芯のようなものは暗紫色、外側の大形のものは黄色で蠟引きしたような光沢がある。素心《そしん》臘梅は内側の芯が黄色である。芳香があり正月の生花として珍重される。花後、卵状だ円形で先のとがる葉を対生する。

しらじらと障子を透す冬の日や室《へや》に人なく臘梅の花　窪田　空穂

つぎめにて瘤ふとぶとと老ゆる木の素心蠟梅われも危ふし　福田たの子

ほのぼのとうす黄緑に咲きそめぬ凍てつく土の古木臘梅　窪田章一郎

臘梅の花ほつほつと新年の窓に顕《た》たせてひそかなるかな　高嶋　健一

紺青のさきはひは降りきたりけり臘梅の香の日差をゆけば　雨宮　雅子

風変り曇りて寒き廃坑《やま》の街咲く臘梅の花影の揺る　山崎　正夫

臘梅はいささかの雪積みたれば雪の間より臘梅匂う　永田　和宏

## ロベリア

南アフリカ原産のキキョウ科の二年草。高さ15～20センチの茎は多く枝分かれし、束生。やや横にはう性質がある。葉は互生。秋まきで春から夏に開花する。花は上唇二枚が小さく、下唇三枚が大きく広い、淡青色またはすみれ色。花壇の縁どりや鉢植の矮《わい》性種には白、青紫、赤色などの花がある。花言葉は悪意、敵意。

空いろのつゆのいのちのそれとなく消なましものをロベリヤのさく　北原　白秋

ロベリヤの紫いろがしつかりとその位置占めて咲けるくもり日　木下　利玄

一束《ひとつか》ね瓶《かめ》に挿したるロベリヤの水よくあげて涼しかりけり　土田　耕平

## わかば〔若葉《わかば》〕

初夏、樹々の新葉がみずみずしさをおびて、あざやかな色に茂るのをいう。椎、樫、樟や楓はとくに美しい。

雨にぬるる広葉細葉の若葉森あが言ふこゑのやさしくきこゆ　斎藤　茂吉

時計台の時計の針はいつも正午若葉すがすがしくけふもわが来つ　土岐　善麿

行け　若葉　さやげる山の夏こだまひるがへるまのかなしみにして　前　登志夫

逃るるにあらず突破といふにあらずしかれども行く若葉の村へ　佐佐木幸綱

身を刺すは若葉のしづく木菟《づく》のこゑいま抱かれなばにほひたつべし　藤井　常世



## わかめ〔若布《わかめ》〕

日本各地沿岸の低潮線付近から約10メートルの海底に生育する一年生海藻。高さ50～150センチで羽状に裂ける。冬から春に盛んに生育し、夏は枯れて流失する。養殖が盛んで、刈りとって干し、汁の実やあえ物にして食べる。鳴門若布、三陸海岸のものが有名。

儲けうすき若布相場を海女ら言ふ潮かがやけばみにくくはなく　生方たつゑ

砂浜に砂にまぶして乾してある若布のにほふ昼すぎにして　佐藤佐太郎

渚より拾ふわかめを菜種など実る畑のかたはらに干す　板宮　清治

## わさび〔山葵《わさび》〕

アブラナ科の水生多年草。冷涼な気候と日陰を好み、谷川の浅瀬に生育し、流水を用いたワサビ田で栽培される風景は清涼である。ハート形でわずかに鋸歯のある葉は柄があり、対生する。四月ごろ総状花序をなす小さな白色花をつける。食用とされる根茎は節のある円筒形で、各節には葉痕がある。根茎には強い刺戟性の辛味があり、すりおろして日本料理の香辛料やワサビ漬にする。

長野県穂高町や静岡県伊豆の山葵田は有名。

真清水《ましみづ》の流れつめたき山葵田に山葵のぬれ葉みなゆれうごく　前田　夕暮

しらじらとわさびの花の咲くなれば寂しとぞ思ふおのが往《ゆ》き来《き》の　土屋　文明

安曇野のわさび花茎ほの辛く嚙みて静脈あをく透けたり　斎藤　史

つくづくと腰を下して見まもれる山葵の花はこまかかりけり　山崎　方代

## わすれなぐさ〔忘《わす》れな草《ぐさ》・勿忘草《わすれなぐさ》〕

欧州、アジア原産のムラサキ科で、秋まき一年草。草丈は10〜20センチ位で葉は長だ円形。五、六月、花茎をのばし、沢山の小花を開く。花は先が五裂し、初め淡紅色のちコバルト色になる。園芸品種は花が大きく、白や桃色などもある。北海道、本州中部の深山にはえるエゾムラサキは、茎の基部が地をはい、花は、るり色。

仏蘭西《フランス》のみやび少女がさしかざす勿忘草《わすれなぐさ》の空いろの花　北原　白秋

思ふてふこと言はぬ人の／おくり来《き》し／忘れな草もいちじろかりし　石川　啄木

群青《ぐんじやう》のラシャ地の感触こまやかに地をしきつめて咲く勿忘草《わすれなぐさ》　長沢　美津

水いろに咲ける花こそ優しけれ勿忘草《わすれなぐさ》と教へたまへり　宮　柊二

敗戦、たちまち半世紀にて蒼き血の勿忘草《わすれなぐさ》も消えうせたり　塚本　邦雄

## わた〔綿《わた》・棉《わた》〕

アジア原産のアオイ科の一年草。奈良時代に渡来したといわれ、綿毛と種実を採るため栽培される。高さ1〜2.5メートル、掌状の葉は互生し、長い柄がある。花は夏の朝に開花し、色はクリーム、黄、紫、深黄など。朔《さっ》果は秋に熟して白い綿毛に包まれた種子を現わす。

綿の木を知らぬわが目に結びし実一つ大きく真白く割れぬ　窪田章一郎

省境を幾たび越ゆる棉の実の白さをあはれつくづく法師鳴けり　宮　柊二

百済よりここに渡りて継ぐ花か畠の綿《わた》に淡黄に咲く　黒田　淑子

## わたすげ〔綿菅《わたすげ》〕

本州中部以北の湿原などにはえるカヤツリグサ科の多年草。葉は細長い線形で多数根生して大株をつくる。初夏、茎頂に高さ20～50センチの花穂を出す。子房の下には白毛があり、花後のびて2センチ内外になり、全体に球形となる。

わたすげよ孤はよし群れ咲くは更によし山は遠く晴れ風はひろびろ　小市巳世司

何にむかふ優しさならむ靡きつつ時折を婚《しな》ふワタスゲの穂は　小林　孝虎

若夏の水がにほへばわたすげの風にしたがふこころゆかしも　今野　寿美

## わびすけ〔侘助《わびすけ》〕

ツバキ科の園芸品種で、茶花や庭木として植えられる。早咲きで、一重の小輪の花が半開する。花色は紅、赤、白など。茶花に用いる。

春日すらひとり堪へつつわびすけの花赤しとを白しとを見る　北原　白秋

まぎれなく自分のものと言ひうるは何もなかりき侘び助の花　中城ふみ子



## わらび〔蕨《わらび》〕

野原などやや明るい所に多いワラビ科のシダ。根茎が地中やや深い所を長くのび、春にでる葉の先が巻いている若い茎を摘んで食べる。成長するとシダのように葉が大きく広がり、茎も太くなる。根茎からは澱粉がとれ、これをワラビ粉といい、ワラビ餅などの原料となる。わらび狩りは春の主な行事。

ゆきゆきて蕨の長き国なれや一人二人は養ふべしも　土屋　文明

この丘にわらびを掘りて幾世代過ぎ来し生を今に伝ふる　柴生田　稔

国の秀《ほ》の草山分けて蕨採るこの童《わらべ》らはけふも学ばず　木俣　修

向う山の蕨を摘みてかへり来し吾妻はいつもその嵩《かさ》を見す　前　登志夫

歳々年々花相異なりわらび生ふるところも変る十年たてば　石川不二子

摘み寄せてあなしづかなる生命のほさきを見する蕨ひとたば　玉井　清弘

## われもこう〔吾木香《われもかう》・吾亦紅《われもかう》〕

日当たりのよい山地にはえるバラ科の多年草。茎の高さ1メートル位。奇数羽状複葉の葉には柄があり、小葉は長だ円形で刻みがある。夏から秋にかけ、上方に枝を分かち、枝先に暗赤色卵形の花穂をつけ、無弁の小花を多数密に開く。葉が枯れ落ちた後も円筒形の穂には四角の痩果《そう》がいつまでもつく。

遠香る高原の径明《あか》ければ吾木香の花をかぎて人をり　福田　栄一

人を瞬《またた》かすほどの歌無く秋の来て痩吾亦紅《われもかう》　それでも咲くか　斎藤　史

偶然《わくらば》に子が採り来しとふ望《もち》の夜のすすきに添へて吾《われ》亦紅《もかう》あり　田谷　鋭

吾亦紅まばらまばらに秋空の読点ひとつ句点もひとつ　安永　蕗子

花といふにはさびしき花の吾木香しかもまぎらずあら草のなか　川合千鶴子

吾亦紅われも紅《こう》とやひたぶるに心述ぶるはくるしきこころ　雨宮　雅子

色失せし吾亦紅ありくれなゐの残れるもあり風に吹かるる　石川不二子

歌詠みて身は痩せゆくとゆめ思ふな　野に咲く吾亦紅　吾亦紅　藤井　常世

きよらなる子を孕みたし吾亦紅つばらつばらに羞《やさ》しくれなゐ　竹安　隆代

# 索引

1、索引項目は現代かなづかいで五十音順に配列した。
2、太字の掲載頁は見出し語。

## —あ行—

索引

## ―か行―

索引

# 索　引



## —さ　行—

## 索引

―た行―

## —な　行—

## ―は行―

—や　行—

## —ら・わ行—

短歌表現辞典 草樹花編（たんかひょうげんじてん そうじゅかへん）

2021年5月10日　第1刷発行

編　著　飯塚書店編集部

発行者　飯塚 行男

装　幀　飯塚書店装幀室

印刷・製本　モリモト印刷株式会社

株式会社 飯塚書店　〒112-0002 東京都文京区小石川5-16-4

TEL03-3815-3805　FAX03-3815-3810

http://izbooks.co.jp　郵便振替00130-6-13014

 ISBN978-4-7522-1045-0　Printed in Japan

※本書は1996年小社より初版発行の書籍を復刻して刊行したものです。